JN046022

アリスに驚け

アリス狩りVI

Hiroshi Takayama

青土社

アリスに驚け

アリス狩りⅥ

目次

第Ⅰ部

第Ⅱ部

＊

＊＊

アリスに驚け

アリス狩り Ⅵ

第 I 部

1 アリスに驚け

ひとりのクリティーク、文化史の人間としておわりのはじめ位のところに立った末期（まつご）の目を以て、長いキャリアのはじまりのはじまりの地点を一度見直してみたい。文学趣味を一定の歴史記述に広げる「文化史」の感覚のできていく現場をみることができる。ぼくのはじまりのはじまり、それは世界の文学の中で多分一番有名な作品冒頭とのかかわりである。こう、あった。

> アリスは土手の上でお姉さんと並んですわったまま、何もすることがないので、あきあきし始めていました。一度二度、お姉さんの読んでいる本をのぞきこんだのですが、挿絵もなければ会話もないものですから、「絵も会話もない本なんて何になるの」と、アリスは思いました。

むろんただ単に読むということも可能なのかもしれない。ぼくがいろいろな折りに、その折りならばこその様々な読み方、読み込みを試みるものだから、素直に面白がっていただける読者もいれば、読み込み過ぎといって鼻白む向きもある。

たとえばいきなりの「アリス」である。私、あなたは（十中八九）日本人だから、これでいきなりこれから始まる物語がどこか異国の物語の「翻訳」なのだと、なぜか瞬間的に判断する。かつて『アリス』邦訳史のある段階でこれが「真理ちゃん」と訳されたためしもある。それだけで読み方は一変する。いろいろあって生れながら悲しい十字架を負ったぼくの「次女」はその名を「ありす」という。それでぼくか、ぼくのつれがひょっとしたらキャロル好きかもしれないという憶測がひとりでにでてこよう。

ただ読むなどということはありえないのだ、といいたい。たとえばこれが翻訳だと一瞬理解したあなたは、土手でアリスという少女の横に座って本を読んでいる少女が本当は「お姉さん」なのか「妹」なのか、いぶかしむのでなければならない。現に原語ではただの「シスター」なので、わざわざエルダー・シスターなどと断ることは余程珍しい。ブラザーだって、同じで、実は兄なのか弟なのか即決はできない。小説の訳文ならば物語のつくる世界があって、その中で兄や弟が決まってくる。伝記の訳だと、簡単にはいかない。戸籍なり出生届のたぐいという「史料」によってはっきり兄か弟かを確定しなければならない。ごく最近、ぼく自身、サイモン・シャーマの『レンブラントの目』という、百年にもわたるルーベンス、レンブラント二人の大画家の親戚縁者入り乱れる伝記を訳したばかりだが、メジャー、マイナー区別なく大家族の系図、出生死亡記録をかたわらに置かずには安心して、兄だの、妹だの訳せぬので実に閉口した。

たとえば「アリス」という少女の名については、キャロル・ファンなら誰しも、これがチャールズ・ラトウィッジ・ドジソン（ダドソン）という人物が年が離れすぎて実るあてもなかった恋の幼い相手だったかもしれない実在の少女アリス・プレザンス・リドゥルと繋がりのある名だと知っている。ほらね、もうただ単に読むというイノセントな読み方とは、すでに大分遠い。

「お姉さん」のほうはもう少し性（たち）が悪い。これもキャロルの伝記を読み知っているかどうか、多少関係があるかもしれない。キャロルは十一人の兄弟姉妹の三番目、長男ということだから、上二人は姉である。というような関係から、この土手の上の「シスター」が姉であることが何か説明つくのかもしれない。

キャロル伝のいろはである。であるはずだ。であるはずなのだが、この何年かいろいろな大学の文学部の若い学生相手に『アリス』のことを喋っていて、ルイス・キャロルの名で通る文学者が本当はただのペンネームで、本名はチャールズ・ラトウィッジ・ドジソンという別の人だと知って驚きましたという反応がいくらもあって、そうか、そうなんだ、これはゼロから丁寧に話さねばならないのだ、と此方は此方でびっくりすることが重なった。むろん「アリス」が実在の少女に由来する名など、彼、彼女、知るよしもなかった。

知識とか、読み手のセンス次第で、読みのレヴェルはかなり変わる。以下この拙文では最近「文化史」と大雑把に呼ばれる、時代や文化への新しいアプローチの仕方を（その創始者の多分一人だから）割とくわしく知っている人間が、何十回、いや何百回か読んできた『アリス』を、今何十回と一回目、何百回プラス一回目に読むとこういうふうに読めるという読み方を示すという形で、『アリス』読みの少しだけ程度の高いレヴェルを御披露してみることにする。

たとえば、「お姉さん」についていえば、こういうふうだ。その少女が手に本を持っているのに、「アリス」の方は持っていないが故に、持っている方が「お姉さん」なのであるという見方、それを文化史（Kurturgeschichte）の見方というのである。

THE DEMON OF
NOONTIDE
Ennui in Western Literature
REINHARD KUHN
PRINCETON UNIVERSITY PRESS
PRINCETON, NEW JERSEY
第一章　兎穴に落ちる
アリスは土手の上でお姉さんと並んですわったまま、何にもすることがないので、あきあきし始めていました。一度二度、お姉さんの読んでいる本をのぞきこんだのですが、挿絵もなければ会話もないものですから、「絵も会話もない本なんて何になるの」と、アリスは思いました。
そこで彼女は、ヒナギクをつなげて花環をつくってみると楽しいのだろうけど、わざわざ立ち上がっていってヒナギクをつむのも面倒だなと考えていました（考えると言っても、できるだけという話。なにしろ暑い日だったものですからとても

「本」が教育・教養の高さのシンボルだった時代は余りに長い。本というものについて今という

Carter
THE MYSTERIOUS
CIRCUS
CORTY-ALTHOFF
BREMEN, Grünen Kamp.
Gr. brillante Vorstellung
In jeder Vorstellung:
HOUDINI
5000 Mark
5000 Mark
5000 Mark
つくりしました。だってどう考えてもポケットのついたチョッキを着たり、そのポケットに懐中時計をしのばせたウサギなんて一度も見たことがなかったからで、そうなるともう好奇心いっぱい、ウサギを追って野原を横切り追いついてみると、ウサギはちょうど生垣の下の大きなウサギ穴にぽんととびこんだところでした。
次の瞬間、アリスもウサギを追ってとびこみましたが、一体どうやったら出てこられるかなんてまったく考えてもいませんでした。
ウサギの穴はしばらくトンネルのように続いていましたが、突然がくんと下降し、あまり突然の下降でしたから、止まろうと思うといとまもあらばこそ、気づいてみるととても深い井戸のようなところを落ちていっているのでした。
井戸がとても深かったか彼女がとてもゆっくり落ちていったかのどちらかでした。というのも、落ちていきながらまわりを見回し、次に何が起きるんだろうと考えるだけの十分な時間があったからです。まず下を見おろし、どこに行きつくのか見きわめようとしましたが、暗くて何も見えません。次に井戸の壁に目をやると、それは戸棚や本棚でいっぱいでしたし、木釘にかけられた地図や絵があちこちに見られました。落ちていきながら棚のひとつから壺をとってみると、それには「オレンジ・マーマレード」というラベルが貼ってあるのに、中はからっぽでしたので、アリスはとてもがっかりしました。下にいる人が死んでしまうかもしれないので、壺を落としてはいけないと思い、戸棚のひとつの前を通っていく時、その中になんとかしまいました。
RED
WHITE
白の歩（アリス）が11手目で勝つまで
1　アリス，赤の女王に会う
2　アリス，（汽車で）3の目を通過し4の目に進む（トゥィードル兄弟に出会う）
3　アリス，（ショールをもった）白の女王に会う
4　アリス，5の目へ進む（店，川，店）
5　アリス，6の目へ（ハンプティ・ダンプティに会う）
6　アリス，7の目へ（森）
7　白の騎士，赤の騎士をとる
8　アリス，8の目へ（冠をもらう）
9　アリス，女王になる
10　アリス，入城（キャスリング）（酒宴の場）
1　赤の女王，KR 4の目へ
2　白の女王，（ショールを追っかけて）QB 4の目へ
3　白の女王，QB 5の目へ（羊に変身）
4　白の女王，KB 8の目へ（棚の上に卵を置くところ）
5　白の女王，QB 8の目へ（赤の騎士から逃げる）
6　赤の騎士，K 2の目へ（王手）
7　白の騎士，KB 5の目へ
8　赤の女王，K列の目へ（試験をする）
9　女王たち，入城
10　白の女王，QR 6の目へ（スープ）

『アリス』ストーリー冒頭。全体テーマの総覧

時代は長大な人類文化史の中でも多分指折りに面白い時代なのにちがいない。デジタル文化の進歩で冊子体の「本」が随分有難みを失っていく。持っているだけで、持たない人間より「えらい」と見られた長い長い時代が終りつつある。書物が輝き（アウラ）を失ったという言い方をする。

『不思議の国のアリス』は一八六五年の発表。ヴィクトリア朝と呼ばれた大英帝国全盛期の真中、世界の七つの海を制覇するその全盛期の全盛期が始まろうとするあたりに発表された。どっと入ってくる未知の情報。情報弱者にならぬための教育・教養が声高に叫ばれ始めたタイミングのど真中に『アリス』はある。ふたつの『アリス』物語が、一少女の成長を物語るいわゆる教養小説（ビルドゥングスロマン）であるのはそのためであるし、ゆっくり暇をかけておられぬ教育のスピードが、白兎の「遅刻してはいけない」という有名な強迫観念に如実である。

　長くなったが、本を手にしている方がどうしても「お姉さん」でなければならない文化史的な理由があるわけだ。しかもこの冒頭の一文はそれをさらに深めた議論さえしている。アリスの捨て台詞が問題だ。「絵も会話もない本なんて」というので、本にも二種類あることがわかる。絵あり、会話ある本とは何なのだろう。これ、いきなり文化史の大問題なのだ。とりわけその中のメディア論と呼ばれる分野の大問題なのだ。

　まず本がない時代が本持ち、本読む時代になるとはどういうことか。それが子供たちの文化の歴史とどう係わるのだろうか。本読む子供がお姉さんになり、そうでない方が年下と、ほぼ自動的にみなされて少しも変でないということは、実はどういうことなのか。

この冒頭で少女アリスが感じている孤独からして、お姉さんの本読みは文化史で言う黙読である。「会話」がないというアリスの非難がその点をさらに強調するだろう。文化史で言う黙読とは妙な言い方をしたが、ほぼこういうことだ。

十六世紀半ばにグーテンベルクの活版印刷が完成して、いわゆる宗教改革推進の決定的な武器となったことはよく知られている。カトリックはラテン語という難しい言葉を、説教師たちが独占する代り、朗々と説教する声と耳のキリスト教であったのが、書物になり、活字になった。おまけにカトリックがコミュナルというか、多くの人間を儀式に巻き込む気分の共同体とでも呼べる運営をしたのに対し、プロテスタントは教会や祝祭といった共同体的宗教を偽りとし、人一人が神の声と一対一でやり合う密室での告白と懺悔の営みこそがこれからの宗教と号したことがあって、結局、夜、蠟燭の明りの下で聖書という本を開いて、自分一人、ぼそぼそ読む、挙句は「声に出さない」聖書という黙読の方法が慣習として定着していった。「お姉さん」のしている本の読み方とは文化史、メディア史の中でははっきり「近代的」と呼ばるべき風変わりな態度なのである。

ピュリタニズムはたとえば共同体的なにぎやかさを、従って虚妄だの愚行だの称して抑圧した。十七世紀半ばの劇場封鎖令が典型だ。そこで『ロビンソン漂流記』のデフォーが生れているのは偶然でない。演劇が終って、いわゆる「小説」が生れてくるのである。要するに「会話」をうるさいっ！と言って切って捨てた文化が、文化史的に言う「近代」という時代なのだ、とひとまず言える。「絵」についても同じように大きな議論が必要だ。実はやはり十六世紀の半ば（グーテンベルク聖書の時代）が問題だ。この辺、世界史教科書中のハイライトの時代だが、トリエント宗教会議が蜿蜒（えんえん）と開かれる。目に見えない神や精霊を信じることこそ真の宗教といってきたカトリックがプロテスタントに押されるのを何とかしようとして、ついに神や奇跡を絵に描いて布教の武器にしようと大方向転換をした。ここから近現代におけるヴィジュアルな文化の問題のあらかたは出発する。極致は御存知イエズス会で、いまならマニエリスムとかバロックと称される強烈に感覚に訴えかける新奇なアートと、世界をそっくりヴィジュアルとして脳裡に記憶する――蛮地で聖書を奪われてもなお布教できるように、である――〈記憶術（アルス・メモラティーウァ）〉とを武器に、マカオや種子島（たねがしま）に来て、日本の阿国（おくに）歌舞伎を強烈に感覚的にインスパイアした。このイエズス会マインドが十六世紀後半、非合法化されると同時に、つい最近デジタルに押されるまで二百数十年間にわたって文化を制圧してきた「言語中心主義（ロゴセントリズム）」の全盛期になるわけである。

　遠い歴史の物語をしているわけではない。たとえば、グーテンベルクの活版印刷および（ラテン語でなく）ドイツ語の聖書が文化全体に及ぼした影響の連鎖を「グーテンベルクの銀河系（ギャラクシー）」と名づけて最近のメディア文化論に糸口をつけたマーシャル・マクルーハン（一九一一―八〇）が自ら「カトリック・パラノイア」を称し、ＳＪ（イエズス会）を号する神父たちがトロントのマクルーハン研究所に集結している事情を我々はなおよく理解できていないが、事実はそういうことなのだ。

　アリスの「絵も会話もない本なんて」というなにげない一言の背後には、十六世紀半ばに淵源し、ヨーロッパ近現代を貫くメディアと表象の文化史がそっくりコンパクトに収められている。かつてあった「絵」と「会話」の文化を失ってただひたすら言葉ばかりが、それも横並びの地の文としてのみ連なる「本」になったが、そんなこと許さないといって、現代の文字文化を叱っているアリスが、しかしきちんとその現代の子であるところが『アリス』ものの面白いところだが、このくだりでもそう。残念、全ての邦訳でわからなくされてしまっているが、「何になるの」の原文は“what is the use of ...”で、慣用句化した修辞疑問とかいっておしまいではだめなので、万事に“use”を問うヴィクトリア朝人にきわまる近代功利主義の少女版をここに見なければならない。“use”など、ありふれた言葉に限って難しいのだとは、『複雑語の構造』のウィリアム・エンプソンと、『バベルの後で』のジョージ・スタイナーの重たい教えだが（翻訳業の人間には地獄の二冊！）、“sense”の次に厄介なのがこの“use”なのだと、長い英国文化史との付き合いの結果、改めて痛感する（是非『オックスフォード英語大辞典（ＯＥＤ）』で“use”の項を耽読してくれると、とっても「ユースフル」）。

ひとつにはこうして「本」、メディア、表象をキーワードに近現代文化史を論じたくさせる『不思議の国のアリス』冒頭部なのである。「会話」と聞くだけで、十八世紀英国文学が、「テーブル・トーク」という珍妙なジャンルをはやらせて会話を巨大文学に仕立てたことを片方で思い出させるし、もう片方では文学そのものを、消えぬ「他者」同士の「声（ヴォイス）」がいつまでもからまり合い続ける「対話（ジアローク）」として定義し直そうとした批評家ミハイル・バフチーンの近代文学批判のことも（その流れを汲むニーナ・デムローヴァの『アリス』ジャンル論の突破口のことも）思い出させる。これは後で少し詳しく。

実際、くだんの冒頭部四行にして、いま『アリス』を見直すための視点は手掛りとしてそこにすべて含まれているとしか言いようがないのである。いろいろな読み方がある。ただ単に読んで等、あり得なさそうということだけでもわかってもらえただろうか。「土手の上で」とは、つまり地と水を分かつ境界線の謂(いい)だからと、いきなり民俗学や人類学でいう〈境界性(リミナリティ)(liminality)〉の文学への糸口なり手掛りを得たつもりのきみも正解ならば、絵と会話のない本は無益とひとりごつアリスの胸中に、その後続のテクストを読み進むにつけ、あまつさえジョン・テニエルの伝記的挿絵を用意し、とにかくキャラ同士喋りに喋る「会話」場面ばかりという物語と作者の、さりげないマニフェスト、敢えて言えば短簡ながら立派な自己言及の仕掛けを読むあなたも大したものだと、ぼくとしては褒めておきたい。すでにしてきみ、第一級の読み方をしているんだよ。

大体こんなところを「文化史(Kulturgeschichte)」と呼ぶとしたら、その一部に組み込めるなら壮大な文化研究(Kulturwissenschaft)になっていくはずのものにいわゆるカルチュラル・スタディーズ(cultural studies)がある。ここでいえば子供二人が大人のいない時空で居ることがどういうことかということに関心が向かう。ぼく自身、いまは余り興味が湧かないが、いわゆるアナール派歴史学が子供の文化史に目を向けたフィリップ・アリエスの『〈こども〉の誕生』が有名だが、「大人」と「子供」相互の概念規定が一六六〇年代に始まったとアリエスはいう。文化史家ミッシェル・フーコーがそれこそ言語中心の「表象」の「黄金時代」が始まったと称したのと寸分違わぬタイミングであることは絶対に偶然ではない。

ずっとわかり易いレヴェルでいえば、子供（たち）が子供たちだけで過ごす時空とは何かという問題意識が、この冒頭の少女二人の土手の上を眺めるに必要ということなのである。「お姉さん」を母親の代替物と見るなら、要するに十九世紀末に一挙に完備していく「女子供の部屋（Damenzimmer）」の縮図を我々は目のあたりにしているのだ。英語で言えば“nursery room”に当る。「ナースリー」ですぐ連想できるように、こういう空間で享受されるよう編集が急がれたのが、直前のロマン派時代の「鵞鳥おばさん」の童話民俗の世界であり、まさしく十九世紀半ばに爆発的に生まれた「児童」文学であったわけである。ナースリー・ルームのカルチュラル・スタディーズでは、フェミニズム、ジェンダー論としては才媛富島美子氏の『女はうつる』（勁草書房）で、大体の手掛りは網羅されているようである。主人公アリスをめぐる食べる・食べないというよく知られたテーマを拒食・過食のジェンダー論で切ったエッセーなど、ぼくがこれから試みようとしている風変わりな『アリス』論の一番盲点としているあたりで、これからのキャロル論、『アリス』論への模範的突破口たる名著として、感心して読んだ。きみも、是非だね。

子供部屋なるものが男性優位社会の真中に生まれてくるというカルチュラル・スタディーズの着眼をもう少し広げて建築空間としての「インテリア」の問題として捉えるならもはや歴たる文化史の問題となり、これは内と外の反転するメビウスの輪にとり憑かれたキャロルの心裡深くの私的問題と係わりながら、『アリス』物語全体に絶妙な舞台を——安定建築の「不気味なもの」化の典型事例を——提供してもくれる。

そして野外を装った密室に幽閉された子供が実はそこで鬱々とはぐくんでしまっている倦怠の異様さにやっと我々はたどり着く。「すわったまま、何もすることがないので、あきあきし始めました」。これがたとえばフロベールの『ボヴァリー夫人』とか、退屈人間の極致を描くゴンチャーロフの『オブローモフ』の冒頭なら別に構わない。ドゥーイング・ナッシング。最近読んで一番充実した批評がトム・ルッツの『ドゥーイング・ナッシング』なる一著だというのも皮肉な話だが、

1. There is good reason to believe that Tenniel adopted a suggestion of Carroll's that he draw the Hatter to resemble one Theophilus Carter, a furniture dealer near Oxford (and no grounds whatever for the widespread belief at the time that the Hatter was a burlesque of Prime Minister Gladstone). Carter was known in the area as the Mad Hatter, partly because he always wore a top hat and partly because of his eccentric ideas. His invention of an "alarm clock bed" that woke the sleeper by tossing him out on the floor (it was exhibited at the Crystal Palace in 1851) may help explain why Carroll's Hatter is so concerned with time as well as with arousing a sleepy dormouse. One notes also that items of furniture—table, armchair, writing desk—are prominent in this episode.

The Hatter, Hare, and Dormouse do not appear in *Alice's Adventures Under Ground;* the entire chapter was a later addition to the tale. The Hare and Hatter reappear as the King's messengers, Haigha and Hatta, in Chapter 6 of *Through the Looking-Glass.* In Paramount's 1933 motion picture of *Alice,* Edward Everett Horton was the Hatter, Charles Ruggles the March Hare. Ed Wynn supplied the Hatter's voice in Walt Disney's 1951 animation, and Jerry Colonna spoke the part of the Hare.

"It is impossible to describe Bertrand Russell," writes Norbert Wiener in Chapter 14 of his autobiography *Ex-Prodigy,* "except by saying that he looks like the Mad Hatter . . . the caricature of Tenniel almost argues an anticipation on the part of the artist." Wiener goes on to point out the likenesses of philosophers J. M. E. McTaggart and G. E. Moore, two of Russell's fellow dons at Cambridge, to the Dormouse and March Hare respectively. The three men were known in the community as the Mad Tea Party of Trinity.

Ellis Hillman, writing on "Who Was the Mad Hatter?" in *Jabberwocky* (Winter 1973), provides a new candidate: Samuel Ogden, a Manchester hatter known as "Mad Sam," who in 1814 designed a special hat for the czar of Russia when he visited London.

Hillman also conjectures that "Mad Hatter," if the *H* is dropped, sounds like "Mad Adder." This, he writes, could be taken as describing a mathematician, such as Carroll himself, or perhaps Charles Babbage, a Cambridge mathematician widely regarded as slightly mad in his efforts to build a complicated mechanical calculating machine.

Hugh Rawson, in *Devious Derivations* (1994) writes that Thackeray used the phrase "mad as a hatter" in *Pendennis* (1849). So did Thomas Chandler Haliburton, a Nova Scotia judge, in *The Clockmaker* (1837): "Sister Sal . . . walked out of the room, as mad as a hatter."

2. The British dormouse is a tree-living rodent that resembles a small squirrel much more than it does a mouse. The name is from the Latin *dormire,* to sleep, and has reference to the animal's habit of winter hibernation. Unlike the squirrel, the dormouse is nocturnal, so that even in May (the month of Alice's adventure) it remains in a torpid state throughout the day. In *Some Reminiscences of William Michael Rossetti* (1906) we are told that the dormouse may have been modeled after Dante Gabriel Rossetti's pet wombat, which had a habit of sleeping on the table. Carroll knew all the Rossettis and occasionally visited them.

Dr. Selwyn Goodacre noticed that the dormouse is sexless at the tea party, but is revealed as male in Chapter 11.

A British correspondent, J. Little, sent me the stamp shown below which pictures the

69

hat I say—that's the same thing, you know."
the same thing a bit!" said the Hatter. "Why,
ht just as well say that 'I see what I eat' is the
ing as 'I eat what I see'!"
might just as well say," added the March
that 'I like what I get' is the same thing as 'I
t I like'!"
might just as well say," added the Dormouse,
seemed to be talking in its sleep, "that 'I
when I sleep' is the same thing as 'I sleep

"It *is* the same thing with you," said the Hatter, and here the conversation dropped, and the party sat silent for a minute, while Alice thought over all she could remember about ravens and writing-desks, which wasn't much.

The Hatter was the first to break the silence. "What day of the month is it?" he said, turning to Alice: he had taken his watch out of his pocket, and was looking at it uneasily, shaking it every now and then, and holding it to his ear.

Alice considered a little, and then said "The fourth."[6]

"Two days wrong!" sighed the Hatter. "I told you butter wouldn't suit the works!" he added, looking angrily at the March Hare.

"It was the *best* butter," the March Hare meekly replied.

"Yes, but some crumbs must have got in as well," the Hatter grumbled: "you shouldn't have put it in with the bread-knife."

The March Hare took the watch and looked at it gloomily: then he dipped it into his cup of tea, and looked at it again: but he could think of nothing better to say than his first remark, "It was the *best* butter, you know."

Alice had been looking over his shoulder with some curiosity. "What a funny watch!"[7] she remarked. "It

THE ANNOTATED Alice

THE DEFINITIVE EDITION

LEWIS CARROLL

INTRODUCTION AND NOTES BY MARTIN GARDNER

USA $29.95 / $42.00

13. Henry Holiday, who illustrated Carroll's *Hunting of the Snark*, recalled in a letter asking Carroll why all the names of the ship's crew members begin with *B*. Carroll replied, "Why not?"

Note that it is the March Hare, not the Dormouse, who answers Alice's question. As Selwyn Goodacre has pointed out, "his own name begins with an *M* as well, and he wanted to be part of the story."

Selwyn Goodacre also called my attention to the fact that because "molasses" begins with *m*, it was appropriate that the girls "draw" treacle from the well.

14. "Much of a muchness" is still a colloquial British phrase meaning that two or more things are very much alike, or have the same value; or it may refer to any sort of all-pervading sameness in a situation.

15. I am indebted to Roger Green for the surprising information that Victorian children actually had dormice as pets, keeping them in old teapots filled with grass or hay.

For over half a century, Martin Gardner has established himself as one of the world's leading authorities on Lewis Carroll. His *Annotated Alice*, first published in 1959, has over half a million copies in print around the world and is beloved by both families and scholars—for it was Gardner who first decoded many of the mathematical riddles and wordplay that lay ingeniously embedded in Carroll's two classic stories, *Alice's Adventures in Wonderland* and *Through the Looking-Glass*.

Forty years after this groundbreaking publication, W. W. Norton is proud to publish the Definitive Edition of *The Annotated Alice*, a work that finally combines the annotations of Gardner's 1959 edition with his 1990 volume

British dormouse as an endangered species. The stamp was issued in January 1998.

Decline in distribution

20 ENDANGERED SPECIES Common dormouse Muscardinus avellanarius

3. Both Carroll and Tenniel apparently forgot that a milk jug was also on the table. We know this because later on in the tea party the Dormouse upsets it.

4. In *Under the Quizzing Glass*, R. B. Shaberman and Denis Crutch point out that no one would tell a Victorian little girl that her hair was too long, but the remark *would* apply to Carroll. In Isa Bowman's *The Story of Lewis Carroll* (J. M. Dent, 1899), the actress and former child-friend recalls: "Lewis Carroll was a man of medium height. When I knew him his hair was silvery-grey, rather longer than it was the fashion to wear, and his eyes were a deep blue."

5. The Mad Hatter's famous unanswered riddle was the object of much parlor speculation in Carroll's time. His own answer (given in a new preface that he wrote for the 1896 edition) is as follows:

> Enquiries have been so often addressed to me, as to whether any answer to the Hatter's Riddle can be imagined, that I may as well put on record here what seems to me to be a fairly appropriate answer, viz: "Because it can produce a few notes, tho they are *very* flat; and it is never put with the wrong end in front!" This, however, is merely an afterthought; the Riddle, as originally invented, had *no* answer at all.

Other answers have been proposed, notably by Sam Loyd the American puzzle genius, in his posthumous *Cyclopedia of Puzzles* (1914), page 114. In keeping with Carroll's alliterative style Loyd offers as his best solution: because the notes for which they are noted are not noted for being musical notes. Other Loyd suggestions: because Poe wrote on both; bills and tales are among their characteristics; because they both stand on their legs, conceal their steels (steals), and ought to be made to shut up.

In 1989 England's Lewis Carroll Society announced a contest for new answers, to be published eventually in the society's newsletter, *Bandersnatch*.

Aldous Huxley, writing on "Ravens and Writing Desks" (*Vanity Fair*, September 1928), supplies two nonsense answers: because there's a *b* in both, and because there's an *n* in neither.

James Michie sent a similar answer: because each begins with *e*. Huxley defends the view that such metaphysical questions as: Does God exist? Do we have free will? Why is there suffering? are as meaningless as the Mad Hatter's question—"nonsensical riddles, questions not about reality but about words."

"Both have quills dipped in ink" was suggested by reader David B. Jodrey, Jr. Cyril Pearson, in his undated *Twentieth Century Standard Puzzle Book*, suggests, "Because it slopes with a flap."

Denis Crutch (*Jabberwocky*, Winter 1976) reported an astonishing discovery. In the 1896 edition of *Alice*, Carroll wrote a new preface in which he gave what he considered the best answer to the riddle: "Because it can produce a few notes, tho they are *very* flat; and it is nevar put with the wrong end in front." Note the spelling of "never" as "nevar." Carroll clearly intended to spell "raven" backwards. The word was corrected to "never" in all later printings, perhaps by an editor who fancied he had caught a printer's error. Because Carroll died soon after this "correction" destroyed the ingenuity of his answer, the original spelling was never restored. Whether Carroll was aware of the damage done to his clever answer is not known.

In 1991 *The Spectator*, in England, asked for answers to the Hatter's riddle as its competition No. 1683. The winners, listed on July 6, are as follows:

> Because without them both *Brave New World* could not have been written. (Roy Davenport)
>
> Because one has flapping fits and the other fitting flaps. (Peter Veale)

"There isn't any," said the M
"Then it wasn't very civil of
Alice angrily.
"It wasn't very civil of you
being invited," said the March
"I didn't know it was *your* t
laid for a great many more tha
"Your hair wants cutting,"
had been looking at Alice for
curiosity, and this was his first
"You should learn not to ma
Alice said with some severity:
The Hatter opened his eyes
this; but all he *said* was "W
writing-desk?"[5]
"Come, we shall have som
Alice. "I'm glad they've begun
lieve I can guess that," she ad
"Do you mean that you thin
answer to it?" said the March
"Exactly so," said Alice.
"Then you should say what
Hare went on.

マーティン・ガードナー『詳注アリス』から

怠け者（スラッカー）の文化史がルッツの本を含め、一九九〇年代から、「ニート」の問題をからめて随分と面白い。そのトム・ルッツの大著を読んでいて思わず笑った。"slacker"という英語は、『OED』を引くと一八九八年初出らしいからである。[1] なぜおかしいかといえば、同じ瞬間に有名なヴェブレンの『有閑階級の理論』が登場したことを思いだすからである。こういう現象同士の面白い連関が一目瞭然となる松岡正剛監修の「象形文字から人工知能まで」年表、『情報の歴史』を名のる超‐書物が、小生が書くべき『アリスに驚け』の座右に必ず置かれているべきことを、著者は要求する。

「暇（レジャー）」ができ、しかもその使い方を知らぬ人間にはそれが倦怠となり、苦患（くげん）とさえなった。一八九八年といえばキャロルを名のった人物の亡くなった年でもある。要するにキャロル理解に倦怠の文化史という観点が必須なのに、こういう観点の『アリス』論が絶無である。そのテーマでは通史としてラインハード・クーンの名著『真昼の悪魔』があり、対象を十九世紀に限ったものとしてマーティン・アダムズの『虚無（ニル）』があると思うが、いかんせん、『アリス』のこのわけがわからぬ冒頭にさすがの両者ともに一言の言及もない。

『鏡の国のアリス』でのハンプティ・ダンプティとの有名なやり取りから推して、少女アリスは六歳半以下の年齢のはずだ。我々の感覚からすると幼稚園の年長組か、せいぜいで小学校一年生である。それが「何もすることがないので、あきあきし始め」るという事態に何故、キャロル研究が一度も触れてこなかったのか、と改めて不思議だ。

ぼくは優れた文学ほど、その冒頭部に一切が凝縮されているという信念を、この三十年確かなものと感じてきたが、その筆頭格がふたつの『アリス』の冒頭だと考えている。

さて、ここまでは単に読み飛ばすことも、あるがままの状況——姉妹二人ぽっちの孤絶とか、年長にとって知識の源かもしれないが年端のいかない子供にとっては退屈な本、その中にないとされる「絵」と「会話」、とか——とがきちんと問題的らしいと頭の中にセットくらいされるということも、可能だ。

要するに本格的に文化とは何か知らなくとも何となく「わかる」ことができたのである。ところが次の段階は、もういけない。こうだ。

そこで彼女は、ヒナギクをつなげて花環を作ってみると楽しいのだろうけど、わざわざ立ち上がっていってヒナギクをつむのも面倒だなと考えていました（考えると言っても、できるだけという話。なにしろ暑かったものですから、とても眠くて、頭がぼおっとしていたのです）。その折りも折り、ピンク色の目をした一羽の白ウサギが彼女のそばを通り抜けていったのです。

退屈している子供がヒナギクを摘んで花環を作ろうと思いつくことの問題。といえばいかにも大袈裟な読み方といわれそうだが、文化史的読み方の基本的なことが、この短い文章で既に語り尽くされている。他の時代の他の文化には極めて考えにくいある趣味の誕生の刹那に我々は今現に立ち会っている。それはヴィクトリア朝（一八三七—一九〇一）固有の文化的秘密なので、まさしくその時代を丸ごと生きたルイス・キャロルこと、チャールズ・ラトウィッジ・ドジソン（一八三二—九八）という人物を知るのに、その秘密というか一文化理解の勘所を押さえずにはすまない。どういうことか。

その時代をぴたりと表題に掲げた本に、リン・バーバーという英国美人ジャーナリストの名作、『博物学の黄金時代、一八二〇—一八七〇』（一九八〇）がある。余りの面白さに、そのレヴェルの新しい文化史形成の基本書たるべき数十冊から、テーマを十九世紀に絞った〈異貌の十九世紀〉なる文化史の叢書を監修するに際し、ぼくが一番最初に選び出したのがこの本である。

そもそも「博物学」とは何か。“natural history”の訳。フランス語でなら“histoire naturelle”の訳。「自然史」とストレートに訳す向きもあるし、多分もう少しお堅い学問名の匂いを抜いて「博物学」と訳す人もいて、ほとんどの場合どちらでも構わない。すると博物学者は“natural historian”となって、博物学者という特殊な人種があった（ある）ことの弁えのないさる理系翻訳家が「自然な歴史家」と訳しているのを見て苦笑いしたことがある。不自然な歴史家なんてあるのかい。

この翻厄家を、しかし我々は本当は笑えない。我々自身、「博物学」なんていうものの存在をある頭数で知り、話題にし始めたのはぼくの一番の長い友人、大才荒俣宏氏の『理科系の文学誌』と続巻と目すべき『図鑑の博物誌』が衝撃を与えて以後のことだからである。『理科系の文学誌』はいわゆるSF文学の背後に信じがたい風変りな知識の世界があったことを暴いた本で一九八一年に工作舎から出た。ぼくのデビュー作『アリス狩り』と同じ年だ。荒俣氏の奇想天外な雑誌連載は一九八〇年だから、要するに荒俣本にしろ、リン・バーバーにしろ洋の東西にかかわらず、博物学は一九八〇年代になって華々しくリヴァイヴァルしてきたものらしい、と改めてわかる。

考えてみると小・中・高で十年以上、理科という名の科目とつき合う過程で「博物学」という名すら多分お目にかかっていない。「サイエンス」という名は元々のラテン語ではスキエンツィアといって、学問全体を指した。これがナチュラル・サイエンスというふうに狭まり、サイエンスといえばそれだけで「自然」科学書のみ、限定して指すようになったのは実はせいぜいこの百年である。ある人間が「サイエンティスト」と呼ばれた用例を『OED』で見ると、何とやっと二十世紀劈頭だ。

あのチャールズ・ダーウィン（一八〇九―八二）でさえ、ナチュラル・ヒストリアンであって、サイエンティストと呼ばれていない。ダーウィンの『種の起源』（一八五九）は『不思議の国のアリス』（一八六五）とぴったり同時代の作だが、これが科学書かと疑われるほど連想や比喩の豊饒で圧倒する、むしろ文学の深い森、という印象を受ける。ぼくが文学の人間だから勝手にそういう感じを受けるのかと思っていたら、最近では一番優れたダーウィン研究のひとつ、ジリアン・ビアの『ダーウィンズ・プロット』がその点をこれ以上ない説得力で論じている（邦訳名『ダーウィンの衝撃』も悪くないが、「プロット」には面白い意味が一杯詰まっているから、かのダン・ブラウンのベストセラー、『ダ・ヴィンチ・コード』に倣（なら）って、『ダーウィン・プロット』名のまま御紹介）。

どうも我々には既にわからなくなってしまった「科学」の世界があって、その代表選手が問題の博物学、ナチュラル・ヒストリーであるらしい。当時、科学の最先端であったばかりか大衆に開かれており、いまの日本ならさしずめ伝次郎の化学実験興行にあたるように思われる「啓蒙科学（ポピュラー・サイエンス）」黄金時代の最重要の一角を占めている。先ほど挙げたリン・バーバーの本の冒頭、「開巻驚奇、さながら小説の如し」の章は、こう始まっている。

「近頃、世間がこぞって大騒ぎである。何のことでか。スイカみたいにでかい虫さがしで」と、鳥類学者のオーデュボン（一七八五―一八五一）がいかにもにがにがしげに書いたのは一八三六年のことである。彼が怒ったのは甲虫（こうちゅう）風情が彼の愛してやまない鳥たちから主役の座を奪いさり、従って彼の『鳥と人生』の売り上げが伸び悩んでいたからである。実際大衆の博物学趣味ほど帰（き）趨（すう）見極めがたいものはなかった。ある年に地衣類に夢中になるかと思えば、次の年にはもうイシサンゴに狂奔している。一八四五年からの十年間に人々の趣味は海藻からシダへ、シダからイソギンチャクへと転々とした。次の十年間にそれは唐突に海蛇へ、ゴリラへ、浸滴虫へと移っていった。これら全て一国民規模の熱狂（クレイズ）であったが、無論純粋に一地方規模のものもいろいろあって、一八二〇年代に北アイルランド南東部の都市バンゴアを席捲した「カサガイ熱」とか、一八七〇年代のご婦人方にとり憑いた鰐（わに）の赤ちゃんの飼育熱といったところが、すぐ思いだされる。しかし、こうしたいかにも短命な趣味や熱狂の底流には、一八二〇年代から一八六〇年代にかけて年々歳々、そのあらゆる部門にわたっていやましに熱狂の度を増していき、のみか自らの庭を競い合うように羚羊(エランド)やビーヴァーやカンガルーにあけ渡す大貴族から、僅かな日銭を蓄えては昆虫学雑誌『エントモロジスト・ウィークリー・インテリジェンサー』を購読する職人まで、それこそあらゆる社会階層を魅了しさったもっと根深く、もっと息長く不易(ふえき)の、博物学への熱狂というものがあったのである。

　ヴィクトリア朝の娘は誰しもシダやキノコの名の二十くらいはすらすらと言うことができたふうだし、聖職者たちはみな『セルボーンの博物誌』のギルバート・ホワイトのひそみに倣(なら)って自分の教区の博物誌を一冊の本に纏めて出版したいという秘かな思いを抱いていた。世紀中葉期までには英国中産階級の客まで、水槽(アクアリウム)やシダのケース、蝶の標本棚、海藻の整理帳(アルバム)、貝殻コレクションその他、住人の博物学趣味を示すものを何も持たないなどという客間はひとつもなかったし、同じ頃どこか海岸地方に出てみて、ゴス氏の本やジャム壺一揃いを携行、岩陰に溜まった水に膝までつけてイソギンチャク捜しに夢中の善男善女に出会わないということはありえなかった。新聞にはすべて博物学専門の紙面があり、読者投稿欄はどれも時として、一体ツバメは渡り鳥であるのか、ヒキガエルは本当に何世紀も石の中に閉じ込められたまま生き続けることができるのかといった問題をめぐって口角泡を飛ばす侃々諤々(かんかんがくがく)の知の戦場と化した。博物学は国を挙げての強迫観念となり、博物学本の売れ行きは大文豪ディッケンズの小説群のそれに迫るものであった。全然目立ちそうに思えぬ博物学本、たとえばJ・G・ウッド師の『英国日常生物』といった本までも、一週間であっさり十万という部数を売りつくしている。

博物学が大衆レベルでこれほど熱狂の対象となったことはかつてなかった。

（リン・バーバー『博物学の黄金時代』（高山宏訳、国書刊行会、一九九五）一七―一八ページ）

少し長い引用になったが、我々を驚かせるに足る（我々のヴィクトリア朝人士のイメージ、紳士だが偽善的、金、金、金、欲、欲、欲の男女のイメージとはまるで違う）文化状況を髣髴（ほうふつ）させるコンパクトな名文であろう。一気に言ってしまえば、キャロルもこの不思議な流行の只中におり、鳥

nothingness. Rousseau, speleologist of spleen: the void; onanistic illusions. The ordinary state of Diderot.

· 6 ·
ELEGIES OF SUFFERING
167

...d striving. *Werther*: the instability in the affir... being; the destructive passion for the other; the Wahlheim; return to the self-created prison; ...ility; the ultimate encounter with Lotte; the destruction of Lotte. Art as entertainment. Superficial boredom. Ennui as mother of the Muses. The *Trilogy of Suffering*: Werther's wept-over shadow; the vision of Marienbad; reconciliation with being. *Faust*; Philemon and Baucis; the confrontation with Care. *René*: the impossibility of self-destruction; culpability and malediction; exile and estrangement; *delectatio morosa* and the *vague des passions*; inconstancy and disillusionment; pride and solitude; negative ecstasy and the void; indifference and suicidal tendencies; incest as an expression of self-love; sadomasochistic tendencies; the letter of René; the poetry of ennui; the sermon of Father Souël. Chateaubriand and the poison of ennui. Rancé: an old René.

· 7 ·
CHILDREN OF THE CENTURY
221

Jean Paul's Roquairol: the beardless Werther. Senancour's Oberman: acolyte or sycophant of ennui. Constant's Adolphe: indifference and mediocrity. Byron's Manfred suspended above the abyss. Sainte-Beuve's Joseph Delorme: the slow and profound suicide. Sand's Lélia: sterile beauty. Balzac's Félix: vitality versus ennui. Musset's Octave de T. and the whirling dervish. Büchner's Lenz: schizophrenia. Lamartine's Raphaël: the vacant house. Leskov's Lady Macbeth: lust born of the void. Flaubert's Félicité: the real center of irrealization. Zola's Lazare unresurrected. Life-in-Death.

· 8 ·
THE DRAINING OF THE CLEPSYDRA
279

The background of radical pessimism. Leopardi, a historical child of the century; the *Canti*: echo of an echo; *Zibaldone*: the encyclopedia of futility. Schopenhauer: the illusion of existence. Hölderlin: Hyperion's assertion of reality. The Lake Poets and the refusal of melancholy. Hugo: the ontological affirmation. Stendhal: the aesthetic affirmation. Baudelaire and the fruits of bleak incuriosity. Verlaine: the ... of ennui. Rimbaud: the flower-filled abyss. Mallarmé: Igitur's celebration of absence. Laforgue's hypertrophic heart. Huysmans: man adrift. Kierkegaard: the emergence from the Dead Sea. Maupassant: the ultimate submission to ennui. Montégut's hypochondriac: the corruption of ennui.

· 9 ·
WITHIN THE FLATTENED CYLINDER
331

Physical exhaustion and spiritual lassitude. Three visions of the modern world: Hemingway's antiseptic café; Beckett's flattened cylinder; Kafka's hovel. Valéry: ennui as absolute lucidity. Proust's victory over time and ennui. Mann: the world as a sanatorium. The gratuitous crime in the Catholic novel. Bernanos: the escape from the house without joy; the cancer of ennui; the dead parish. The surrealist quest for the marvelous. Desnos and the mirages of ennui. Gide: the lamp of the servant.

CONCLUSION
375

INTRODUCTION

3

Ennui as an *idée-force*. Questions of methodology. Peripheral forms: *désoeuvrement*, psychosomatic boredom, monotony, anomie. Descriptions of ennui: two imaginary concerts, Gide's *Isabelle*. A definition of ennui.

· 1 ·

THE BLACK GALL

15

Modern views of antiquity. Uniformity in heaven and hell. Aristotle and the melancholy creator. The wound of Philoctetes. Plutarch's Pyrrhus and the incapacity for rest. Plutarch's Cineas and the futility of action. Lucretius and *horror loci*. Horace: labor as an antidote for ennui. Seneca: the seasickness of Serenus and the nausea of Lucilius. The bored child. Hesiod.

· 2 ·

THE DEMON OF NOONTIDE

39

Acedia as a capital sin. The rise of monasticism. modern ennui. Evagrius: the dangers of the Acedia and the mystic experience. Saint John Ch and Stagirius. Cassianus. Gregory the Great: the tion of acedia. Acedia in Dante's *Inferno* and Charles d'Orléans; exile and ennui.

· 3 ·

THE NAMELESS WOE

67

Celebrants of existence and melancholics. Petrarc secularization of acedia: the *Secretum*; the inoper

THE DEMC

NOONT

Ennui in W

Literatu

REINHARD

PRINCETON UNIVE

PRINCETON, NEW

NI

episodes in th

conquest of v

the 19th cent

ROBERT MART

「倦怠」という大テーマ

や虫や「ものを言う花たち」で一杯の『アリス』物語自体が『セルボーンの博物誌』のひそみに倣った――少々異種かも知れないが――何かなのかも、という気がしてくる。万余の怪獣の代名詞にもなろうかというジャバウォック以下、大中小、出てくるもの出てくるもの皆、怪物だったり畸形だったり、実は相当狂ったグロテスク博物誌だという気さえする。「博物学」といった実は一文化規模の相当巨大な文化現象でさえ、こうしてほとんど知らない我々にして「テラトロジー(teratology)」という歴たる「学問」まで二十世紀前夜までちゃんとあったことなど知るはずがない。「ジュラシック・パーク」ブームが火を点じた「ネオ・バロック美学」(ヌダリアヌス)の中で再び「怪物」「怪獣」が話題だが、そういう今だから見えて来るヴィクトリア朝があり、『アリス』がある。「テラトロジー」、怪物学、たまには幻怪譚と訳す。文学の営みと怪物の関係は故種村季弘氏のロマン派文学論が我々の周囲では初めて本格的に論じた。ぼくとしても「驚異」という一段大きな文化史的脈絡で取りあげてみたいが、後のお楽しみ。頭から読み下していく今の初歩的作業としてはこれくらいで良いだろう。いま少々長かった引用文中の「ヴィクトリア朝の娘はだれしもシダやキノコの名の二十くらいはすらすらと」言えたという一文を憶えておいてもらえば足りる。怪物ノンセンス詩「ジャバウォッキー」最大の翻訳家柳瀬尚紀氏や恋愛小説の名手、名文家で知られる作家村山由佳氏に絶讃された邦訳版『博物館の黄金時代』、これを機会に一読されるなら、訳者としてもうそれ以上の望みはない。

こうして一九八〇年というターニング・ポイントを経て、我々の博物学に対する知見は一挙に深まった。キャロル最晩年におけるそうした世界の博物学の中心たる英国に――その中心の中心たる大英博物館に――南方熊楠（みなかたくまぐす）がいたことを思い出すのも無益ではないに違いない。荒俣宏に継いで現代に蘇るべき博物学を自分の学知の中心に据えたのが今をときめく芸術人類学の中沢新一氏だが、その最大傑作『森のバロック』の南方論を読みながら、少女アリスが相手の「シカ」という名を忘れていることによる至福境の寓話を思い出せるような博物学のヴィクトリア朝という必要最小限のイメージは「アリス」読者たるあなたは持てているのだろう、と思う。

さて一九八〇年代の博物学復権が一九八〇年代には別様の展開を見る。象徴的なのが新しい批評のチャンピオンのように言われる歴史家・文学批評家スティーヴン・グリーンブラットの『マーヴエラス・ポゼッション』（一九九一）だろうと思う。邦訳名『驚異と占有』で、一九九四年邦訳刊行。最近では随分軽く「他者」などと呼ばれて紋切り型に処理されてしまう異物をひとまず「驚異（マーヴェル）」として受け止め、流行させていく美学・美意識の構造は必ず政・経の次元では相手の「他者」性の収奪――相手をこちらの鏡像に、自分にそっくりな何かに無理無体に変えてしまう暴力――と、占有（ポゼッション）［憑依（ひょうい）］とがきっちり表裏の関係にあることを論じた。グリーンブラットは十六世紀、中南米古帝国に対するスペイン人コンキスタドールたちの暴力を主題にしているが、同じ「占有」が身に纏う「驚異」という構造は、たとえば動・植物に対する人間、女に対する男、そして子供に対する大人という関係にも当てはまりそうだ。グリーンブラットの本が一九八〇年代知的関心の象徴といったのはそういうことで、この十年の動向全体が、興味深いことに当時のアメリカ最大の文教政策のスローガンたる「脳の十年（デケード）」と併行しつつ、差別をつくりだす構造、それが一つの美学をうみだす構造の分析をめざした。その後で、今現在読む『アリス』物語やいかに、というキャロル文化史最大最高の参考書ということなのだ。

何もすることがない、目の前に開かれた本さえつまらないというありようの先にあるものが「ヒナギク」の花環だというのが一体何かということである。一番大きな文化史の着眼から言えば、退屈や倦怠がこの異様な博物学ブームを生んだのかという繋りである。そしてここで、以後雨後の筍（たけのこ）のように再生産される凡百の博物学史研究書とリン・バーバーの名著の決定的な目のつけどころの違いが、あなたには閃光のように理解できるのである。博物学の大衆的ブームは時代の倦怠感こそがうんだ、とリン・バーバーは言う。「博物学愛好者たるもの、そうでない何千という人間にとっては生きることを重荷にさせる〈生の倦怠 *tedium vitæ*、倦怠（ennui）〉という名の吸血鬼とは全く無縁である。彼にとっては刻一刻が光り輝いているのだ」というランズバラ師の言葉に、全ては要約される、と（同、二十九ページ）。

とすると、『不思議の国のアリス』冒頭の二つのパラグラフは、倦怠に対する身構えとしての博物学の出生を語っていることになるわけだが、それが一人の少女の頭脳の中で起きることで関心は博物学のカルチュラル・スタディーズという別の次元におのずから開かれていく。

倦怠から逃げる消暇消閑といっても、たとえば特に性的な放縦をにおわせるようなものは基本的に許されていないのがヴィクトリア朝という社会である。だからこそスティーヴン・マーカスが名著『もうひとつのヴィクトリア朝』で余さず描きだしたこの時代の紳士方の性的二重生活が面白いというパラドックスともなるのだが――そしてその典型をキャロル／ドジソンに見る見方と、それに対する駁論がずっと甲論乙駁を繰り広げてきているわけだが――とにかく表向きには道徳的に何の問題もない「頭を使う娯楽（ラショナル・アミューズメント）」をこそ、教会も学校も勧める。オックスフォード大学の先生にあるまじき趣味ということで、ドジソン教授がずっと非難され通しだった「劇場通い（シアター・ゴーイング）」に対立するものを考えれば良い。その代表がまさしく博物学だった。

ナチュラル・ヒストリーが自然史、すなわち自然の歴史なら、ナチュラル・シオロジー即ち「自然神学」である。これにドイツ・ロマン派系譜のナチュラル・フィロソフィー、自然哲学（Naturphilosophie）を加えて、キャロル誕生の前後の科学と、たとえば人文知とのインターフェース部分を議論できるが、実はここいら、これからの研究領域である。

自然神学（natural theology）は、一八〇二年に発表されたウィリアム・ペイリー著『自然神学』中の「荒野の時計」のメタファーに要約される。あまりにも有名な話柄だからふれておくと、荒野で石ころを見つける場合と、そこで時計が見つかった場合、我々は後者においては「各部分がある目的を持って組み立てられ、結びつけられているものだ」と知る。すると「我々の便益に役立っている目的のためにこれを組み立てた、この構成を差配し、この用途を匠（デザインした）んだ一人、もしくはそれ以上の匠（たく）みがいつか、どこかに確かにいたのに相違ない」というふうに考える他はない〔リン・バーバー、三十三ページ〕。こうして大文字、定冠詞つきでザ・デザイナーと呼ばれる工巧神としての神の存在に行きつくのである。自然の何を勉強しても究極的に創造神に行きつく博物学は、かくして社会倫理からも深く嘉（よみ）される学問、もしくは趣味となった。これぞ典型的な「ラショナル・アミューズメント」である。随所で畏友荒俣宏が驚いているのは、ヴィクトリア朝博物学を支えた人間に聖職者が多いこと、しかも生涯にわたって遺したその博物学書の想像を絶する膨大な量のことであった。ひとつは他人に勧めるラショナル・アミューズメントを、言いだしっぺ自ら実践してみせる必要があったからかも知れないし、一番意地悪い見方をすれば、これこそ国教会牧師たちにとっての独身者-機械（machine célibataire）であったのかも知れない。性的エネルギーの発露が職業的に禁じられている時、そのエネルギーはどこにどうやって捌（は）け口をみいだすかという議論だ。性欲（リビドー）の昇華のうむ機知（ヴィッツ）（Witz）と諧謔（フモール）（Humor）を理論に昇華（サブリメート）したジークムント・フロイト（一八五六―一九三九）の活動出発期がキャロル／ドジソンの晩年に重なることには十分な意味があるだろう。

付け加える必要もないが、キャロルは中世色濃厚なオックスフォード大学に半世紀もいて、大学教授であり（ということは当時ほぼ自動的に）牧師であった。いろいろ蹉跌（さてつ）があって正式の牧師ではないが、日曜日に学生相手の祈禱などは、した。第一、当時オックスフォード大学の教師は同時に聖職者でなければならない上、学内に住居を与えられる権利は当然独身者に限られた。妻帯すれば学外に出なければならない。例外はディーン、学寮長というか今ふうにいえば学部長で、まさにこれが『アリス』物語そもそもの誕生の原因となる。ディーンの娘たちがキャロルのすぐそばに起居していたわけで、その娘の一人がアリスのモデルとされるアリス・プレザンス・リドゥル嬢であったからだ。父親のリドゥル学部長は我々が今なお一番頼りにしているギリシア語辞典「スコット・リドゥル」の共著共編者の片割れである。

博物学の有名な担い手に聖職者が多いのは何故という話をした。キャロルもこの「理にかなう娯楽」文化圏の只中にいたと考えなければならない。そして博物学という時代の大衆娯楽にはてき面にもう一面があることを、我々は二千年紀直前の十年くらいから徹底的に教えられることになる。ひとつは「驚異と占有」ということをいうカルチュラル・スタディーズ、もうひとつはいわゆるフェミニズム批評者集団による近代科学史の再検討という大作業である。

そこで彼女は、ヒナギクをつなげて花環をつくってみると楽しいのだろうけど、わざわざ立ち上がっていってヒナギクをつむのも面倒だなと考えていました。

フェミニズム科学史は、近代科学を担ってきたのが圧倒的に男であり、その科学史を書いてきたのもまた男たちばかりだが、そのために何がどうなってきたかを執拗に突く。たとえば年端もいかない一少女がヒナギクを消閑法として思いだすのは、野原に転がっていたから当然目に入ってきたという直近の条件だけでここにとりあげられているわけではないのだかも知れない。

植物が博物学の対象となった有名な起源はキャロルから約一世紀前のいわゆるリンネ［リネー］による植物分類法、およびそこから生じる「種命名競争」ブームにある。先に紹介したリン・バーバーの名著が面白い点がここにある。雄しべ雌しべの数を説明するのにいわゆる後宮（ハーレム）の淫らな褥（しとね）の上の男と女のからみをメタファーに実に生き生きとした説明を加えたリンネに対する風当りはこのところ、本当にきつい。バーバーは啓蒙ジャーナリストらしく淡々と報告するだけだが、完全にフェミニズム科学史に立つロンダ・シービンガーなどといった舌鋒鋭い人は、これをもって近代生物学の秘めた性的歪みの典型とする。今、リンネ評価はどん底。輪廻、いつ転生するのか。

動物にはまだしも抵抗力がある。いわゆる操作性が低い。植物はもの言わない（『鏡の国のアリス』の「もの言う花の庭」の章は、だからわざわざ面白い）。比方の意のまま。しかも美しい。というのでいきなり植物、とくに花イコール女性という結びつきが寓意化する。我々が考えているよりはずっと英文学十八世紀、十九世紀に詳しい夏目漱石の『それから』の、花としての女というテーマのきわめ方は世界文学的にみても一寸すごい。一読、嘔吐を感じないいきみは余程にぶい。

てっとり早く言おう。ヴィクトリア朝がその暮れ方に向けて大流行させた博物学は、読書を女性と結びつけるモメントより強烈に植物愛好を女性と結びつけた。綺麗な「女子供の部屋」が今やなぜ綺麗に見えるのかといえば百宝色（ひゃっぽうじき）の発色も美しい植生のウォールペーパーや紙切れ細工（「クロモス」）のせいである。こじゃれて「紙狂い（パピロマニア）（papiromania）」の文化と、ぼくは名付けた。植物を描く分野だけは、絵画の中で女性絵師がいくらも許されたというのが象徴的だ。中流家庭に植物図鑑・図譜が常備され、女性にふさわしい「理にかなう娯楽」の代表に植物のスケッチや油絵がなった。さらに意味深そうなのはエンブロイダリー、つまり刺繍である。「小さな針（プチ・ポワン）」とその世界をフ

博物学のポピュラー・カルチャー（1　リン・バーバー）

ランス語で呼ぶのは仲々巧い。まさしく一針一針ちくちくと縫う長い長い根気だめしの時間に、女たちの声押し殺した無為の嘆きが縫いこめられていった。刺繍する貞女の詩藻・画藻が多いが、そういうことなのだ。桂冠詩人テニソンの秀什「シャーロットの姫」、そしてそれを巨大な一幅に描いたホールマン・ハントの、見るほどに嘔吐的な細密画を思いだせば足りる。英雄イーリアスの帰国待つ間、婦徳の鑑（かがみ）たる妻ペネロペ（ハリー・ポッターの相棒役の可愛い少女の名だが）が機織（はたおり）三昧に日を過ごす話柄をヴィクトリア朝人は愛した。たれしもご存知の「テクスト」または「テキスト」は経糸（たて）、緯糸（よこ）で織った織布のことをいうが（だから「テクスタイル」は布地を指す）、こうして倦怠と美の悪徳を背負わされた女たちはじっくりテクスト化されていったという言い方もできる。そして何よりも面白かったのは、そういう刺繍の図案本をのぞくと歴然としているが、過半が植物の図柄だったのである。動物図案があっても、左右対称の綺麗で操作性高いデザインに「植物」化されていた。文字通りインアニメートされ生命［動物］力が抜きとられていたのだ。少女が無為を託（かこ）ちつつ「すわって」いて、「立ち上が」るのを面倒くさがるこのなにげない身振りは少女自身の「植物性」の証し――と、フェミニズム科学史最大の問題作、ブラム・ダイクストラの『倒錯の偶像』（一九八六）の読者なら感じるのでなければならない。なにげない身振りというなら、ヒナギクの花環として、『アリス』物語を通じて一番背後にひそんで無数のサブテーマや小道具をうむ円、円環のイメージが初めて姿を現わしているといえるだけでなく、男に世界を決められた女、大人につくられた世界に閉じこめられた「丸く身を丸める」（ガストン・バシュラール『空間の詩学』）女性たちのむなしく完結した生の見かけ上の「円」満具足の「客関的等価物」がヒナギクの花環、ということなのだ。一寸クイズめいたことを加えればヒナギクの原語“daisy”は何度も続けて発音してみるとわかるが、「デイ」即ち日、太陽と通じ、実は「昼の目」という意味だ。「タンポポ」が「ライオンの歯（ダンデライオン）」というとかユーミン歌のこじゃれた豆知識ではなく、ここでヒナギクが「太陽の目」というのが円環テーマその他と仲々巧くつながっている感じで面白い。

　少し唐突なことをいったが、要するに（ヒトと没交渉に）単にそこにあるというだけの物に一人の解釈者としてぼくはとても人間の側に近い「意味」を無理矢理押しつけようとしている。世界を擬〈人〉化（anthropomorphize）するというので思想の世界でこれをアントロポモルフィズムと呼ぶ。これからぼくはぼくなりに『アリス』世界を擬〈高山〉化していくところをお見せする次第で、それを人は「解釈」と呼び、そして『アリス』は「解釈」を誘発しやまず、その結果「解釈」とは何というところまで問い直す作品であると思う。卵人間ハンプティ・ダンプティがその作業、というか役割を一手に引き受ける存在だ。

　植物という世界への「解釈」となれば、それがいきなりフラワー・ランゲージ、即ち「花言葉」の世界だ。そしてまさしくキャロル生涯と重なるように花言葉事典が黄金時代を迎えていた。同じ花が二つの事典で「貞淑」と「不倫」という真逆の意味に空中分解するおかしげな擬人世界である。

　こうして当時の中・上流少女の無為と、そこから逃げるための二大趣味として、まず本が、次に的確にも博物学という「理にかなった娯楽」がとりあげられたことを見てみた。

これらは日本語訳『アリス』でもできる読解作業だが、なにしろ元は英語。英語で読み始めてみると、これがまた絶妙。少しその話をしてみようか。先にとりあげたふたつのパラグラフは

Alice *was beginning* to get very tired of sitting by her sister on the bank, ……

So she was considering, in her own mind (as well as she could, for the hot day made her feel very sleepy and stupid), whether the pleasure of making a daisy-chain would be worth the trouble of getting up and picking the daisies, when suddenly a white Rabbit with pink eyes ran close by her.

となっていて、何度か読むうちに気付くようにいわゆる過去進行形の文章である。批評家ロラン・バルトが真の物語にならありうるはずもないと、「三人称」なる人称とともに攻撃した「半過去(アンパルフェ)」という時制で、「……しつつあった」など訳せとか、過去形とのちがいとか、いろいろ無駄なことを教えられてきたはずだ。

要するに、ゆったりと事態が推移していくことが問わず語りに音となる時制で、要するに人物の無為を書く文まで、無為に染まり、無為をパフォームしている絶妙な文章なのだ。うまい(ムイ・ビヤン)！

過去進行形プラス“when…”という「文型」を、受験勉強のかなり高度なレヴェルで教わった記憶がおありかもしれない。これは“when”の前の行為と、後に記された行為が間髪(かんぱつ)を入れず生じた

という時に使う。読む分には「…したまさにその刹那（せつな）に…」と訳せば良いが、自分で英作文する時には仲々思いだせないな、とか、受験英語のプロは教える。この“when”にはだから「突然」、「だしぬけに」という意味の“suddenly”や“all of a sudden”がくっ付いていることが多い。この『不思議の国のアリス』冒頭の第二パラグラフがまさしくそうなっているだろう。

同音異義異綴語（ホモニム）というのを、そういえば受験勉強でまとめて勉強する。たとえば“tail”と“tale”とかだが、これは『不思議の国のアリス』が満載するホモニム遊戯の第一弾ではないか。そう、ぼくは大学や、時には大学院の授業ですら『アリス』をよく使う。きっと受験勉強にも恰好とか思うのだが、実はそれにはこういうレヴェルのヒントをくれる良き先生が必要になる。

そう、受験英語の象徴というべき英語に「アズ・スーン・アズ」がある。「…するや否や」だ。そして一寸応用篇で、“Hardly had the man seen the policeman when he ran away”とかもいうと教えられる。そう、“hardly...when...”“scarcely...when...”という形で、我々は早々にこの「突然」ニュアンスの“when”には実はたれしもなじみあるはず。それが過去進行形と結びついているお約束の「文型」、定番「熟語」なのだ。

このゆっくりした時間の感じが唐突に断ち切られることをパフォームする文章が実は何をこそパフォームしているか、というところでいよいよ本格的な「不思議」論に入る。物語タイトルの『不思議の国のアリス』がうたう「不思議」のことである。思議すべからず。そう、英語で「驚異（ワンダー）」。さあみんな、これで受験英語は終り。文化史の最有望テーマに突入だ。用意はいいかい？

本も面倒、ヒナギク摘みも面倒とアリスは考える。

＊

……（考えると言っても、できるだけという話。なにしろ暑い日だったものですから、とても眠くて、頭がぼおっとしていたのです）その折りも折り、ピンク色の目をした一羽の白ウサギが、彼女のそばを走り抜けていったのです。

ウサギを一羽二羽と数えることを知らない一少女読者からその昔、親切なお叱りをいただいた懐しい拙訳である。意外に大事なのは、「驚異」論によく出てくる*"stupor"*という語。ラテン語だが（1）麻痺、無感覚、（2）驚愕、啞然、呆然、（3）愚鈍と、仲々興味深い意味があって、これがそっくり英語の"stupid"に入っていることは明敏な読者、既にお気付きの通り。「頭がぼおっとしていた」と訳せる生徒は余りいなくて、自分がバカだ、バカっぽく感じたとかとか、皆結構苦しむ。教場での『不思議の国のアリス』一ページ目の、実は最難関である。言葉の意味としては説明してあげればそれですむことなのだが、ここで種明ししておけば、根本的には『不思議の国のアリス』を「マニエリスム（［仏］*maniérisme;*［英］mannerism）」という一精神傾向を抱えた文芸表現として追うというのがこの「アリスに驚け」拙稿の眼目のひとつだが、そういう着想の最大の霊感源がグスタフ・ルネ・ホッケという人の『文学におけるマニエリスム』（一九五七）という名著だった。ホモニムが受験勉強のアイテムである一方で、マニエリスム芸術家固有の十八番（おはこ）だったことを知って、ぼくははじめのはじめの段階でのけぞった。この名作については後にまた述べることもあろうが、要するに、“tale”が“tail”とごっちゃの「尾はなし」になるような世界が、区別にうるさく、“tale”は“tail”とはちがうんですよと思い続ける世界に与える「驚異」を、ホッケは“*Stuporekunst*”と呼ぶ。「恫喝（どうかつ）芸術」、と故種村季弘氏は訳している。面白いのは英語の“stupid”も、元のラテン語の“stupeo”も、ぼおっとしている無為と、いわばそれを打破する驚異・驚愕の両方の意味を孕む点だ。英文学でさがせば、十七世紀終りに発して丸一世紀、英国文化の美学的寵児と化したピクチャレスク－崇高美（サブライム）の美意識の中で、巨大な山や天変地異を特別な重みをこめて“stupendous”と呼ぶことがはやったがそれも同類だろう。

ついでにある英和辞典で“stupefy”（麻痺させる／仰天させる）を引くと、「ラテン語のstupeo（＝to be amazed）から由来」と簡単だが記してある。英和辞典で軽くあしらわれている語源欄こそは欧米人文学出発のエッセンスなのだ！　その“amazed”にしても、たとえば“surprise”とはちがった驚きのセンスだ。だって自分の中に“maze”（迷路・迷宮）を抱えた驚愕ということだから。この種の言葉から言葉への連想（アソシエーション）の感覚とたのしみがないと、欧米マニエリスム文学は絶対成りたたない。

こうして「頭がぼおっ」が呼び水になって、同時に（「その折りも折り（ホエン・サドンリー）」）驚異がうみだされる。

それがピンク目の白ウサギの形をとる。

それほどびっくりすることではありませんでしたし、ウサギが「大変だ、大変だ、遅れっちまうぞ！」とひとりごとを言ったのを聞いても、それほど変だとアリスは思いませんでした（その時のことを後で考えてみた時、自分はこのことに驚くべきだった［ought to have wondered］と思ったのですが、その時にはすべて当たり前のことのように思えたのです）が、ウサギがこともあろう

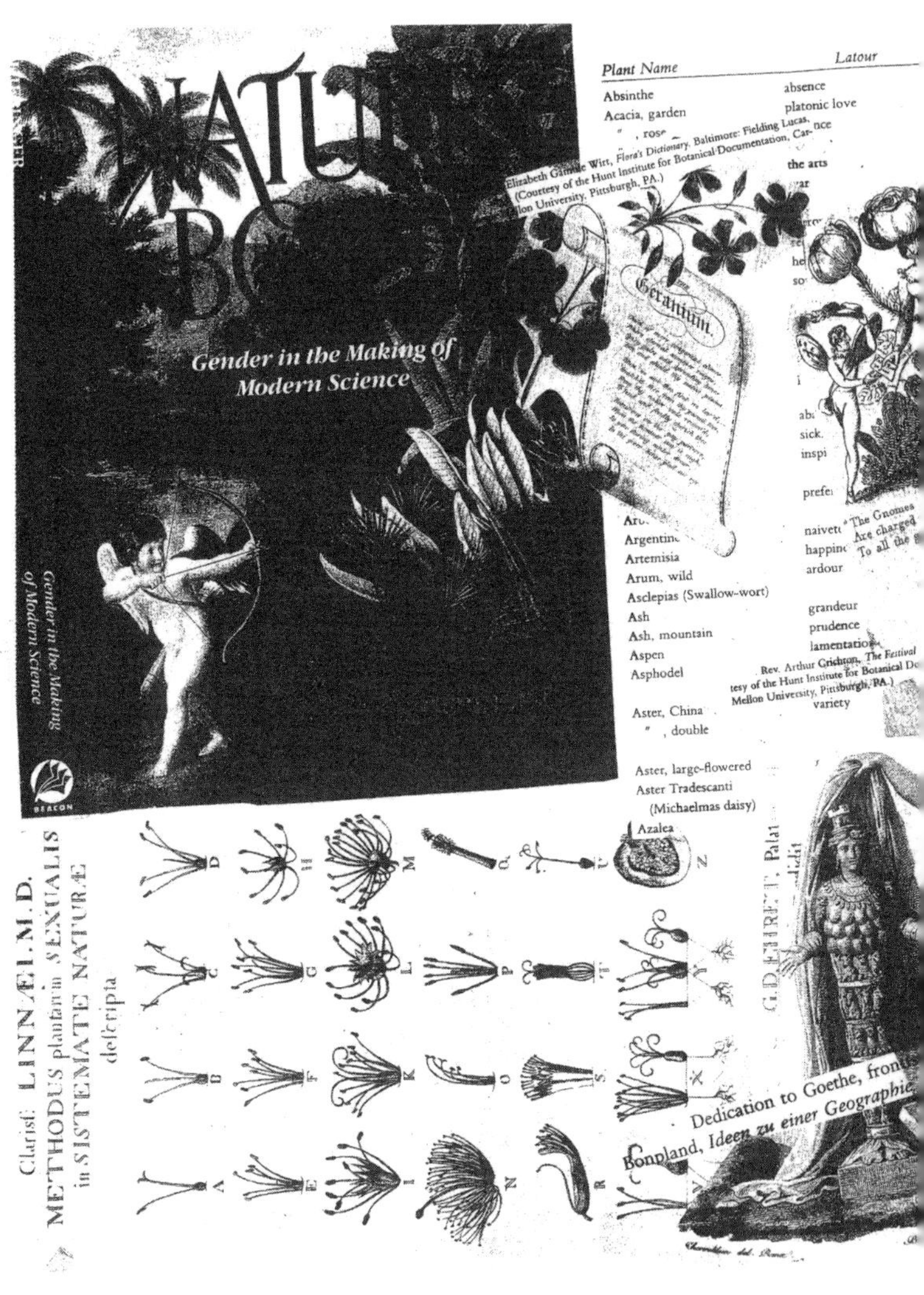

博物学のポピュラー・カルチャー（2　フェミニズム科学史）

にチョッキのポケットから懐中時計をとりだし、じっと眺めると、急ぎ足で歩きだした時には、アリスもとび上がるほどびっくりしました。だってどう考えてもポケットのついたチョッキを着たり、そのポケットに懐中時計をしのばせたウサギなんて一度も見たことがなかったからで、そうなるともう好奇心いっぱい（burning with curiosity）、ウサギを追って野原を横切り追いついてみると、ウサギはちょうど生垣の下の大きなウサギ穴にぽおんととびこんだところでした。

次の瞬間、アリスもウサギを追ってとびこみましたが、一体どうやったら出てこられるかなんて、まったく考えているわけもありませんでした。

有名な場面の多い『アリス』物語中にも屈指に有名な場面で、「ワンダーランドのアリス」という表題の絵解きというか『不思議の国のアリス』全体の総序といい切ってよいくだりである。冒頭の一行からの「読み下し」を試みてきたわけだが、実にスピーディにひとつの流れをパフォームし、解説してくれていることになる。

いかなる倦怠感がいかなる驚異を呼びこむかが実によくわかるのである。たとえばキャロルがオックスフォード大学に入学した年（一八五一年）は何しろロンドン水晶宮万国博覧会の年として記憶されるが、これは実にいろいろある年。ハーマン・メルヴィルの『白鯨』がこの年に出るが、驚異-小説といってよいほど海洋の怪物、異変事を集めて読者に息も継がさぬこのアクション満点の大作品世界が実は倦怠と、そこに因する自殺願望と裏腹になっていることが冒頭章に描かれ、女性の倦怠を描く『ボヴァリー夫人』（一八五六）、男性のそれを追求したゴンチャーロフの『オブローモフ』（五九）にボードレール『悪の華』（五七）を重ね、うっかりすればダーウィンの『種の起源』（五九）まで重ねて、倦怠と驚異の弁証法なり無限循環なりを語ろうという大構想に当然当時の「幻想」文学も加えなければと思わせる。その『白鯨』にして冒頭丸々一章費やす倦怠あって驚異が、というこの共通の構造を冒頭一ページでやってしまう『不思議の国のアリス』冒頭の計算の周到には脱帽するしかない。「一体どうやったら出てこられるかなんてまったく考えてもい」ないまま、兎角、ウサギを穴中に投じたと作者自身述懐しているような自発的、自動書記的創作法なるがゆえ、時代の構造が却っていきなり透けて出たという感じである。

まずはマジック、マジカルなものについて考えてみる。ウサギが人語を発し、あまつさえ人間の衣服を身につけている。これ即ち童話にひそむ擬人観（アンスロポモルフィズム）の構造そのものだが、もうひとつ別の見方をすれば、これは人も外の世界も融通している、いきなりつながっているとするマジカルな世界である。難しくいえば「存在の大いなる連鎖（The Great Chain of Being）」という発想で、中世からルネサンス末期まで脈々と続いてきた。たとえば「万有連関（*conexio rerum*）」などという。一番上に神、そして天使、そして人、そして動植鉱三界へと順次下降して最後は微小物界。全部つながって一点の空隙もない。宇宙は充満（plenitude）を特徴としているが、創造神が完全存在である以上そうなのだ。無（nothing）はありえない。穴だってあってはいけない（のに、いきなりある）。何もない、ということは想像不可能なのである（だから真空を発見したトリチェリは異端審問された）。

この万有連関もしくは連環こそ、一九五〇年代を期して一挙に復権されてくる魔術的世界一般に共通する最大特徴である。呪術といってもよい。オカルトというと何となく一部の特殊人間のする後暗い営みと、どうしても我々は思うが、一九五〇年代に魔術が復権した時、我々はかつては一個の堂々たる哲学思想がオカルト・フィロソフィーと呼ばれていたことをこそ驚きとともに知らされたのであって、これこそマニエリスム文芸に思想的基盤を与えたものと、『迷宮としての世界』（一九五七）『文学におけるマニエリスム』（五九）でG・R・ホッケが分析し尽くしてみせた構造である。種村季弘訳では「隠秘哲学」。ピッコ・デラ・ミランドーラ、マルシリオ・フィッチーノの名くらいは高校の教科書にでも出てきただろうか。中世・ルネサンスに「マギア」「マージア」と呼ばれたこういう世界がキャロル同時代の「奇術（マジック）の黄金時代」に世俗化していた、「マジック」観念そのものの千年、いやそれ以上の時間をかけての世俗化、「転落」の歴史を、どうしてもこの時計持ち白ウサギのパラグラフで我々は思いださせられる。ウサギがヒトでもある呪術的（マジカル）な世界——トーテム信仰を思いだせば足る——が、ここでは奇術（マジック）芸十八番（おはこ）のウサギであるからだ。奇術で一番よく使われる動物としての鳩とウサギの、そのウサギがそこにいる。「ポケットから懐中時計」という一句は多分そのことを思いださせるもうひとつの役を負っている。マジシャンが客の時計を粉砕したのに、壊れていない原型のまま客に戻される手妻（てづま）とかとかを想像させる。チョッキを着せられ、そのポケットにそういう時計をしのばせて、マジシャンに耳を摑まれて帽子の中に入れられたり出されたりしたウサギが舞台（いた）の上にいくらもいただろう。

「マジック」といえば、さっきトーテム信仰のことをいったが（主人公アリスのトーテムは猫だ、とする解釈もあるくらいだ）、こういういわゆる民俗学・人類学のキーワードを集中的にうんだのが、ジェイムズ・ジョージ・フレーザー卿（一八五四―一九四一）による未開民族習俗の比較研究から、マルセル・モースとデュルケムの叔父甥コンビの原始宗教の社会学である。フレーザーの名は少し前、急に復活したが、その『金枝篇』（一八九〇―一九一五）の発刊百周年記念があったからである。かつての抄訳本とちがって、今現在『金枝篇』の巨大完訳版がまさに継続刊行中［校正後藤護］である。

フレーザー卿とまさしく同時代の未開社会研究者リュシアン・レヴィ＝ブリュール（一八五七―一九三九）の「融即（*participation mystique*）」という有名な観念は覚えておくに足る。未開社会の人間がアオインコの羽を身にまとって踊っていると思うのは文明人の誤解で、その時、人がインコの真似をしているのでなくて、その人はその時、インコなのだという、文明人の忘れたに相違ない直の感覚、それを「未開」の、「前論理」のという今みて非常に差別的な脈絡の中で「融即」と名付けたのである。こうした「未開」社会におり立って表面を掻いなでしていく民俗学者としてアリスを見るということも不可能でないほど、「他者」遭遇、「異文化」衝突の面白いタイミングでもある。森の中で一匹の鹿と「融即」できそうで、ついにできないというたぐいの話が予め想定できる文脈が『不思議の国のアリス』冒頭で、早くもしっかりつくられている。

要するに「マジック」という観念が呪術と奇術、思想と手妻に空中分解していった時代だった。奇術盛行とキャロルの関係は、奇術としてのマジックはマジックなりにぎりぎり意味を広くとったジョン・フィッシャーの『キャロル大魔法館』がすばらしく楽しそうに書き尽くしてくれているが、いわばオカルト哲学者としてのキャロルという側面が十分追求されていない。最晩年、急に英国心霊研究協会に加入したキャロルを、丁度同じ「転向」をしたたとえばコナン・ドイルなどと並べて論じる傾向があるが、そもそも「驚異（ワンダー）」をのっけにかかげたこと自体、キャロルの全部が「魔術的（マジカル）」と考えるべきではないのだろうか。つながらないはず（と、「文明人」の我々が思う）もの同士「融即」し合うのを目にしての“stupor”を結局、あっさり「ワンダフル」と呼ぶのだからである。

DIFFERENCE AND PATHOLOGY
STEREOTYPES OF SEXUALITY, RACE, AND MADNESS
SANDER L. GILMAN

Edouard Toudouze (1848–1907), "Salome Triumphant" (ca. 1886)

BRAM DIJKSTRA
IDOLS OF PERVERSITY
FANTASIES OF FEMININE EVIL IN FIN-DE-SIECLE CULTURE
Daniel Tixier (active 1890s), "Spring" (ca. 1895)
Albert-Joseph Penot (active 1896–1909), "Autumn"
「性」の表象
サンダー・L・ギルマン 大瀧啓裕訳
SEXUALITY An Illustrated History
Joseph-Ferdinand Gueldry (1858–after 19

表象化されていく「女性」

我々英会話勉強好き人間が一番気安く使う「ワンダフル」だが、ワンダフル、即ちフル・オヴ・ワンダーというその大元の、文化史的にむちゃくちゃ意味深かった時のその意味をしっかり頭に置き直さねば、少くとも一九九〇年代以後、『不思議の国のアリス』を読んだことにはならない。たとえば一九九一年、スティーヴン・グリーンブラットの『驚異と占有』が出たことは既に言った。「他者」征服を表面的に偽装したものとしての「びっくり（marvel）」が分析され切ったのだが、当然これで少女アリスが異界に行っての「感嘆符過多症」（ハリー・レヴィン）の解釈がはるかに大きな文脈を持たなければならない。よく“marvelous”も“wonderful”と同様、軽い意味で使う。“simply marvelous”は「すっげえ!」という感じ、一九八七年の画期的巡回展「驚異の時代（The Age of the Marvelous）」と、それに触発された一九九一年の『驚異と占有（*Marvelous Possession*）』で、大元の意味につき戻された感じは当然で、快い。

　流行というのは面白いもので、グリーンブラットの画期書が引金になって、猫も杓子（しゃくし）も驚異、驚異で、久しく驚異 - 文学にこだわってきたぼくなど大いに喜んでいる反面、十六世紀にメキシコやペルーの伝統社会を征服者（コンキスタドール）たちが破壊し、簒奪してきたその金銀珍品がヨーロッパに簇生（そうせい）させたものこそ、今までマニエリスムの範疇で「驚異博物館（ヴンダーカマー）」として論じられるばかりであった収集空間なので、この「他者」覆滅の社会学とマニエリスムとを総合した「驚異」文化史をつくりあげ、その遅く来ながら典型的なパターン——驚異と占有——を踏もうとする力作として『不思議の国のアリス』を捉える、今現在最強の『アリス』論をこそお願いしたいと思う。現時点でのキャロル評価の最大ポイントがここにひとつ、ある。驚異の発生を脳内物質やホルモンの分泌で説明するにいたった文化史家、バーバラ・M・スタフォードが、もしヴンダーカマーの研究者でなければ、ぼくはこの人をこれだけ本気で信用しただろうか。

同じことは「好奇心いっぱい」の「好奇心（curiosity）」についてもいえる。中世からルネサンス、そして近代へと一番褒貶（ほうへん）著しく転じたもののひとつが好奇心（*curiositas*）なのである。神に専ら向けるべき精神力を所詮六塵俗界の諸物に向けてはならないという宗教と道徳の要求がてき面に緩んでいくプロセス。ここの研究も、この二十年くらいやっと緒についたばかりである。しかも“curious”は一方では猫をも殺すと諺に言われながら、語源的には“cure”（癒す）に近い。これはどう説明がつくのか。ちなみにヴンダーカマーをフランス語でいうと、ずばり“cabinet de *curieux*”である。驚異とは何、好奇とは何。考えてみれば、それをタイトルにうたってさえいる相手に、ここのアプローチが今まで絶無とは一体どうしたことか、とつい話が長くなってしまった。しかし、「好奇心」を指す“curiosity”にも“anxiety”にもどうして一方に暗い歴史があるのだろう（“anxious”など、辞書を前に首をひねった経験ないですか？　死ぬほど知りたいという「熱望」が「不安」や「疑念」とぴたり裏腹、とは）。ジョン・ダンが激しい知識欲・世界衝動を「水腫症」にたとえた十七世紀初め——醇乎たるマニエリスム時代——からの知識人・好事家の「死に至る病」としての好奇心。そうI'm dying for knowledge.という言い方もぴったり過ぎておかしい。死ぬほど知りたい、とはね。

このパラグラフについて二〇〇七年現在、一番大事なポイントは以上のようである。よく知られていることでは、ウサギが時計を携行し、遅刻を心配しているということから、十九世紀末にかけ時間が加速化し——テイラー主義（Taylorism）、フォード主義（Fordism）——人々の強迫観念と化していったことの説明、特に進化論に現れた時間への弱者キャロルの反発といった見方についてはぼく自身が『アリス狩り』（一九八一）というはじめのはじめからずっと言い募ってきたところでもあるし、直接ヴィクトリアン世紀末の時間感覚については、最近では進化、逆に「退廃」の観念についての流行の研究を背景に、よくできた研究が沢山ある。なかでもジェローム・バックレーの『時の勝利』。当該テーマでは一番古い刊行（一九六六）なのに今なお古典。ぜひ、ぜひ。『アリス』中に一番の翻訳者泣かせなのだが、擬人化された"Time"をどう訳すかというかんどころ。「マ」くん、「マ」さん、しかない。そこが巧くいかないと、その訳、「間」抜け！

英語としては、「……（その時のことを後で考えてみた時、自分はこのことに……思えたのです）が」という部分。いわゆる括弧文だが、「童話」にしてはやたらと多いこうした"parenthetical"な文章に、一種メタフィクショナルな作者の介入をみる評家がいて、でもなければ気付きもしないこの点については、実は後に、もっと驚く同類の仕掛けがあるから、委細はその時、述べよう。

マーティン・ガードナーは『詳注アリス』を出したあと、いくらも注をふやしたくなって『新注アリス』を出した。何かにかこつけて百科全書派ならいくらでもお喋りできる「注」の妙味と、ブレーキのきかなさに楽しそうに困惑しつつ、この二点合本にしたものにさらに注を書き足して「決定版」な注釈アリスを出して、ずっと訳にかかわってきたぼくを微苦笑させたガードナー。きっかり二〇〇〇年のこと。

このパラグラフに関してそうした落とすには余りに魅力的な「詳注」となっているものが、白ウサギのこのお洒落な身なりにかかわるもの。ひとつは、「絵本の中に遊ぶ服を着た動物の現在ではありふれたものになってしまったが、これもやはり十九世紀の発明」とする、ありそうで実は極めて珍しい視角から白ウサギの身なりの「リスペクタビリティ」を分析した坂井妙子氏の仕事と「坂井妙子『おとぎの国のモード――ファンタジーに見る服を着た動物たち』（勁草書房。二〇〇二）第二章（「ポケットの付いたチョッキを着た白うさぎの出現」）。図版貴重なり」、もうひとつはウサギのチョッキ付き時計鎖をアルバート、またはアルバート鎖（チェーン）と呼ぶのは、当然ヴィクトリア女王の夫君プリンス・アルバート（一八一九―六一）に由来するという手掛りから、四十二というキャロル最大の謎‐数生成のシステムにプリンス伝の年号データをまで取り組む、キャロル協会きってのマニア研究者、木場田由利子氏の、それこそ「はい、不思議！（エ・プレスト）」というエッセーである。片や動物童話の本質にかかわる――我々なら「アントロポモルフィズム」の一語で切って、それで足れりとする問題を、衣服の社会学という地に足ついたところから攻めた篤実の模範、後者は文学批評を数秘（numerology）のゲームに変えてみせ、相手はあのキャロル、そのどこがおかしいとするエキセントリックな発想のアクロバットで、この両極とも、捨て難い面白味がある。ガードナーだったら拾って注に加えただろう。ガードナー最新の『アリス』注釈本にはついに日本人研究者からの提案がこれだと言って、ちゃんと拾われている。

ウサギそのものの象徴価と物語価が重要な話題として残っている。漠然と象徴事典のたぐいを引いても、そう面白くはない。たとえば有名なアト・ド・フリースの『イメージ・シンボル事典』をのぞいてみる。それは豊穣多産を表わす、とある。地下の穴居動物だから、冬に死んでも春に回帰してくる再生の象徴である、ともいう。春の、回帰の、というイースター祭にウサギの象徴がついて回るのもそういうことなのだ、と。が、『不思議の国のアリス』全体を読み終る時そこでやっと、我々はこの物語が十二の章でできており、一年四季十二カ月という円環する時間とアナロジーになっていたのかもしれないと知るので、それ以前ではない。地上と地下を円環する再生象徴としてのウサギの象徴価は多分そこで初めて生きる。

象徴価としてはむしろ、たとえば地上と地下の媒介者ということが大きい。「兎（と）」角（かく）、自分が先導してアリスを案内（ガイド）して行く形になっているから、民俗学とかユング分析心理学でいう「魂の導者（プシコポンポス）」の役どころである（冥界にダンテを案内するウェルギリウスの役どころだ）。

「ウサギを追って野原を横切り追いついてみると」とあるから、物語は中心から周縁（ヘリ）に来たところで動きだす。「生垣（hedge）」は「縁（edge）」を含むなどという洒落をいうまでもなく、周縁に穴があいていて、そこに飛びこむ。自ら周縁になじんでいればこそ魂の導者の役がつとまるウサギは、山口昌男象徴人類学にいう中心と周縁の媒介者である。山口昌男『アフリカの神話的世界』のトリックスターのウサギや、中沢新一『野ウサギの走り』の脱「兎」のごとき境界の自在な走破を思いだせば足るだろう。道化役としてのウサギというわけだが、そういえば『イメージ・シンボル事典』の「ウサギ」の項は「モリス・ダンスの〈道化〉のかぶりものはウサギ皮の帽子で自分の頭の上にウサギの頭をのせる」という一文で終っている。ウサギの役割を厖大な図版で見せるアリシア・エズペレータの『どこもかしこも兎』という本を見て、民俗の古い闇の奥でウサギの占めていた位置がわかる二枚が殊に印象に残る〔Ezpeleta, Alicia, *Rabbits Everywhere* (Abrams)〕。一枚はウサギ耳のかぶりものの悪魔が女を誘惑し拉致する仲々怖しい中世聖堂彫刻。もう一枚は二本足で人間の着物を着た二羽のウサギが人間の狩人を捕縛処刑してしまう絵で、一六六五年の作といえば、汎欧的に体制の近代化出発の時代に見合ってぴったり逆さま世界（ἀδύνατον; world upside down）の絵柄である。後にこのウサギが人間（アリス）をこき使うという逆転世界（アデュナータ）の典型的主題（トポス）に出合うだろうという予想も立つ。実際笑えるほどその通りになるのだが、まだこの段階では、わからない。

　穴を地下世界に落ちていく動物だというウサギの象徴価は同時にウサギの物語価でもある。「一体どうやったら出てこられるかなんてまったく考えてもいませんでした」というのは、兎角主人公を穴に落とせば、あとは「物語がひとりでに出てきた」と自分では説明する『不思議の国のアリス』の物語としてのでき方だが、なるほどディテールはそうだとしても、長い間かかって物語がそこに収斂（しゅうれん）してきた型というものがあって、これなど実はその代表選手といえる。冥府めぐり、冥府降下譚（descendus ad Inferno）であって、話の大枠は物語をつくりだすこの神話‐機械がほぼ自動的につくりだす。「まったく考え」もしないでという自動書記性は、本人が意識しようと、まさしく無意識であろうと、物語の隠された大枠に物語がゆだねられたことも意味する。

　サモサタの語り部ルキアノスの『本当の話』から、エヴァンズ・L・スミスの快著が一覧表にしてみせたアンジェラ・カーターやトマス・ピンチョン、アレッホ・カルペンティエールからクリスタ・ヴォルフまで［Smith, Evans Lansing, *The Myth of the Descent to the underworld in Postmodern Literature* (Edwin Mellen, 2003)］、地下降下、冥府巡りの主題（トポス）は一向に跡を絶たない。この地下／冥府をそっくり身体のメタファーと捉え、いわば倦怠した上部（精神）が、「驚異」に満ちた下部（身体。その底（ボトム）たる尻（ボトム））に降下して何らかのエナジー転移（トランスファー）を受けるといえば、議論はいきなりミハイル・バフチーンの批評となり、不思議の国の「カーニヴァル」性が論じられ始めるかもしれず、そうだ、案の定（じょう）「対話」の多い世界だということにもなって、話がちゃんと先の議論につながっていくのである。

　少し変った視点は、今や古典というべき位置付けの航星SF譚の「観念史（ヒストリー・オヴ・アイディアズ）」を試みたマージョリー・H・ニコルソン、月世界や惑星への旅を語る十七世紀（「科学革命」）以来の架空旅行（*voyages imaginaires*）の系譜をそっくり一挙に上下転倒して、『ニルスの旅』と『不思議の国のアリス』をも地底旅行の形式をとった宇宙旅行として位置付けようとした仕事である。

　冬を迎えようとする地上から冬の間、地下で過ごす植物は仮に死ぬ。民俗学ふうにいえば「通過儀礼（*rites de passage*）」の時空を経て、次の春にめざめ、こうして四季に仮託された死から再生へという神話的パターンが、この作品でも貫徹されるだろう。事件は冬でなく「頭がぼおっと」するくらいの「暑い日」に起きているわけだが、ここで問題になっているのは倦怠に自閉した精神の冬、「我れらが不満の冬」のことであるのはもちろんだ。

＊

こうして「ウサギ」にも「穴」にも、神話が物語へと伝えた究極的にはすべての旅を人間の心（サイキー）（psyche）への旅、内への、底への旅のメタファーに変える猛烈に神話的・象徴的な意味があるらしいことがわかったところで、次のパラグラフ

ウサギの穴はしばらくトンネルのように続いていましたが、突然がくんと下降し、あまり突然の下降でしたから、止まろうと思ういとまあらばこそ、気づいてみると、とても深い井戸のようなところを落ちていっているのでした。

ここで我々はまた読むということに避けられない別種の難しさに出遭うのである。時代の感覚を追体験できるか否かということで、ここでいえば「トンネルのよう」という一見何でもない比喩でしかないものの意味である。

穴というだけなら、これを神話中最も神話的なもの、人類学や民俗学の中心的観念としていくらも感じられるはずだ。今まで読んできたところでの読み方で少くとも、読者は一応そういう感覚になっていただけているはずだ。そこでの穴は、たとえば再生ということのために一時的に陥るプログラムとしての危険を意味する。正（プラス）イメージである。

もっと一般的な感覚でいえば、要するに単純（シンプル）で平板（フラット）な生活を合理だ、現代的だとしてめざしている市民の日常にぽっかりと口を開けた一種実存的な地獄の口——虚無——のしるしとしての穴。たとえば不思議議な名作映画『マルコヴィッチの穴』が思いだされる。いってみれば負（マイナス）のイメージの穴、かもしれない。

ここでは穴のそういう両義性よりも実は驚くべきことが起きている。穴をみて「トンネル」を直接連想できていることの問題だ。

答はトンネルとはキャロル全生涯とぴったり重なって出現・伸張をみた文化装置であり、要するにテクノロジーとして当時おそらく最先端のものの代表選手だったということに求められる。

文化史（*Kulturgeschichte*）という分野の捉え方、教え方が政治史的、経済史、社会史といった歴史学の伝統的切り口と比べて著しく遅れているのは実に呆れるばかりだ。それは実はキャロル同時代の事態なのだが、「文化」が歴史の切り口と観ぜられるに値するほどの成熟もしくは複雑化を見せ始め、そのことに気ずいたヤーコプ・ブルクハルト（一八一八—九七）の『イタリア文芸復興期の文化』（一八六〇）が出たし、その弟子ハインリッヒ・ヴェルフリンの『ルネサンスとバロック』（一八八八）が出た。「ルネサンス」とか「バロック」とかいう文化観念はキャロル同時代に出現した。英国でいえばウォルター・ペイターの『ルネサンス研究』（一八七三）。言うところの「深い時間」（パウロ・ロッシ）を掘る。

クルトゥアゲシヒテ（文化史）という呼び名でわかるように主にドイツ語圏でゆっくり確立して

きた文化史的アプローチの影響を受けて、英語圏でもロザリンド・ウィリアムズやマーク・シェルのような秀れた文化史家が一九八〇年代から続々と登場してくる。実はぼく自身、自分のアプローチはここに属すべきものと考えているが、たとえばウィリアム女史のデパート文化論（『消費革命』一九八二）と地下文化論（『地下文明』、一九九〇）なくば、ぼく自身の文化史学に対する最大の貢献と考える『テクスト世紀末』（九二。但し連載執筆は一九八九―九二）中の「テクスト・マガザン」「メトロ・テクスト」というふたつの中核章は絶対書かれえなかったはずだ。問題はそうした地下文化論の方だ。キャロルがアイシス川のボート遊びの時（一八六二年七月四日）、艇中に対面の少女アリス・リドゥルたちにした話が、『不思議の国のアリス』として世上に公刊される以前に、『地下の国のアリス』という手書き一冊ぎりの本となって、アリス・リドゥルにプレゼントされたことは、よく知られている。いま、デレック・ハドソンの定番キャロル伝をあけてみると、こうある。

ルイス・キャロルは一八六三年二月十日までには『地下の国のアリス』を書きあげていて、すぐにそれをジョージ・マクドナルドに送って意見を求めている。マクドナルド夫人が子供たちを集めて読んできかせたら、反応は上々で、評決がどちらに出るかは自明だった。一八六三年五月九日、彼ら一家が出版に賛成してくれたとドジソン［キャロル］は記している。

［デレック・ハドソン『ルイス・キャロルの生涯』（拙訳。東京図書）。一三四ページ。］

当時の英国の社会史資料をみていて思わず笑ってしまった。一八六三年の一月九日、ロンドン最初の地下鉄会社メトロポリタン・レイルウェイ・カンパニーがビショップス・ロード、ファリンドン・ストリート両駅間に最初の地下鉄を走らせているからである。約六キロの行程。

> オープニングの日だけで三万人以上もの人間がこの線を利用し、午前九時より正午過ぎまでは途中のどの駅かでシティ地区行きの座席を求めようとしても無理だった。客車は無蓋だった。夕刻、ファリンドン・ストリートから帰る客の混みも等しくすごかった。翌年には乗客総計九百五十万人に達したが、これは当時のロンドンの総人口の三倍に当たる。早くも一八七七年に同社は年間五千六百万人の乗客数を数えている。ロンドンの二番目の地下鉄会社、メトロポリタン・ディスクリクス・レイルウェイはこの浅層線（シャロウ・ライン）の構想を踏襲した。ところが一八九〇年創業のシティ・アンド・サウス・ロンドン・レイルウェイは地上から四十八ないし百五フィートにわたる深層線（チューブ）であった上に、当時まで地下鉄につきものだった「石炭の煙、硫黄、二酸化炭素、炭酸の混り合った悪臭」に止めを刺すべく、電気機関車を走らせ始めた。
>
> ［Baring-Gould, W.S., *The Annotated Sherlock Holmes*, vol.I (Clarkson Potter, 1967), p.161.］

複雑な愛憎併存（アンビヴァレンツ）を機関車に対して持っていたといわれるキャロル、しかも相手が地下を走るとなれば、一八六〇年代から晩年にかけてキャロルと地下という問題は、こうして極めて具体的な現実を背景に持つものだったはずである。一八六〇年代以前のことについては、キャロルも実はその確実な末裔たるロマン派、特にドイツ・ロマン派の鉱山学・地質学趣味とつなげていくらも議論可能な「地下文明」論だが、逆に世紀末に向けて時代の最尖鋭の知一般に中核的メタファー――真に価値あるものは下にあって、これが上に載るものを支配する――を与えていく。マルクスの「下部」構造の経済学しかり、そしてフレーザー人類学の民俗の下に眠る普遍の叡知。それはC・G・ユングの集合意識の「下なる」元型をいう分析心理学にもいえ、勿論ユングの師だったS・フロイトの話題の心理学、「精神分析」にいたってはそのものズバリだった。そういう文化史的アナロジーの生彩を堪能させてくれるロザリンド・ウィリアムズだが、ドストエフスキーあり、ヴェルヌあり、ユゴーあり、H・G・ウェルズありで当該テーマに一点の遺漏もなきサーヴィスぶりなのに、どうしたものか、キャロルのキャの字もない［Williams, Rosalind, *Notes on the Underground* (MIT Pr., 1990.) このタイトルのすばらしいダジャレ］。語り出せば限りないテーマを、その辺の過不足をよく呑みこんでいたらしいぼく自身の昔の一文で要領よく、まとめてみると、こんなふうだ。はじめのはじめにして、冴え切っている！

問題は地下である。舟運推進のため運河を掘るうち、英国のトンネル掘進のノウハウが蓄積されていたが、なんと言っても天才的技術者、M・I・ブルネル考案のシールド工法の登場が決定的であった。帯水地層にも、土圧による陥没の危険なく、いくらも穴があけられるこの方式のお陰で、テムズ川の河底トンネルの構想が可能となった。こうして一八二五年に構想されたテムズ河底トンネルは四二年に完成、翌年から供用に付されている。この歴史的大工事に対してブルネル（父）は一八四一年、ナイト位を叙せられた。

……………［中略］……………

水晶宮万国博覧会が地上にテクノロジーの楽園を現出していたのと同じ頃、地下をもまた網の目状にネットワーク化する動きが出発していたことを、改めて記憶しておこう。

「クロモス」という、パピロマニア（紙狂い）

そして先に述べたように、一八六三年、世界最初の地下鉄がパディントン〜ファリンドン・ストリート間の約六キロを走行した。思えば、その少し前、一八五九年から始まったロンドンの下水道整備が六五年をもって一段落している。

こうした〈下〉への強烈な関心を抜きにしては、たとえば『不思議の国のアリス』（一八六五）ひとつ書かれえなかった、とぼくは思う。女主人公を兎穴に落とせば、あとは成り行きまかせ、とキャロルは随分無責任なことを言っているが、やがてSFの祖（みおや）ジュール・ヴェルヌに直結する、「架空旅行（ヴォワヤージュ・イマジネール）」の文学的トポスと時代のテクノロジーの緊密な結託があるはずで、それがテクノロジー狂たるキャロルの列車狂い、地下鉄狂いであろう。幼い頃に訪れたある鉱山での原‐体験を云々（うんぬん）する人もいるが、たしかにそんなこともありえよう。いずれにしろ、『鏡の国のアリス』に同時代の作鏡術だの光学革命だの幻燈機器（ファンタスマゴリア）だのといったテクニカルな作因を認めながら（後述）、女主人公が地下を彷徨する「円環」する旅に時代の精華たるトンネル工法のインパクトを認めないとすれば少々鈍感だ［一八八四年完成のロンドン地下鉄はロンドン・サークル・ラインと呼ばれるインナー・サークル（循環線）である。］。地球を貫通するトンネルの話が「ヴィクトリア朝のお茶の間」の話題だったという指摘をした『詳注アリス』のマーティン・ガードナーにして、当時の猛烈なトンネル・ブームについてはついに一言もない。ロザリンド・ウィリアムズにまとめて足払いを食った恰好だが、そのウィリアムズの本には何故かアリス・ストーリーへの言及がなく、彼女は彼女で、その辺きちんと書いた『月世界への旅』のマージョリー・ニコルソンに一本とられていて、愉快、愉快。本当に日々、勉強は欠かすまじきこと。「地球空洞説」なる重要な「穴」テーマも最近、俊才巽考之氏に御教示たまわった！

こうして、地下鉄の時刻表にかかわる一篇をさえ含むホームズ・シリーズが、一八八四年のロンドン地下鉄の循環線（インナー・サークル）完成とからみあっているように、一八六五年のアリスの冥府降下物語はブルネル・ショックの余波なのである。その前後の文学史はちょっと奇異かつスリリングだ。六二年にはパリの地下文学（最高傑作は実はわが鹿島茂の時間の迷宮都市もの、、とりわけ『モンフォーコンの鼠』）の王、ヴィクトル・ユゴーの『ああ無情（レ・ミゼラブル）』が、六四年にはドストエフスキーの『地下生活者の手記』が出ている。あいだの六三年に世界初の地下鉄運用、というわけ。同じ六四年にジュール・ヴェルヌのきわめつけ地底文学、『地底旅行（地球中心への旅）』が出ている。ダイナマイトの発明（六六）をはさんで、大切りは「災害派（カタストロフィスト）」という有難くない綽名（あだな）を頂戴するまでに売れに売れまくったブルワ＝リットン卿の名作『ポンペイ最期の日』。世紀末人を一人残らずにわか考古学者に変えたポンペイ発掘。それは覿面（てきめん）に隠喩化して、精神分析学者フロイトに入った。彼は「ねずみ男」に向かって「分析室にある骨董品を指し示しながら」説明する。「あれはもともとお墓からの発掘物です。埋もれていたお陰で保存されたのですね。むしろ、ポンペイの滅亡は発掘された時から始まっていくのです。」これが発掘というテクスト化行為の暴力性への傍注となっていることに、大分析医自体が気付いていない。『不思議の国のアリス』冒頭の次に秀才岡田温司の『イタリアのフロイト』読めっ！

こうして地下掘進のテクノロジーと時代のテクストが一致した瞬間が一八六〇年代にひとつあったように見える。下水道整備に一日の長あるパリがうんだユゴーにおいては、しばしばテクストは単に地下の汚穢と暗黒を描写する媒体であるばかりか、バフチーンによる頭（上）と尻（下）の上下の地勢誌（トポグラフィー）の議論の中で典型的に〈下〉の世界とされた「グロテスク・リアリズム」そのものに憑依されたかのごとく、汚穢の糞尿－言語をゆっくりと押し流していくねばねばした膠着性の統辞法を身につけていく。言わば、グロテスク（洞穴（グロッタ）の美学）を身振りする言語。その世界を体現するのがせむし男クァジモドであり、まさに下水道を逃げる逃亡者、「起重機の」ジャン・バルジャンである。英国に遅れをとったトンネルでもフランスは頑張っていた。一八四五年に起工、蜿々かかって七一年に完成したモン・スニ鉄道トンネル。難攻不落のアルプスを貫通ということで国際的に人々の関心を「トンネル」に引きつけた。六八年にはニトログリセリンが、やがて八〇年代にはダイナマイトがトンネル工事に登場していることも付け足しておこう。モン・スニが忘れられる頃、ザンクト・ゴットハルト・トンネル（工期、一八七二―八二年）、セヴァーン・トンネルが（一八七三―八六年）、次にはシンプロン・トンネルが、「トンネル」をずっと文化の中心の位置に引き据えている。ダイナマイトと空気削岩機が投入されて工期をどんどん短縮化していった。こうした工法の進歩は橋梁テクノロジーにも反映され、一八六九年から八三年にかけてのニューヨークのブルックリン・ブリッジの工事には、街の一街区の何分の一といった広さの巨大ケーソンが投入されて「世界の第八の不思議」の完成に資した。

そして、ロンドン地下鉄に初めての深層線（チューブ）システムが走ったのが先に見たように一八九〇年。平均地下五〇フィートの地底を走り、一九〇七年にネットワークが完成している。電気機関車による地下鉄であったことも見た。こうしてイギリスで完成を験（けみ）した地下鉄は、一九〇〇年きっかりに渡仏してパリ・メトロ・ラインとしてオープンし、一九〇二年にはベルリン、一九〇四年にはニューヨークにと輸出されていった。

一八九六年起工のシンプロン・トンネルが完成して、パリ〜トリノ間が十八時間に短縮化された一九一〇年代くらいまでのこの時期にもう一度、物語テクストが地下掘進テクノロジーと無碍（むげ）に隠喩し合う。それが端的に言えばフロイトのいくつかの「症例研究」ではあるまいか。八九年にフロイトはナンシーに赴いている。メスメリズムに由来する睡眠暗示による治療に限界を感じ、先蹤たるリーボーやベルネームの治療法から新しい方途をさぐりだそうとしたらしい。言ってみれば、顕微鏡をのぞいた段階から、もっとはっきり言語を前に出したテクスチュアルな段階へ飛躍しようとしていた。その成果が九五年の『ヒステリー研究』に表われる。翌九六年には睡眠法を棄てて、「自由連想法」に切り換える。言語化されない不定形（アモルフ）なものを、とりとめもなく言語化させ、「解釈」という名のもとに新たな取捨選択、とはつまり抑圧を加えていくテクスト行為、だ。不可視のものに耐えられず、それを可視化し、暗闇に耐えられずそれを意味性の明るみに変えようとした。「存在は自らを明るませながら、遠のく」というハイデッガーの言葉はここでも本当だ。ハイデッガー流に言えば、フロイトまた、世界でなく世界〈像〉の捏造者の一人にしかすぎないのである。人の心の昏(くら)い部分に行／路線(ライン)を通したのだ。

［高山宏『テクスト世紀末』（ポーラ文化研究所。一九九二）、二一三―六ページ。］

今までになく少し難しい文章になってしまったかもしれないが、持てる材料を次々に投入しながら、言葉の持つさまざまな能力にかけて類推を四方八方に推し進めることで、たとえばふたつ別々のものが説得的にひとつと化し、読む側に認識の変化を要求するこういう「エピステミカルな文章」（鹿島茂）が、文化史家と呼ばれる者の栄光でなくてはならない。空間的底たる地下が人間小我の底にある大我―無意識に当るイメージはだれしも持つが、それを精神分析生成の同じ瞬間になぜ地下鉄掘進の画期的方法――「開削工法(カット・アンド・カヴァー)」――がという論に具体化・即物化できる感覚は、やはりロザリンド・ウィリアムズの才と勘である。これがわかれば、この十年ほど人文系のフロイト読みのメインだった感のある「不気味なもの(ワンハイムリッヒ)」理論も地下鉄テクノロジーと区別ないものだったとする次の文章も理解願えることになる。

内／家(ハイム)に自足してしまったこのホームズの精神的双生児「フロイト」は案の定、「憂愁(スプリーン)」を病んでいる。粘着する厖大なテクスト生産はその治癒の方法だった。狂わないように、彼はたえず謎に満ちた「不気味なもの」を捏造しては、それを解いた。監獄と化した内／家(うち)の呪わしい安逸を一度でも喪ってみたかったのだ。それは、ちゃんと整備されてはまたぞろ、地下に何かを走らせようと開削工法で繰り返し掘り起こされて、地上にぽっかりと黒い口をあける世紀末メガロポリスの土(グルント)の惨劇に似ている。土(グルント)をなくしてわざわざ深淵(アップルグルント)を見ようとした不幸な精神に、そこではいくらでも会うことができる。

〔「メトロ・テクスト」、二二七―二八ページ。〕

実は「内／家(ハイム)に自足してしまった」代表的人物がキャロルであることを、後々ひとつの大テーマにしていくつもりなので、ここに書かれていることをフロイトのことであると同時に、キャロルのこととして読んでもいただきたい。倦怠の地上に驚異という名のウサギを放って、この地下の動物に地下鉄を開削させた場面なのだ。

くどいようだが、一見なにげないこのトンネルにはこだわる。当時の英国市民の感性(マンタリテ)に降りてみれば、こだわらざるをえない斬新の比喩、特に当時の子供にとっては胸躍る地下鉄体験を触発する絶妙の比喩だったからだ。

鉄道株をキャロルも買った。それなりの人間で買わない人間はいない、そういう熱狂の時代。『スナーク狩り』の人物たちまで、怪物スナークを「鉄道株で」狩り立てている。遅れることを白ウサギがいつも心配しているのを、進化論の時代にいろいろなレヴェルでの自らの身体‐精神の不調不具合をもって自らの「遅れ」に悩んでいるキャロルの不安の反映とする見方ばかり定着している。しかし、自動機械(オートマトン)のこうもりをつくってキャンパス内の用務員を驚かせることで大学教師暮しを始めたメカ好き、オートマタ狂い、写真狂のキャロルがいて、要するにテクノロジーの夢に狂奔し始めていた時代にぴったり即いて離れぬ様子のキャロルには、時代の寵児という側面もあるのだ。

そこでワイリー・サイファーの『文学とテクノロジー』を思いだすわけである。キャロルを時代の文脈に置いて考えるという場合の最大の手掛りたるもののひとつと思われるが、これを試みたキャロル論は筆者自身の『アリス狩り』以降、ない。これはどうしたことと思うと同時に、ここではキャロルとテクノロジーという場合、単に機械工学の問題にとどまらず、材料としての言葉をクールに構成して文字通り「テクスト」を紡ぎだしていく「編集工学」の問題にもかかわらざるをえな

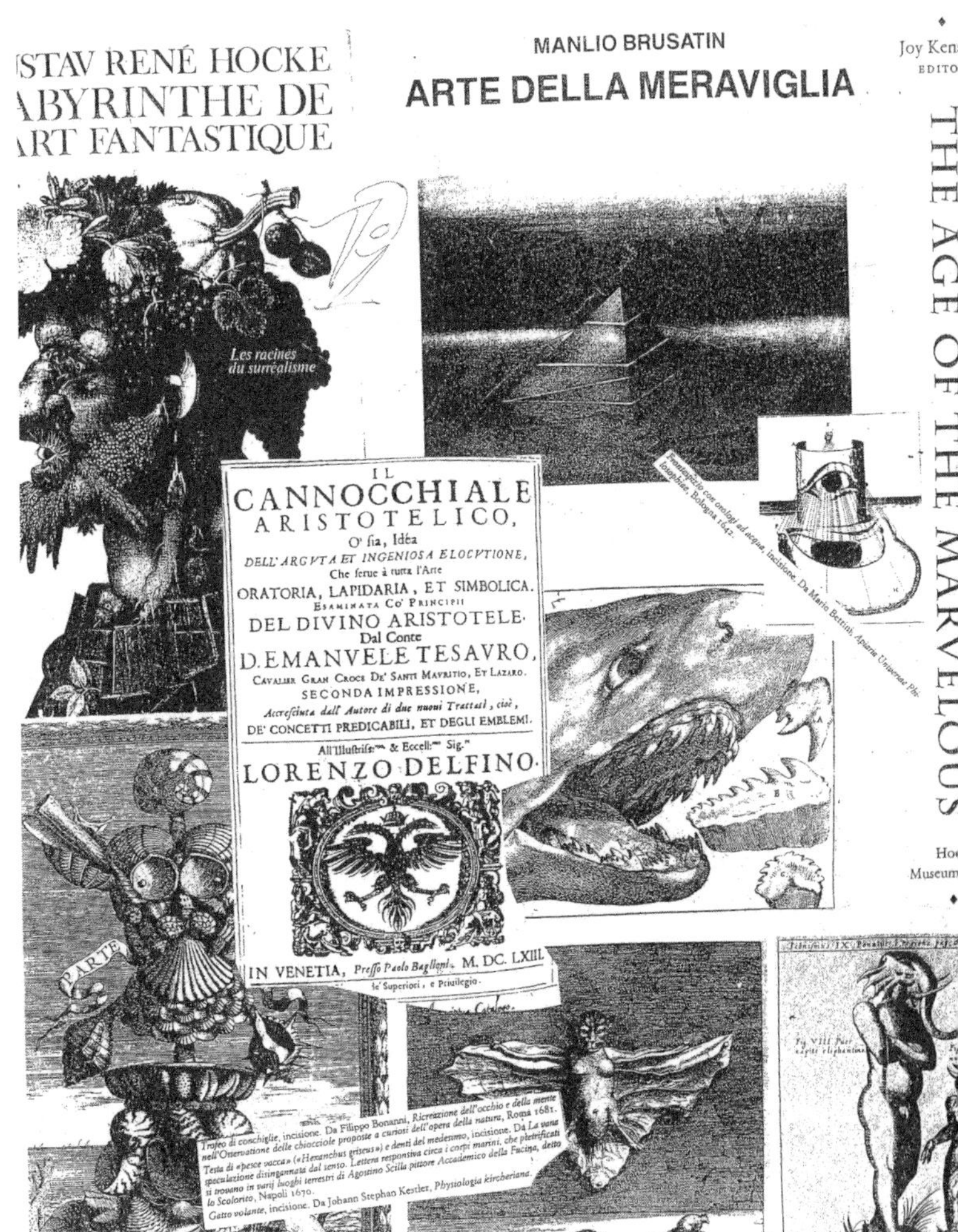

驚異マニエリスム（1　ホモ・エウロペウスに驚け）

いだろうということだけ、急いで指摘しておく。テクストもテクノロジー。テクスト（text）、テクノロジー（technology）、テクスト、テクノロジー……、口の端に繰り返すにつれふたつ似通うものと聞こえてくるだろう。そう、英語その他の究極の祖語たる印欧(インドユーロピアン)語族では、同じ“tech-”の語根に発するのである。「文学」も「技術」なのだが、このことをサイファーは編集工学の粋たる事典・辞典を引きながら人工物の極のような精緻な作品を「構成」していった世紀末高踏派、象徴派の「文学というテクロジー」としかいいようのないやり方に見透かした。コロンブスの卵のようにも聞こえるが、実はE・A・ポー流の詩法（*Poetics*）でもあり、遡ればマニエリスム文学の最大の主張がそれなのである。つきつめは後々のこととして、キャロル自身間違いなくそういうテクノロジカルな文学観——文学機械(マシーン・リテレール)——に属することは、いろいろ悪評紛々の『シルヴィとブルーノ正篇』の序に珍しく透徹して盛られた文学論に明らかということだけ今はいっておこう。雑多な材料を撚(よ)り併わせて一筋の物語の糸にしたのが自分の「頭陀袋のような分学（a huge unwieldy mass of litterature）」、とキャロルはいう。「妙な綴りですいません」と断りがあるので何ならんと目を凝らすと、“literature”［文学］たるべきものがtがひとつ多い。誤記ではなく、litter-atureで、むしろ“litter”で辞書を引けといっているのである。「散らかったがらくた」、と辞書にあって、混沌(カオス)としての文学、材料寄せ集めによる「構成の哲学（philosophy of composition）」（E・A・ポー）としての「分が苦」（柳瀬尚紀）という、まったく我々の（「引用」「剽窃」から「二次創作」の観念で悩み、面倒臭いから、もうはっきりそこに居直る）時代の文学観と全然ちがわない地点にキャロルは突き抜けていた。

クールな文学観ついでにいうと、文学的もの言いの代表選手たる比喩そのもののあり方も「機械」化されていることにも気付くべきだろう。後に述べるが、キャロル批評で今でも一方の極たり続けているエリザベス・シューエルの『ノンセンスの領域』(一九五二)は諸事融合連繋させる力――たとえば愛、たとえば踊り――に敵対するキャロル的精神が、その修辞学的対応物たる比喩、特に隠喩を無効化していった構造を分析する。穴というものがトンネルとされることで無機化されてしまう。たとえに動員される方の事物(vehicle という)にどんどん機械的なものがふえていく時世だから当然といえばいえるが、融合の難しくなりまさる「パンデミック・ピュリタニズム」(斎藤環)の時代での「ディスタンス」讃美の時代の只中に愛と隠喩を謳(うた)うことの難しさを感じさせることにちがいはない。ピュリタニズム圧制の時代にこそのカトリシズム渇仰。アウグスティーノ・タカハシ「ヤスナリ」に対するジョージ・スタイナーの辛辣批判は(『ノンセンス大全』収録)、日本英文学会そのものの底の浅さを真芯に突いている(そしてシューエルをほとんど唯一声高に顕彰した人、それがスタイナーだった!)。

地下に降りてゆく行為の神話性、民俗性(再生農耕儀礼と冥府降下物語)がテクノロジーに人々が酔い痴れる時代に無機化されていく、そのことを感じさせるいきなりの意味深長の比喩であることだけは間違いない。

＊

横穴がいきなり縦穴となって、有名な墜落（フォール）が始まる。物語冒頭が「フォール」で始まるのはジェイムズ・ジョイスの『フィネガンズ・ウェイク』もそうだが、聖書の構造を思いださせずにはおくまい。創世記冒頭でアダムとイヴがフォールする。むろん墜落という意味の「フォール」、文字通り原罪という罪に「堕ちる」のでもある。白ウサギがアダム、アリスがイヴの役を演じて、ここにもうひとつの聖書物語が綴られるのだという読み方は仲々魅力的だ。キャロルが聖職者だったことも考え併せられるし、ノースロップ・フライによると、どんな近現代文学も究極的には失楽園と復楽園——万有再融合——を語る「唯一神話（モノミス）」に帰着するわけだから、キャロル版楽園喪失神話と見えて別に不思議はない。第一章が「フォール（Fall）」を語り、第二章「涙の池」が「洪水（Deluge）」を語る物語が最後第十二章に「審判（Judgment）」を語るとなれば、間違いなく聖書の語る「創世記」から「黙示録」までをなぞる聖書パターンと予想され、現に『不思議の国のアリス』は「裁判」のテーマで終っていて、これはこれで仲々それらしい有望な読み方だろう。

　余りに当り前のことと思うのか、だれもいわない英語としての面白味がここにもあるので、いい足しておこう。

……and then dipped suddenly down, so suddenly that Alice had not a moment to think about stopping herself before she *found herself* falling down *what seemed to be* a very deep well.

（イタリクス、高山）

何も難しい語句はないが、これが満足のいく日本語にできるあなたの力は実は相当なものだ。大体“find oneself”という表現を長い英語学習歴中、習った記憶がない。『アリス』物語中でこの種のいわゆる再帰表現は故意に文字通りの意味になることが多くて面白いが（“explain oneself”「はっきり言う」「釈明する」が、自分のアイデンティティが摑めなくなっているアリスの頭の中では「自分自身を説明できる、できない」と字義通りの意味になる）、“find oneself”も「自分自身を見出す」というよりは、「……に居る、在る」という意味に微妙にずれる。“I found myself (standing) before the mansion.”とか、“He funds himself refreshed.”とか、うしろに分詞をとることが多い。いわゆる分詞形容詞だが、純然たる形容詞をとることもあって、“She'll find herself quite uable to help them.”といった具合。ここまでは英文法の話。「居る、在る」という“be”に相当する意味の方だが、文学作品の中で特に問題になるのは“before one is aware of that”とか“in spite of oneself”とか、さらにはもっと積極的に“against one's will”とかいうニュアンスを帯びることである。そんなつもりはなかったのに……（の状態に）あるということ。無意志的、無意識裡にここにいる、あそこにいるということで、移行、とくに（悪）夢への移行が問題になる夢文字ジャンル（dream literature）では夢見の瞬間がこれで表わされる。一番有名なのは何といってもカフカの『変身』の冒頭。気がついてみると……であるという、本人の意志や意識を越えた力（運命［神］から「無意識」まで）に動かされているというニュアンスを読みとることが重要である。ちなみにドイツ語で"find oneself"に当る"finden sich"が『変身』には使われている。フランス語の"se trouver"も同じ。運命の力に翻弄されつつ七つの海を進んでいく『白鯨』の捕鯨船ピークォド号や『ガリヴァー旅行記』のアドヴェンチャー号がひとつの海から別の海に入りこんでいく時に限って、この「気がついてみると……にいた」という"find oneself"がきちんきちんと使われているのを見て、通過儀礼の文学表現に必須の表現なのかもしれないと知った。

どこにも夢をみ始めたといってはいないが、これで何かある力に動かされての無意識行動（端的に夢）の状態に入ったことが巧みに示され、しかも"......falling down what seemed to be a very deep well"でダメ押しだ。これは面白い英語で［what......to be］がなくても文法的に完全な英語だが、その意味は誰がどう見ても深い井戸としっかり客観的だが、問題のwhat節になることで、その井戸が非常に深いかどうか客観的にはどちらともいえないことになる。たとえば"She awoke after what seemed a long sleep"だと、長い時間眠ったと思ったが、実際には短い眠りだったという含みを持つ。"What looked like a prospective client came in."すぐ訳せると大したもの。客かどうかわからないという含みが、こういう形で表わせる。実は、受験英語必修の"what we call"［「いわゆる」］の仲間として皆知っている仲々含意あるwhat節の使い方。文学英語翻訳術の教科書として『アリス』物語を使うと、それはそれでこういう一寸「あれ」ということがわかる面白い点がキリなくある！　ぼく、これが好き！

こうやって、この辺でアリスの無意識状態入りが一寸した英語表現でなにげなく示され、現実的な確実な判断が失われる（「井戸がとても深かったか、彼女がとてもゆっくり落ちていったかのどちらか」）。そして再び文化史的にみて非常に濃密なものを含む文章と続く。

井戸がとても深かったか彼女がとてもゆっくり落ちていったかのどちらかでした。というのも、落ちていきながら周りを見回し、次に何が起きるんだろうと考える十分な時間があったからです。まず下を見おろし、どこに行きつくのか見きわめようとしましたが、暗くて何も見えません。次に井戸の壁に目をやると、それは戸棚や本棚でいっぱいでしたし、本釘にかけられた地図や絵があちこちに見られました。落ちていきながら棚のひとつから壺をとってみると、それには「オレンジ・マーマレード」というラベルが貼ってあるのに、中はからっぽでしたので、アリスはとてもがっかりしました。下にいる人が死んでしまうかもしれないので壺を落としてはいけないと思い、戸棚のひとつの前を通っていく時、なんとかその中にしまったのでした。

激しく落ちていきながら奇妙に静止した感じを、こういう「科学的に」面白そうな所に目をつけずに措（お）かないマーティン・ガードナーは早速、アインシュタインの相対性理論を四十年早く先取りしたものと注釈し、アインシュタイン的時空をたしかに先取りしていたキャロルを論じたブナイユンの論に『ナンセンス詩人の肖像』の種村季弘も同調していたことを思いださせる。

ヤノス・ボーヤイによるいわゆる非ユークリッド幾何学樹立が一八二五年。キャロルが生れた直後にニコライ・ロバチェフスキーの『平行線の完全な理論による幾何学新原理』が出ている（一八三六―三八）。平行線公準への信が揺れ始めた幾何学の大転形期にユークリッド幾何の教育者であったことは、キャロル世界観の幾何学的秩序やいかにと考える上で大きい。それも含め――つまり非ユークリッド幾何というパラドクサも含め――キャロル晩年にかけてのパラドックス文化どっぷりの百態が、この動中の静に感じられるかもしれない。あるいは十七世紀半ばにかけての宇宙への「架空旅行」文学に、地球重力圏から逃脱する瞬間の静止ないし反転への十分な認識があったことに感心しているマージョリー・ニコルソンの『月世界への旅』の延長線上に立って、アリスまた逆ヴェクトルの「月世界への旅」に向う途上なのかと考えてみるのも楽しい。上下反転するのだ。

決定的に面白いのは次にアリスが目をやった「井戸の壁」である。それが「戸棚や本棚でいっぱい」とは何か。少しこだわってみる。

キャロルが沢山書いたパンフレットのひとつに「手紙の書き方に提言（Eight or Nine Wise Words About Lettre-Writing）」（一八九〇）というのがあって、出したり貰ったりの手紙の「管理」法に提言がある様子だ。出した手紙、貰った手紙が仕分けられた上、誰のいつの手紙、どれほどの目方で、そしてどういう内容であったか記録するというのだが、一八六一年から死の直前までキャロル自身、きちんと励行した習慣だった。記載件数は九万八千件以上に及んだ。よく知られた挿話である。

ヴィクトリア朝上・中流の一番好きな言葉のひとつが“tidy”である。きちんとしていること。だから『鏡の国のアリス』冒頭で、何から何までこちらの部屋と同じなのに鏡の向うの部屋は「あっちみたいにきちんとしてないのね」と思うわけである。これは毎年毎年の学生の答案を仕分けして桐の箱に収納したという大学でのキャロルの住居について、はっきりいえる。几帳面を地で行った。大学同僚たちは概してキャロル（というか数学教師ドジソン）を嫌っていたが、この人物に教員談話室の管理を握られてしまった時、事態は最悪になった。飲むアルコールの量が決められ、今いくら飲んでいるから、今月はあとどれくらいですよ、といちいち上司にいわれたら、たまったものではあるまい。こういうところが同性同僚から見たキャロルだった。

ノンセンスとは何か。硬直を身上とする秩序を破壊し、転覆するための言葉たちのカーニヴァルという見方が圧倒的に一般的である中に、ほとんど唯一人、それが過剰な秩序志向のうむ、人間にとって危険な因子を孕んだ世界といい切ったエリザベス・シューエルの『ノンセンスの領域（*The Field of Nonsense*）』はやはり異色の存在である。そしてその精神が二度にわたる世界戦争と、アウシュヴィッツやダッハウの強制収容所をうみだすのを見た、そういう一九五二年刊という刊行タイミングに重い意味がある。たとえば、バブルののほほん人文学が脱構築だ、ポスト構造主義だとその批評ゲームを今まさに始めようというタイミングのスーザン・スチュワートの（それはそれで徹底味群を抜いた）『ノンセンス——民話と文学における間テクスト性の諸相』（一九七八）と比べれば、大きなスケールでは平和に向い、サブカルチャーの太平楽に向う時代の、ゲームへと膨満していく批評の変貌が実によくわかる。キャロル的なるものの根源的な問題を一番よくわからせてくれるものはハンナ・アーレントの『全体主義の起源』だとまで、シューエルはいい切った（「ルイス・キャロルの作品と現代世界に見るノンセンス・システム」）。「大量虐殺（ホロコースト）とキャロル」など最近においてこそ――ホロコーストについて書かねば批評家に非ずという風潮があった中――大いに書かれてよかったテーマだが、ぼくの知る限り一篇も出てこなかった。キャロル・マニアは、キャロルその人の甚だしい非政治性に気持よく感染して、ほとんど重箱の隅をつつくことにしか能も関心もないのだが、今さらながらに批評的（critical）なものを本来の危機的（critical）なものに研ぎ澄ます戦

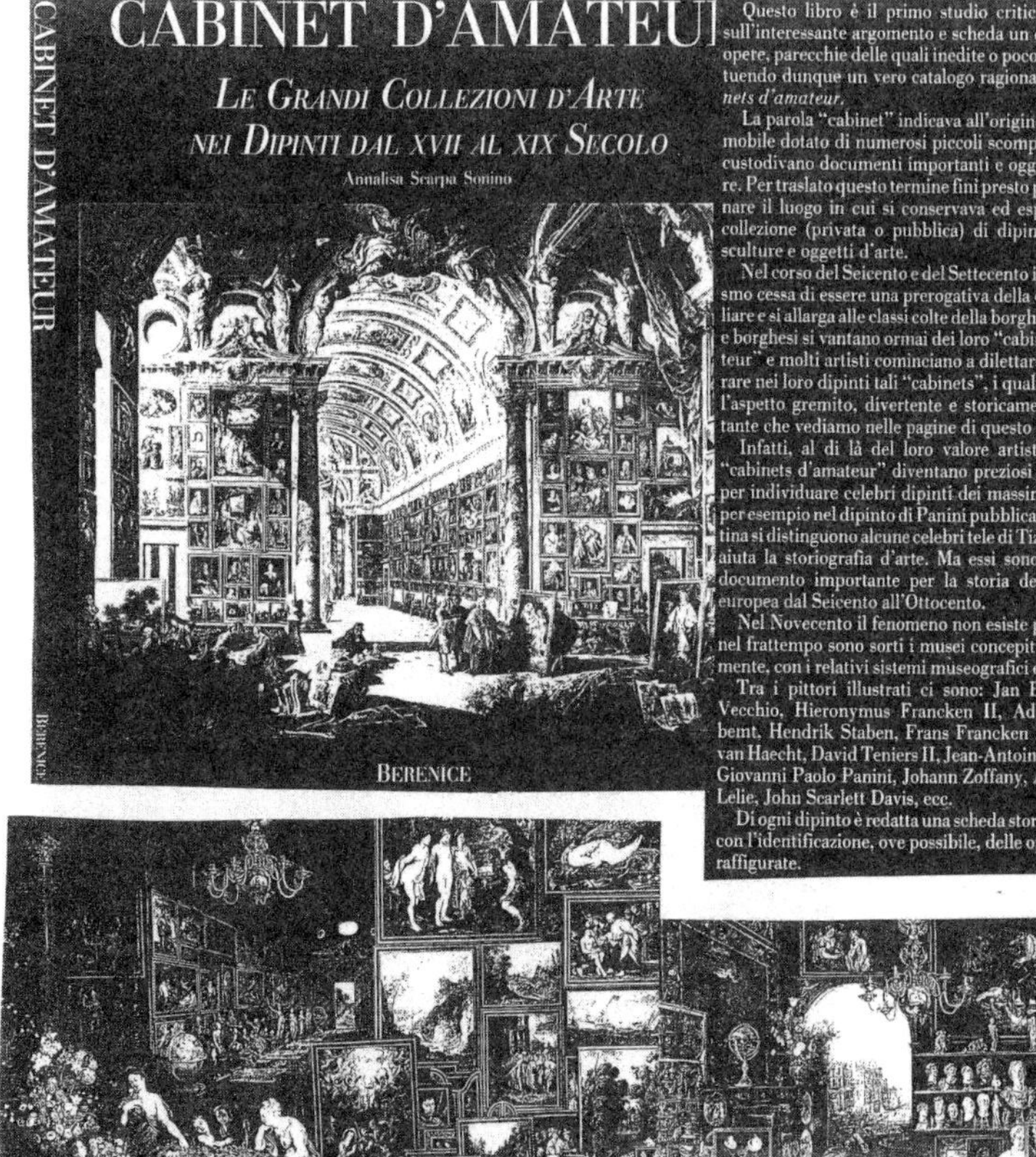

CABINET D'AMATEU

Le Grandi Collezioni d'Arte
nei Dipinti dal XVII al XIX Secolo

Annalisa Scarpa Sonino

BERENICE

CABINET D'AMATEUR

Questo libro è il primo studio critico c
sull'interessante argomento e scheda un cent
opere, parecchie delle quali inedite o poco no
tuendo dunque un vero catalogo ragionato d
nets d'amateur.
La parola "cabinet" indicava all'origine u
mobile dotato di numerosi piccoli scomparti
custodivano documenti importanti e oggetti
re. Per traslato questo termine finì presto per
nare il luogo in cui si conservava ed espon
collezione (privata o pubblica) di dipinti,
sculture e oggetti d'arte.
Nel corso del Seicento e del Settecento il co
smo cessa di essere una prerogativa della clas
liare e si allarga alle classi colte della borghesia
e borghesi si vantano ormai dei loro "cabinet
teur" e molti artisti cominciano a dilettarsi a
rare nei loro dipinti tali "cabinets", i quali ass
l'aspetto gremito, divertente e storicamente
tante che vediamo nelle pagine di questo libr
Infatti, al di là del loro valore artistico,
"cabinets d'amateur" diventano preziosi doc
per individuare celebri dipinti dei massimi a
per esempio nel dipinto di Panini pubblicato i
tina si distinguono alcune celebri tele di Tizian
aiuta la storiografia d'arte. Ma essi sono an
documento importante per la storia della
europea dal Seicento all'Ottocento.
Nel Novecento il fenomeno non esiste più,
nel frattempo sono sorti i musei concepiti m
mente, con i relativi sistemi museografici e ca
Tra i pittori illustrati ci sono: Jan Brue
Vecchio, Hieronymus Francken II, Adriae
bemt, Hendrik Staben, Frans Francken II,
van Haecht, David Teniers II, Jean-Antoine W
Giovanni Paolo Panini, Johann Zoffany, Adr
Lelie, John Scarlett Davis, ecc.
Di ogni dipinto è redatta una scheda storico-
con l'identificazione, ove possibile, delle oper
raffigurate.

+ + 神戸芸術工科大学大学院基礎論
+ + 視覚論の現在　高山宏　12

驚異マニエリスム（2　棚の思想）

争というものに思いをいたらせるシューエル（やもう一度言うがシューエルと例外的に相思相愛のジョージ・スタイナーの）の仕事のパラドックスに改めて驚くべきであろう。そしてポストモダンの前衛気取りをスタイナーが冷たくガキ扱いした大人のヒューマニズムを高橋康也氏の『ノンセンス大全』中の両者のきびしい対話について、我々はくり返し身にしみて知るべしだ。戦後日本の英文学研究全体につきつけられたトータルな「否」で、それはあった。高橋氏のシューエル誤読は、戦後日本英文学界の自己点検・評価の一大岐路。もう一度言っておく。

シューエルはノンセンス作家としてのキャロルとエドワード・リアを比べながら「ノンセンス」の本質に迫ろうとするそのキャロル論の一番重要な部分で、こう書いていた。

> もしノンセンスが、知性にひそむ無秩序の原理によってつくり出されたものでもなく、言語の場における秩序と無秩序の和解、つまり詩でもないのだとすると、では何なのか。残る答は一つ。この答は最初こちらを当惑させるに足るものだ。ノンセンスは知性の持つ秩序への志向だ、というのだから。

我々が逢着した些か眩暈（めまい）のするこの状況の中で、助けになりそうなものが二つある。まず、リアとキャロルの知性を特徴付けるあの正確さ、数と論理への惑溺、こまごまと整理された細部（ディテール）への沈潜といった点を思いだすことが一つ。彼らは、別にいやいやそうなったわけではない。キャロル、というかチャールズ・L・ドジソンが数学と論理学を職業に選ばざるをえなかった、あるいはリアが日常生活のこまごましたことどもをきちんきちんと記録しておかざるをえなかった外的な理由というものは、見当らないのである。おそらくそうすることが楽しいからやったのである。この方面でのキャロルの奇癖は、誰もが知っている。たとえば手紙のファイル。三十七年の年月にわたって来る手紙、出す手紙の一切合財を記帳した代物であって、彼の死の時点では厖大九八、〇〇〇有余件の項目に達したのである。リアが、同じ性格を分かち持っていたのは面白い。チチェスター・フォーテスキューあて書簡（一八五八年一月三日付）で、自らのことを自分は「分析的な精神傾向」の持主だと、彼は書いている。二人のノンセンスは、多分同一の喜びの源泉から湧きでたのである。その喜びとはオーダー、つまり秩序の喜びであった。

ちなみに「助けになりそうなものその二」にはなお一層驚かされるが、「藝術家ノ心裡ニ宿レル藝術ノ形式ガ藝術作品ニ形式ヲ与フ」という『神学大全（スンマ・テオロギカ）』（I。七四の三）の聖トマス・アクィナスの芸術観であり、それをそっくりシューエル同時代に蘇えらせたジャック・マリタンやエティエンヌ・ジルソンら、いわゆる新トマス主義者（ネオ・トミスト）たちの新スコラ学芸術観である、という。キャロルをスコラ神学との関係で捉えるのをそう異（い）なることともしなかった一九五〇年代、というか二十世紀中葉にかけての知的メンタリティというものを、我々は余りに知らない。テイヤール・ド・シャルダンを知らずして今日一番底深い意味でのSFを論じることもできなければ、ジルソンがそこの中世学研究所長をつとめたトロント大学の「カトリック・パラノイア」の遺産を引き継いだマーシャル・マクルーハンが今日のグローバル・メディア論の礎石を定めていることを御存知だろうか。まるで禅の公案と化したマクルーハンの遺稿『メディアの法則』（一九八八）をお読みになれば、一見どうしてよいかわからぬスコラ学復権の大きな意味がわかってくるだろう。とりあえずはそのスコラの、芸術家の精神のかたちがそのまま作品の形をつくりだすという芸術観が問題だ。スコラの厳密な論理学趣味が問題だ。論理学者になったほどのキャロルの論理学趣味が、論理学的な作品の形式をうむと考える。きちんとしていないものは許さないというキャロルの精神のありようが、「ノンセンス」というきちんとした文学形式をうんだ。シューエルはそういうわけだが、やはりノンセンスを秩序覆滅の文学と（ほとんど）思いこんでしまっているカルスタ・ポストモダンな我々には、だから『ノンセンスの領域』は永遠に驚きを与え続けるだろう。そのシューエル自身を最高の「オルフェウスの声」とたたえた「アウシュヴィッツのあとで」のジョージ・スタイナーもまた。

『ノンセンスの領域（フィールド）』の「フィールド」は、ノンセンス作家の秩序好き・幾何学趣味が自らを支配者として宰領し切れると思いこむ限定された「場」の意味で、そういう方向に全体として進む現代（モダニズム）を文学がそっくり反映したものとしてフロベール、ジョイス、そしてベケットの「順列組合せ」文学を見るモダニズム文学研究の第一人者、ヒュー・ケナーの『ストイックなコメディアンたち』（一九六三）が、『ノンセンスの領域』を手掛りに、やはり「フィールド」をキーワードにしたのは当然かもしれない。限定された範囲の中で言葉が遊ぶ「プレイ」の空間を、諸事厳密のルールでしばろうとする秩序はこの上ない安心立命の世界と感じるだろう。やがて「場（フィールド）の理論」に象徴されるように、「場」をめぐるトポス――トポスのトポス！――は、むしろどこまでも自由な開かれた場へと、新しい二十一世紀物理学の中で解消されていくはずだし、マクルーハンの直弟子、ヒュー・ケナーの小さな大著はよく読むと実はその方向を向いている。

シューエルの見る「場」は一九五二年的に頑なである。アウシュヴィッツで収容者の名を奪って番号で呼ぶ閉空間から、現代アメリカン・フットボールの競技場まで、秩序をめざす閉じた空間への否が、いまだに第一級のキャロル批評家たるシューエルの強迫観念である。

＊

キャロルは秩序好きである。がらくたを仕分けする具たる「戸棚や本棚でいっぱい」の世界が好きで、うみだす文学もがらくた対処の"*litterature*"にならざるをえない。すると「地図や絵」はどうなるのだろう。これらを秩序のものとするのはどういう根拠あってのことなのか。地図はまさしく「未知の領域」（鳥のイ、ン、コ、の語源！）を知の領域に変え、三次元を二次元に「平」明化する性質からして、何となく理解できるのだが、「絵」は？　戸棚、本棚、地図と四つ組にされたこの「絵」が、ただ何となくの絵であるはずはない。

一九八〇年頃から「絵」とは何かという大きな問題が人文学の俎上にのせられて、旧来の美術史（学）をも含むもっと大きな、たとえばそもそも「見る」とは、「見える」とはどういうことかという議論がさかんになってきた。一番端的にはスヴェトラーナ・アルパースの『描写の芸術』（一九八三）がそうで、「ピクチャー」と「ピクチャリング（picturing）」を区別し、世界という動的なものを二次元の掌握・操作し易い静的なものに変換する構えと技術をピクチャリングと称した。議論の舞台は十七世紀、フェルメールやレンブラントのオランダである［スヴェトラーナ・アルパース『描写の芸術——一七世紀のオランダ絵画』（ありな書房。一九九三）。］。いきなり、おおよそ見当だけはついていた「地図」のことが、これで解決できる。メルカトールの名が象徴する地図制作術（cartography）はまさしく十七世紀オランダで絶頂を迎えている。そこで今日簡単に「絵」と呼ばれているものもまた、その絶頂を迎えている。偶然でないことがアルパース女史の画期書ではっきりした。

同じ頃、同じ場所でデカルトが『方法叙説』を記し、座標幾何学を発明している。あらゆる地点を、原点で直交するx軸、y軸に対応するふたつの点で決定することができるという直交座標（Cartesian coordinate）は、まさしくデカルトの座標という意味である。ぴんときて欲しいのは直交座標という形式自体、先のシューエルとネオトミストの話ではないが、秩序を望み始めた人間の精神（マインドセット）のかたちがそっくりうみだしたものであって、そう、co*ordin*ate の中に秩序（オルド）あり、といえばわかり易いかもしれない。そしてまさしくこの同じ精神が「地図」や「絵」をもうみだしたといいたいのである。毎日、数学教師として直交座標を扱っていたキャロルの中に、絵をも同じものと見る感覚が育っていたかもしれない。

十七世紀オランダと十九世紀英国をいきなりつなげるのはどうなのかという点については、これまた一九八〇年代から急にさかんになった十八世紀英国の「ピクチャレスク（the Picturesque）」という特殊な美意識の研究が役に立ってくれるだろう。ポイントはそれまで英国は絵画後進国だったが、それをコンプレックスとして十八世紀にオランダやイタリアの絵を範に、一挙、世界を一枚の絵に還元し、「所有（possession）」することの美的快感にめざめる。世界を方形矩形のまさしく幾何学的秩序に切りとり、移す行為の「秩序」性ということに改めて気付いたということでは十八世紀の英国は、十七世紀オランダの直系末流といえるほどのものを持っているのである。

キャロルと美術というテーマではもっぱらキャロル周辺のいわゆるラファエル前派の画家たちとのつながりばかり問題になるのだが、ラファエル前派の画家たちがキャロルの持つ顕微鏡に興味を抱いての付き合いだったという仲々見逃しがたい逸話など考えると、ただキャンバスの上に顔料をのせたものとしての絵のことではなく、「顕微」という恰好の記号の示す光学と細密・細部の、もっと広い「絵」の世界——現在最高水準のヴィクトリア朝視覚文化論研究家キャロル・T・クライストのいわゆる“the finer optic”（精緻の光学）——を照準に入れた「キャロルと美術」を是非論ずべきである［Christ, Carol T., *The Finer Optic: The Aesthetic of Particularity in Victorian Poetry* (Yale U. Pr. 1975); Christ C. T. and John O. Jordan (eds.), *Victorian Literature and the Victorian Visual Imagination* (UCLA, 1995)］。嘔吐すれすれに描きこまれた果実や調度の静物画を思いだすまでもなく、細密（detailism）といえば十七世紀オランダの遺産、そしてキャロル賞玩の顕微鏡も——他のレンズ装置万般とともに——まさしく十七世紀オランダの栄光だったはずのものだろう。

白いバラに赤ペンキを塗るトランプ人間たちが互いの非を責め合う場面で（『不思議の国のアリス』第八章）、「料理番のとこへタマネギじゃなくてチューリップの根を持っていった」のが「罪」になるというなにげない話があって、十七世紀オランダの「チューリップ熱（tulipomania）」のことを知っている人間は笑うところだが、それを知らなかった注釈者マーティン・ガードナーは一読者からの投書で知って、慌てて改訂本に新注として加えているのがおかしい。近時最高の小説のひとつといってよいデボラ・モガーの『チューリップ熱』（白水社）をお読みになれば面白いが、実際に四千

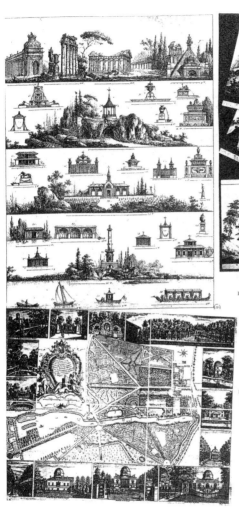

John Clark 1771–1863

171 *The amateur's assistant, or a series of instructions in sketch*
nature, the application of perspective, tinting of sketches, dr
water-colours, transparent painting, &c. &c. To accomp
subjects which form the Portable Diorama

London: for Samuel Leigh, 1826, Quarto
PLATES: 10: 6 etchings (4 soft-ground), 4 aquatints (1 coloured)
LITERATURE: Prideaux, pp. 189, 331; Tooley, no. 138; Abbey, *Life*, n

The Portable Diorama, mentioned on the title page, 'was a contrivance
by Daguerre and Boulton for producing by optical illusion the effects
when looking at architectural or landscape drawings' (Prideaux, p. 189

DISPLAYED: pl. 9, *Landscape with castle*, facing p. 54. Aquatint, shown i
and 4 (arranged to show also stages 1 and 2, pl. 8). 'The comprehensi
the book is hardly justified by the results. It is of little importance exc
inquirer into aquatint technique, for whom it provides a water-colo
printed in blue and bitten in three successive stages, a fourth stage sho
addition of slight hand-tinting' (Prideaux, p. 189)

173 Myriorama, second series: Italian scenery. Designed by M

London: Samuel Leigh, 18 Strand, n.d.
24 coloured aquatints, each 240×70 mm, mounted on card, in a
cardboard box', with coloured aquatint paper label
With 4 pp. of description and advertisement

The description includes some remarkable statistics. 'The changes or
which may be produced . . . amount to the astounding and almost
number of 620,448,401,733,239,439,360,000 . . . Supposing it possible t
of these changes every minute, night and day, it would require to produ
1,180,457,385,337,213,545 years, 75 days . . . Supposing the space o
length by each of these landscapes to be a yard . . . they would by being
after the other, cover the length of 352,527,500,984,795,136,000 miles
'Our young friends need therefore little fear that they, or their child
children's children, will exhaust the fund of amusement, which must
by the endless variety of elegant scenery the Myriorama is calculated to
their attention.'

驚異マニエリスム（3　ザ・ピクチャレスク）

フロリンもするチューリップ珍種の球根をタマネギとかんちがいしてむいた人間が司直に逮捕されたことがあったらしい。百宝色（じき）という色の絢爛、交配の組合せの妙の二点で十七世紀オランダのヴィジュアル・カルチャーの象徴だったのがチューリップなのである［Schama, Simon, *The Embarrassment of Riches: An Interpretation of Dutch Culture in the Golden Age* (A.A. Knopf, 1987)］。「絵」が秩序の代名詞たりうる状況はおわかり願えただろうか。批評的には無手勝流のシュールがスコラ美学など持ってきて説明しなければならなかったところを、一九八〇年代以降の我々は新しい文化史の展開によっていくらでも文脈を広げて考えることができる。

新美術史（New Art History）とも視覚文化論（visual studies）とも呼ばれるようになったこうした「絵」に対する広い視野は、その二十年ほど前に姿を現わして、人文・社会・自然三科学すべてを根本的に貫く大テーマを提供することになるいわゆる表象論（representational studies）という動向の一部といってもよいと思われる。二十世紀最高の文化史家と呼んでよいミッシェル・フーコーの『言葉と物』（一九六六）に入りこみ、再編成に向けてそこから出てきた見事な近代文化観である。フーコーは十七世紀フランスに同時代オランダに生じていたのと完全にパラレルな事態が進行していたことを、但し「絵」ではなく、言語について分析し尽くした。圧倒的に増殖し始めた「物」についていけなくて無力感を露呈する「言葉」――「物と言葉（res et verba）」をめぐる古代の「クラチュロス」篇以来のクラチュロス主義（cratylism）、中世の唯名論論争が激しく再燃した。世界を人間に操作可能なメディアに像として――「絵」として――うつす（写す／映す／移す）ことが可能かという議論の只中から、たとえば絵と文字の優劣が問題となったことは、「絵のない本なんて」という句にふれて先に述べた。どうせ世界が反映できぬものなら、いっそ人工でも万能は万能のもの、というのでゼロ・ワン・バイナリーの普遍記号（コンピュータ言語）さえ発明された時代。これを英国に即してやるとどうなるか。ジョージ・スタイナーの『バベルの後に』は、それをやったという言い方ができよう（それをあんなボロ訳で出してはいけない）。

そしてそれがぼくの『アリス狩り』の根本テーマであり、「アリス狩りⅢ」を号した『メデューサの知』の結論としてめざしたところであるし、キャロルというプリズムを通して英国表象文化史一般を概観したものとして高橋康也『ノンセンス大全』と並べることができると思う。

「表象」と聞いて『ノンセンス大全』の著者も、ぼくも、言葉（signe）は音とか字面といった物質的な形式（意味させるものというので signifiant（シニフィアン）と呼ぶ）に内容（意味されるものでこちらは signifié（シニフィエ））をめいっぱい充填（じゅうてん）したものという、つまり器、容器のイメージで考えている。充填されていないと、器と中身が一致しない文字通りノン・センスの状態がうまれる。たとえば、“tale”という字や音に、何かを伝える言葉の塊（「物語」）なる中身が充填されていない、結びつきが薄弱だと、“tale”は“tail”と少しも区別つかず、どちらがどちらでも別に構わないアナーキーな穴あき状態になる。言語遊戯はかくて、意味論（ド・ソシュール、オグデン、リチャーズ）も表象論（フーコー）もきちんと取りこんだ『ノンセンス大全』において、二十世紀中葉、文学も巻きこむ一大言語哲学の主人公となった。ジャック・デリダ（二〇〇四年物故）の哲学すら、ジョージ・スタイナーによれば、十七世紀バロックの言語遊戯詩に系譜している（『アンティゴネーの変貌』）。ポストモダン遊び人の哲学（逆にマニエリストとして第一級ということ）！

するとこの脈絡で「壺」が出てくる、しかも「中はからっぽ」でアリスを「がっかり」させるという展開は見事にスムースに前後をつなげるトピックとなって、何が作家の頭の中で動いているのかわからないが、とにかく驚かされる。表象論的関心が容器と中味というテーマを絶えず引き寄せることになるのである。冒頭部のこの一蓮托生（いちれんたくしょう）的テーマ網羅のスピード感は凄い！。

オレンジ・マーマレードのラベルは何を連想させるか。料理嫌い、粗食といってよいほど食に関心ないキャロルだが、オレンジ・マーマレードだけは母親直伝で、大変上手くこしらえたらしい。レシピを残していて、その通り試してみたところ実に美味いことがわかったという報告がある。個人的には"marmalade"に"mama"の連想を秘めたのかもしれないし、外来の二語を連ねる"Orange Marmalade"がもしもあのリンネ［リネー］のラテン語二語による種名表記を連想させるなら、この「ラベル」はただのラベルでなくて、リンネ生物学に基づく生物標本の「ラベル」でなくてはなるまい。すると"marmalade"は、リンネ生物学そのものを象徴する"mammal"［哺乳類］を連想させる。母親の乳房を意味する語から「哺乳類」なる語を搾りだした（！）リンネはこのところフェミニズム科学史から手痛い批判を浴びつつあるが、"marmalade"という母なる子音"m"と流音"l"でできた語はキャロルの母恋いテーマを好きな読み手にとっては、やはりキャロルのフランス版たるマラルメ的に気掛りである。「オレンジ」にも十七世紀オランダの連想が強い。スペイン・ハプスブルグの圧政に抵抗した総督たちを出したオラニエ家の連想と、オランジュリ（温室）に育つ豊かな果実の連想。いずれもが十七世紀英国に入りこんだことがジョイスの『フィネガンズ・ウエイク』冒頭の謎のひとつに早速仕組まれることだろう。ピーター・グリーナウェイが名誉革命のイングランドの政争を果実のメタファーを通して映像化した奇作『英国式庭園殺人事件』でよくわかった。オレンジ（オラニエ）公ウィリアムの時代の話である。

　グリーナウェイよりさらにキャロル寄りの表象論‐映画の名手といえば、いうまでもなく『シュワンクマイエルのアリス』のアニメ映画監督ヤン・シュワンクマイエルであろう。『シュワンクマイエルのアリス』にはアリス映画史（フィルモグラフィー）に冠絶する異様な場面がいくつもあるが、その筆頭格がこのウサギ穴墜落の場面だ。リンネの連想も強ち（あながち）はずれてなかったかと此方を呆れさせる映像である。明らかに生物標本を詰めた瓶がぎっしりと「戸棚」に並ぶ。これは次の文章を読んでいただく前に是非とも御自身の目で見ていただきたい。

＊

「オレンジ・マーマレード」の「ラベル」に看板にいつわりありと知ってがっかりしたアリスが、「下にいる人が死んでしまうかもしれないので、壺を落としてはいけないと思い、戸棚のひとつの前を通っていく時、その中になんとかしまいました」というのが何とも面白い。以上のような文脈からみると、いよいよ始まった混沌の入口にあってなお、落下していく壺の危険を計算する秩序の側にあるということだが、それが表現される「戸棚……の中にしまう」という身振りが面白いからである。こうして議論を残してあった「戸棚や本棚」のテーマに戻る。

こうして「井戸の壁に目をやる」から「その中になんとかしまいました」にいたる数行で、戸棚や本棚、地図や絵、そして「ラベル」に象徴される言語と、要するに今般「表象（representations）」と呼ばれているものの典型が集中する空間を少女は落ちていっているのだということがわかる。表象文化の時空をといってもよい。時間遡及の旅でもあるからで、するとヴィクトリアンな十九世紀末の倦怠から出発して、やがて怪物たちの蠢く前近代の世界に行き着く、その中間点、今ふうにいうアーリーモダンの時空を、アリスはまさに落ちていっていることになる。一歴史家としてのぼくは、それを十七世紀後半の世界――「表象の古典主義時代」（M・フーコー）の入口――の風景としてみているというわけだ。

アーリーモダンにおける表象文化を見るのに、この二十年くらい「棚」が一大テーマになっていることを御存知だろうか。そして逸早くその点に注目することでマニエリスム論を一挙現代化してみせたG・R・ホッケやユルギス・バルトルシャイティスの一九五〇年代から、マニエリスムはおろか近現代のあらゆる突出した視覚文化の位相を電脳表象論に結びつけて現在最強の人文科学をくり展げるバーバラ・マリア・スタフォードの新千年紀の仕事まで、今一番喫緊の人文科学がひとつの「棚」をめぐって展開中、としたらどうだろう。こうした人文科学の動向を正確に捉えているアニメ映像作家のシュワンクマイエルが『アリス』にそのことを見ようとした証拠が、墜落するアリスを取り巻く無数の標本瓶を載せた「棚」であったとしたら、どうなのか。
次の文章を熟読してみよう。今『アリス』を読むに不可欠の文章がいくつかあるが、そのひとつといって良い。詳しくはすぐコメントするが、まず一読されたい。今『アリス』に驚くためには、これくらいの進んだ感覚のキーコンセプトの十や、二十、どうしても必要なのである。

我々がトマス・ライトの『文学と芸術におけるカリカチュアとグロテスクの歴史』に見るものと言えば、グロテスク（the grotesque）の多様な意味を精緻化し、流布させることになった歴史的状況の存在である。ライトがこの本を出すくらいまでに、こうした歴史的状況が動いて、強烈にせめぎ合う無数の説明をうむにいたっていた。ライト自身の本は尚古の（antiquarian な）さまざまな伝統からうまれている。ライトは仲間で挿絵画家のウィリアム・フェアホルトと協働しながら「珍物のキャビネット」を収集整理するやり方をとる。即ち歴史をエクセントリックな瞬間、規範からの逸脱の瞬間の累積として解釈しようというのである。集古家としてのライト、フェアホルトの研究は、「古物（antique）」——当時なお、「古異物（anticke）」というその語源の孕んだ、諸要素を保っていた観念——との出会いということで考えられる。グロテスクをめぐる研究を二人あまた進めるのに加え、『瞠目の畸人列伝』（フェアホルト、一八四九）とか『ゴグとマゴグ、ホワイトホールの巨人』（同、一八五九）のタイトルの示すような主題の仕事を重ねるライトとフェアホルトの尚古集古の学は、ヴィクトリア朝人士の思考法の重要な経糸（たて）の一本となっていくが、即ちウォルター・スコットの『尚古学』からディケンズの『老骨董店』を経て、シャーロック・ホームズのヴィクトリア朝の世紀末都市にいたる流れがそれだ。グロテスクなるものは実にくさぐさ、この尚古家の書法と交叉する。ライトの試みた尚古的グロテスクは民衆的なもの、（しばしば文字通りに）周縁的なものにどっぷりの民衆史（a demotic history）となる。尚古学の伝統を、人間の普遍的な要求と快楽を説く人類学の説明と結びつけようとしたライトは、知の官僚主義的シス

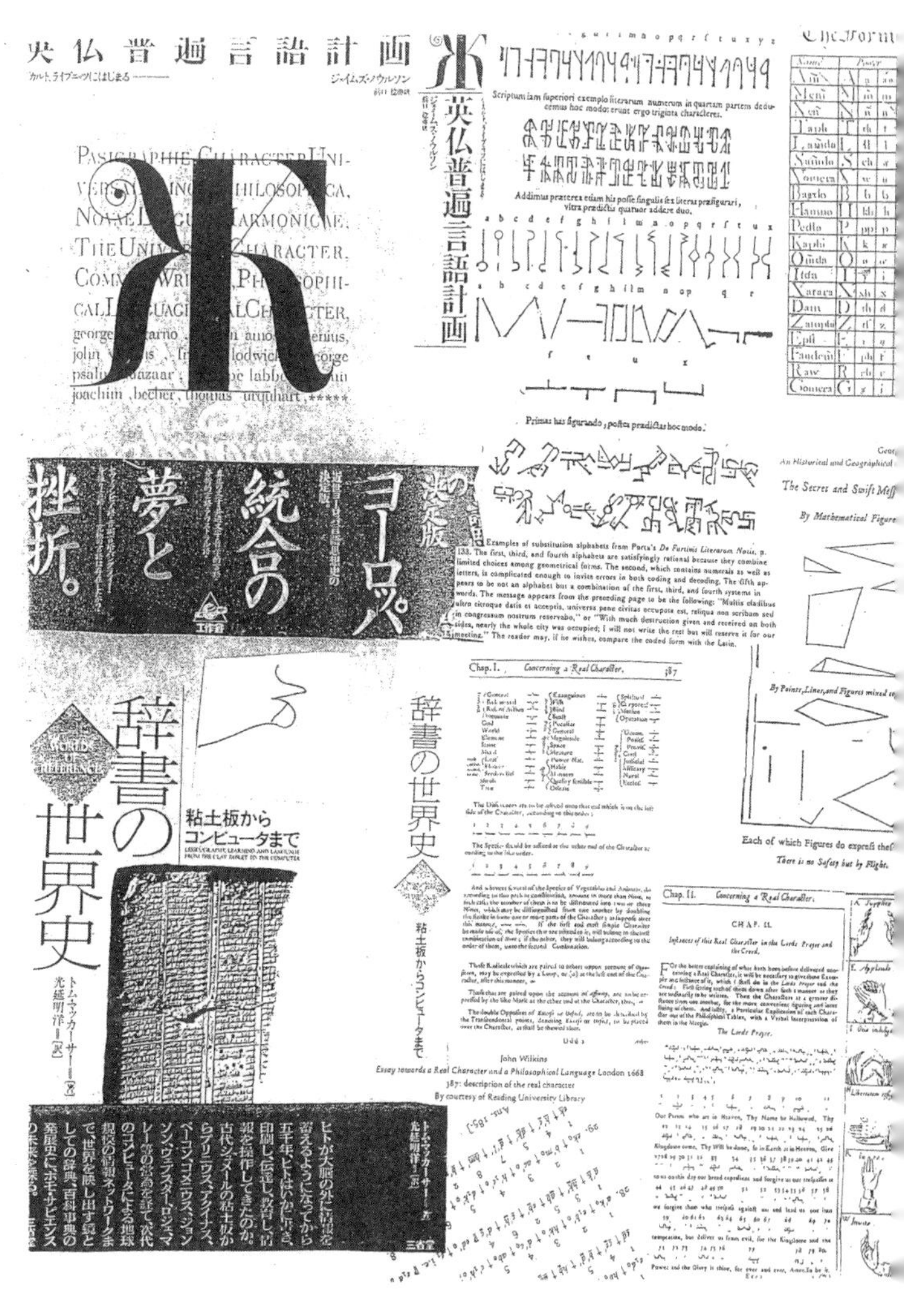

キャロル的（1　世界の記号化）

テムの合理化し、制度化する機能を揺がすための手段を逸脱と偏倚に求めようとするヒトのヒトたる倫理(エシック)に同じようにグロテスクを結びつけようという作品を書くディケンズの伴侶(ともがら)なのである[Trodd, Colin, Paul Barlow and David Amigoni (eds.), *Victorian Culture and the Idea of the Grotesque* (Ashgate, 1999), p.7]。

ウサギ穴の先、次々と少女アリスが遭遇する相手はこれをひと言でいうなら「グロテスク」である。単に気持ち悪いとか奇妙に歪んだという意味でなく、文字通り歴史的観念としてのグロテスクとは何かという研究は、我々の周辺ではヴォルフガング・カイザーのドイツ・ロマン派研究『グロテスクなもの』――ホッケのマニエリスム研究、アンドレ・ブルトンの『魔術的芸術』と同じ一九五七年刊！――が翻訳された一九六六年に始まり、寺山修司の芝居や横尾忠則のイラストを説明するのにぴったりのものとして、一九七〇年前後、東京でも『アリス』ブームとともに、大変盛んになった。

ぼくらは途方もなく肝心なことを見落としていたのだ。少女アリスはウサギに誘われて洞窟(グロッタ)(grotta)に入っていったのだということを、である。十八世紀、英国がピクチャレスクという、フランス的なまさしく秩序の美学に敵対する驚異と畸型の美学を独占的に発展させていくに際し、その象徴的仕掛けとして国内外に誇示したのがジャルダン・アングレ(*jardin anglais*)即ち英国式風景庭園である。綺麗な庭を求めての旅が地底のアリスの夢なのに、行ってみると手荒なクローケー場だったという『不思議の国のアリス』、秩序そのもののチェス盤化された庭の中での秩序と反秩序の反転の百態を描く『鏡の国のアリス』は、一度、ピクチャレスク・ガーデンの後産ということで論じられる必要がある。

ピクチャレスク庭園で訪問客を一番喜ばせる驚異の仕掛けこそが洞窟、人工洞窟だった。英語でグロット（grotto）といい、イタリア語でグロッタ（grotta）といい、皇帝ネロの黄金宮（ドムス・アウロラ）が地中に埋もれていたのを元々地下宮殿だったのだとする誤解が手伝って、その壁に現れていた唐草模様の線の戯れを以降「グロテスク」と呼ぶようになった。アラビア風（ふう）という意味の「アラベスク（arabesque）」と、この洞窟風（ふう）という意味の「グロテスク（grotesque）」が、キャロルに先行するロマン派時代、一大流行をみていたらしいことは、その掉尾を飾ったE・A・ポーの歴史的怪奇短篇集（一八四〇）の名に明らかである（*Tales of the Grotesque and Arabesque*）。

唐草紋様としてのグロテスクの一大特徴は人と動物、人と植物がどんどん曲線上で交錯して、それらがごっちゃになった怪物（ハイブリッド）が自由奔放に現われる点で、この混交と猥雑さがもとで、我々が普通に使うグロテスク（ネス）の意味が生じた（「エロ・グロ・ナンセンス」という場合の、あの「グロ」である）。我々は有名なネズミの「尾はなし」で文字通りグロテスクな線をまさに目で見ることになるわけだが、『不思議の国のアリス』の世界は、英国人に特になじみのグロットを――『鏡の国のアリス』にひそむ迷路芝（メーズ）（maze）とともに――思いださせずにはおかないはずだ。ウサギ穴の向うの住人たちがグロテスクだという場合、その意味は実は結構複雑なのだ。

こうした歴史概念としてのグロテスクをキャロル同時代にそっくり議論したのが、先に引用した文中に出てくるトマス・ライトの知られざる名著なのである。当時有数の美術誌に掲載されたのが一八六三年。単行本化されたのが一八六五年というから、寸分ちがわず『不思議の国のアリス』同時代ということになる。ちなみに、長く埋もれていたトマス・ライトの仕事をフランセス・K・バラシュが復刻したのが因で英国にグロテスク研究のブームが始まったのが一九六八年。モンティ・パイソン（フライイング・サーカス）が、そして間違いなく時ならぬ『アリス』ブームが、それで説明されていった。

「棚」の話はどこへ行ったかといわれそうだが、これだけの前ふりが必要だった。右引用文に、最近でこそさして珍しくなくなった面白い言葉があった。「珍物のキャビネット（cabinet of curiosities）」である。引用文原文にはなぜか引用符も付いている。「いわゆる」というわけだが、それはどうしてか。

＊

『不思議の国のアリス』と同じ年に公刊されたトマス・ライトの画期的なグロテスク論を、実はぼくらはF・W・フェアホルトの入れた挿絵の面白さを通して既に知っているはずである。挿絵画家ジョン・テニエルとの繋がりで『アリス』物語にさまざま斬新な側光をあてたマイケル・ハンチャーの『アリスとテニエル』（一九八五）の主役どころだったからだ。

まずはリチャード・オールティックの大著『ロンドンの見世物』（一九七八）に始まる（そしてきっと終わ）る。十七世紀初めから十九世紀半ばまで英国市民の「好奇心」がいかに、動物奇種から人工機械まで、驚異と偏倚の見世物を流行させてきたかの未曽有の規模のパノラマ図である。そしてこれに前にふれたリン・バーバーの『博物学の黄金時代』（一九八〇）が重なると、博物学という学問さえ「見世物」化を通して「黄金時代」を迎えていった経緯がよくわかる。オールティックとバーバーの二大名作の間には、キャロルの怪獣ジャバウォックにテニエルが付けた有名な挿絵の出典を、当時の博物学、特に地球生成の地質学的解明をめざす「天変地異（カタストロフィー）」理論を背景にした古生物学（paleontology）の流行と、それに取材したたとえばジョン・マーティン描く恐龍図などに求めて話題になったスティーヴン・プリケットの『ヴィクトリアン・ファンタジー』（一九七九）も出て、要するに一九八〇年以降の『アリス』理解にひとつの方向が見えたもののように思うのだ。

　当時最高の博物学者とされたキュヴィエが、一七七〇年に発掘されていた一メートル以上の顎の骨を、古代の超巨大動物のものと想定して世間を驚かせたのが一八一二年。十年後にはギーデオン・マンテルがサセックスの路傍で見つけた化石の歯をもとに、それを「イグアノドン」と命名し、『博物学の黄金時代』の最も愉快な主人公（何でも食べてみてから分類した「食獣学（ズーファジー）」の祖！）、オックスフォードの地質学教授ウィリアム・バックランド師がある石切り場に出た巨大な骨を指して、一八四一年、「メガロザウルス」と名付けた。要するに「恐龍発見の大いなる時代」（S・プリケット）の只中にキャロルはうまれたのである。「ノアの大洪水といった類の天変地異の地質学理論はライエルの『地質学原理』（一八三〇―三三）に論破され、一八三八年にはマンテルの『地質学の驚異』が続き、一世代も経ぬ間に、地下から現われたモンスターどもが丸ごとひとつ世界像を破きさり、人々は人類以前の杳（くら）い想像絶する景色に直面させられることになった」［Prickett, S., p.80.］。

頂点はいうまでもなく、水晶宮万博（一八五一）。その延長線上に一八五三年、ウォーターハウス・ホーキンズが当時の博物学者で第一人者とされたリチャード・オーエンの指導を受けてつくった絶滅巨大獣の実物大セメント模型群である。「いつ行っても第一級の眼福ならざるはない」、とチャールズ・ウォータートンをして言わしめた。オープニングは博物学史、見世物史両方に名高いイグアノドン腹中晩餐会である。「招待の案内は翼手龍の翼の骨片の上に書かれているという凝りようであった」［『博物学の黄金時代』、二五三ページ。］。

マイケル・ハンチャーの『キャロルとテニエル』はフランス人博物学者ルイ・フィギュエールの『大洪水以前の世界』の英訳本（一八六五）にエドゥアール・リウの付けた挿絵がそうした古代絶滅巨獣のイメージ流布に力あり、『パンチ』誌に載せたテニエルの戯画もその影響下にあったという一方、ジャバウォックと「言栄（こおば）える鋭刃（とじん）もて」戦う騎士の構図に「聖アントニウスの誘惑」の伝統をみる目配りの良さを見せている。ありとあらゆる気味悪さの工夫を重ねて聖人をおびやかす畸型の獣の様子を、博物学をはなれたところで呼ぶとすればグロテスク以外、呼び方はない。そして案の定、トマス・ライトのグロテスク論には、サルヴァトール・ローザの聖アントニウス画に取材したフェアホルトの線描画が入っていて、戯画の第一人者がこの本を持たぬことは考えられず、この絵を見なかったなどありえないこと、とハンチャーはしめる。成程、ジャバウォックの恫喝の姿と寸分違わない。

ハンチャーの挙げる極端なグロテスクの例はもうひとつ「史上最も醜い女」の図像学（イコノロジー）である。『不思議の国のアリス』第六章に登場する「公爵夫人」の風貌について、マーティン・ガードナーの付けた注はマイケル・ハンチャーによる詳しい議論の要約になっている。

テニエルが描いた公爵夫人の顎はとても小さいとか、とても鋭いとかというふうには見えないが、醜いことはたしかに醜い。おそらくは十六世紀フランドルの画家クェンティン・マサイス（一四六五—一五三〇）のものと言われる一枚の肖像画をテニエルがまねたものと思われる。この肖像画のモデルは十四世紀のカリンティア、ティロル公の夫人マルガレーテであろうとされている。世界一醜い女と言われていた人である（綽名（あだな）を「マウルタッシェ」即ち「巾着口（きんちゃくぐち）」と言った）。リオン・フォイヒトヴァンガーの小説『醜い公爵夫人』（一九二六）がこの女性の悲劇の生涯を書いている。

他にもほとんどマサイスの絵と同じような版画や素描画がいろいろとあって、レオナルド・ダ・ヴィンチの弟子フランチェスコ・メルツィによるものなどもその一例である。

どの絵が誰の手で版画になり、どのヴァージョンがどこの美術館にいつ入ったといった美術史プロパーの議論は、ハンチャーの本が翻訳で読めるので、そちらに譲る。面白いのは次の二点である。オールティックの『ロンドンの見世物』と雁行するように一九七八年に出て、両者重ねるならば近代視覚文化論を一変させる威力を持つはずのポール・バロルスキー『とめどなく笑う――イタリア・ルネサンス美術における機知と滑稽』が出て、これがヴァザーリによって、はっきりグロテスク趣味においても前衛的と呼ばるべきレオナルド・ダヴィンチの異貌と、そしてマサイスのまさしくこの世界一醜い女性の絵を、ルネサンスのグロテスクな半面をかなり組織的に抉りだす中に、きちんと位置付けた。普通の美術史には仲々出てこない絵だが、『とめどなく笑う』をぼくが訳したのが一九九〇年、並行するように右の注を加えたガードナーの『新注不思議の国のアリス』が出てきたこともあって、キャロル（＝テニエル）をルネサンス以来のグロテスク・アート史の中に捉える壮大な作業の大きな手掛りを得たような感じがしたものである。その辺を整理した仕事を認めていただいた若桑みどり先生と、おかげでぼくは「和解」することもできた。みどり先生、追悼！

そのこととも関係しながら、もうひとつ面白い点というのが、ハンチャーがマサイスの描く醜女とテニエルの関係を鋭く最後を、またしてもトマス・ライトのグロテスク論にF・W・フェアホルトの入れた「ミゼリコルド」なる、醜い女公爵そっくりの線描画でしめていることである。

トマス・ライトのグロテスク研究に象徴される偏倚な美意識革命の只中に『アリス』物語があったのだということはわかってもらえただろう。が、それが学界や論壇を出て広く巷間の大流行になるためにはどうしても「見世物」の要素が必要である。その死亡告知の記事に「著述家としての氏の大いなる業績は博物学を大衆から見ても魅力あるものにした点であって、これを氏は完璧に成し遂げた」と讃えられたのが先述の食獣の博物学者フランク・バックランドである。リン・バーバーが書いていることが、この人物を『アリス』にぐっと近付ける。

> バックランドは何しろ逸話（アネクドート）や「奇譚」のたぐいが大好きで——事実より「奇」ということがよくある——鳥追いだの、ネズミ捕り人だの、興行師だのから仕込んだ妙な雑学をどんどん披露してくれる。彼が博物学というものに抱いているイメージは当時としてさえ広いもので、考古学、地方習俗、「奇人変人」といった話題も守備範囲に入っている。特に縁日（フェア）とかフリーク・ショーのたぐいが好きだったようで、イズリントンの家畜ショーの話のおしまいの所など、「もの言う魚」「象馬」「食可能な犬」「怪物豚、侏儒と巨人」「ゴム犬」「骨皮筋ヱ門」とかとか、自分がヴィクトリア朝縁日（フェア）のいかがわしい演目にいかに目がないかの告白になっている。この低俗趣味に鼻白んだ同時代人もいて……何ページもかけてノミのサーカスを論じるバックランドを露骨に軽蔑しているのだが、バックランドを今日価値ある存在にしているのは、まさしくヘンリー・メイヒュー流のこの価値低いものへの眼差しなのである。
> ［『博物学の黄金時代』、二一四ページ。］

こういう「学者」だから、自身書くものも当然そうなる。たとえばバックランド自前の「経済的養魚博物館」で「大型チョウザメの型を」とろうとして、相手が大きくて滑り易いのに手を焼いた時の回想記。「親方はまるでモン・ブランを下る大雪崩という様子で階段をどどっと滑り落ちていった。階段の一番下が台所の扉だったのだが、チョウザメはそいつに鋼鉄の破砦槌のように〈鼻づらから〉突っ込んでいった。その頭で一瞬にして扉を叩き開けて台所の中に突入すると、油布に乗っかってすうっと滑っていって、やっとこさ台所のテーブルの下に錨をおろしてくれた。鎧甲冑に身を固めた海の怪物が――〈主の怖ろしい大魚〉の目には届かないようにきちんと閉じられていた扉を、こんな具合に思いがけないふうにいきなり粉砕して闖入してきたためにひと騒動になり、上

Raising a ghost by magic lantern—from the book *The Magic Lantern: How To Buy and How To Use It, and How To Raise a Ghost* ("by A Mere Phantom"), 1880 (*Library of Congress*)

'I've caught a cold,' the Thing replies,
'Out there upon the landing.'
I turned to look in some surprise,
And there, before my very eyes,
A little Ghost was standing!

Phantasmagoria

'Pepper's Ghost' was the brainchild of two men: Henry Dircks (1806–1873), a civil engineer to whom the project owed its basic technical details, and Professor John Henry Pepper (1821–1900), a lecturer in chemistry and optics at the Royal Polytechnic Institution in Regent Street where he became honorary director in 1852. It was Pepper who injected the life-blood of showmanship into the idea and worked out the necessary modifications required for a stage presentation which would preserve its essential mystery.

Dircks had lodged the details of his apparatus for producing 'spectral optical illusions' with the British Association in September, 1858, but not until December 24, 1862 did Pepper first present the idea before the public, as an illustration of Charles Dickens's *The Haunted Man*. By means of the device live actors and ghosts could appear together on a fully lit stage, a development emphasised in the provisional patent specification filed on February 5, 1863:

> The object of our said Invention is by a peculiar arrangement of apparatus to associate on the same stage a phantom or phantoms with a living actor or actors, so that the two may act in concert, but which is only an optical illusion as respects the one or more phantoms so introduced.
>
> The arrangement of the theatre requires in addition to the ordinary stage a second stage at a lower level than the ordinary one, hidden from the audience as far as direct vision is concerned; this hidden stage is to be strongly illuminated by artificial light, and is capable of being rendered dark instantaneously whilst the ordinary stage and the theatre remain illuminated by ordinary lighting. A large glass screen is placed on the ordinary stage and in front of the hidden one.
>
> The spectators will not observe the glass screen, but will see the actors on the ordinary stage through it as if it were not there; nevertheless the glass will serve to reflect to them an image of the actors on the hidden stage when these are illuminated, but this image will be made immediately to disappear by darkening the hidden stage. The glass screen is set in a frame so that it can readily be moved to the place required, and it is to be set at an inclination to enable the spectators, whether in the pit, boxes, or gallery, to see the reflected image.

Robertson's *Fantasmagorie*—engraving depicting projections onto smoke that astounded Paris audiences in the 1790s. The engraving appears as frontispiece in Robertson's *Mémoires*, published 1831. (*Library of Congress*)

'My First – but don't suppose,' he said,
'I'm setting you a riddle –
Is – if your Victim be in bed,
Don't touch the curtains at his head,
But take them in the middle . . .'

> The glass is adjustable and it is readily adjusted to the proper inclination, by having a person in the pit and another in the gallery to inform the party who is adjusting the glass when they see the image correctly.

In his *Lives of the Conjurors*, published in 1881, Thomas Frost gives the following more concise account:

> n the production of this illusion in a theatre or music-hall, the figure to be eproduced is placed below the level of the stage, and strongly illuminated y the oxy-hydrogen or other powerful light. A large sheet of plate-glass s placed on the front of the stage, at an angle regulated by the distance etween the figure below and the spectator, so that the reflected image hall appear to the audience to be behind the glass, at a distance which will ermit an actor on the stage to apparently walk through the phantom, ierce it with a sword, etc. As the actor cannot see the ghosts, these movenents require very nice management. The floor of the stage is marked for ertain positions, and the mechanical arrangements must allow the person who represents the ghost to see the actors on the stage, and also his own reflection. The auditorium is darkened, and the glass cannot, if properly arranged, be detected by the spectators.

The reproduction of the ghost image was essentially the same as a normal mirror reflection, the image apparently reproduced behind the glass at the same distance as the figure is in front of it. That a plain unsilvered sheet of plate glass can serve as a mirror should not puzzle people who when plunged into a tunnel during a train journey have suddenly found themselves staring out of the window at their own double. Whether it was this full-scale version of the phenomenon which Pepper presented at Cheltenham in April, 1863 or merely the 'Miniature Ghost of a danseuse' mentioned in *The True History of the Ghost*, Pepper's own account of the involved legal tangles which came increasingly to surround his project, it is hard to imagine that his ingeniously practical portrayal of straightforward action in what amounted to a mirror-reversed world would not have triggered off a response in Carroll's own fantastic imagination. And whether or not Carroll ever visualised Alice as standing behind Pepper's invisible glass barrier and the denizens of Looking-Glass land in the secret well of some weathered stage, not least the Red Queen who did vanish with 'no way of guessing', he would not have failed to register the 'modus vivendi' which this Pepper, not Pig's partner, had unconsciously volunteered to make his Cheshire Cat a reality, appearing and disappearing gradually or in its entirety in full view of its special audience of one. It is worth noting that neither the Cheshire Cat nor the 'Pig and Pepper' episode figured in the earliest version of *Alice's Adventures in Wonderland* as told on the trip to Godstow in 1862. They did not appear until the full publication of the book in 1865, where the word 'Pepper' is accorded a status in the chapter title which it would have been more appropriate to allow the cat itself – unless Carroll was attaching a more than superficial alliterative importance to the word!

Until one can prove inconclusively that by 'Herr Dobler' Carroll did mean Pepper, one is prepared to accept charges of being far-fetched; the ghost of Pepper himself, one trusts, as ready to be considered with a proverbial grain of salt. If, however, one is reassured at all it is by Carroll himself, or at least by the Red Queen just prior to vanishing: 'You may call it "nonsense" if you like,' she said, 'but *I've* heard nonsense, compared with which that would be as sensible as a dictionary!'

キャロル的（2　世界記号化への疑惑――ファンタスマゴリア）

へ下への大騒ぎとなった。料理人は金切声を発し、女中はほとんど失神状態。猫は箪笥に駆け上って、最高級品の焼物を引っくり返すわ、小犬のダニーは文字通り尻尾を巻き、炊事用のボイラーに頭から逃げ込んで、そこから吼えたてるは、猿どもは恐慌の極で、猿語で人殺し、いや猿殺しと叫ぶわで、もう手がつけられない。おっとり育ったオウムの神経は完全に切れてしまったものらしく、あの日以来一語も発していない。かわいそうに死んで無害のはずのチョウザメ一匹、台所の戸を破り、調理台の下に鎮座ましましただけで、この騒ぎであった」。描かれた風景といい、描くきびきびとしてウィットにも溢れた文章といい、これ、そのまま『アリス』の世界ではないか。

フランク・バックランドは一八二六年、オックスフォード大学クライスト・チャーチのトム・クォッドで、奇人地質学者ウィリアム・バックランドの子として生れている。父バックランドは生きた亀を大学構内のトム・クォッドの池に投げこんだり、物議をかもし、ダーウィン自伝にも、「このお調子者の道化」だけは好きになれない、とあった札付きの奇人。キャロル同時代、同じ空間に生息したと思えぬくらい、バックランド父子とドジソン父子は好対照で面白いが、息子同士、見ていたものは存外同じものであったようだ。キャロルがオックスフォードに来た一八五一年に、バックランドは王立外科学会員になり、住みこみ医師として大学外に出ているという関係だが、ともかく正確な同時代人だ。自らの住居を「魔法使いの洞穴」と称し、そこは、よく馴れたネズミ、窓から馬車を呼び続けるオウム、そして「歌う」ネズミから猿やジャガーまで跳梁跋扈しやまぬ異界であったと、『ワールド』誌の「有名人お宅探訪」欄にある。

バックランドとはちがって、「きちん」と暮らさないといけない大学構内住いのキャロルだが、少くともつくりだした物語の中ではまるきりバックランド的世界そのものを生きた。

博物学を口実に好奇心が見世物を要請した「ロンドンの見世物」の世界である。「醜悪館（ホール・オヴ・アグリネス）」という別名でなじまれたブロック創設の「エジプシャン・ホール」が主に動物の、ロイヤル・インスティテュート・オヴ・テクノロジーが機械や電気の珍物珍現象を人々に見せた。ぼくらは最近のバーバラ・スタフォードの情熱的な一連の研究で、十九世紀の科学啓蒙家たちの活躍の様子を知ることができ、オールティックが試みた見世物の社会学を、時代の哲学や科学技術の歴史と繋げてみることができるようになった。こうした民衆的科学者たちが demonstrator と呼ばれたことも、彼らが拠点とした私設の施設が cabinet de physique と呼ばれたことも、よく知られるようになっている。デモンストレーターの綴りを見て忽ち、中に“monster”があるとわかるきみの文化史的感性は十分に及第点だ。ラテン語の“monstro”［示ス］から。怪物・怪異は“monstrum”、驚くべき、異常なという形容詞は“monstruosus”。見えないものが見える形をとった「予兆」も「怪物」も、「モンストルム」なのである。

さてもうひとつの cabinet de physique の方だが、これで棚卸（おろ）しして随分大きくふくらませてしまった話を、ゆっくり「棚」の方に巻き戻していくことができそうだ。やってみよう。

The mermaid exhibited at the Turf coffeehouse, St. James's Street (etching by George Cruik-shank, 1822).
From the "Life" (1855).
THE "FEJEE MERMAID" AS IT REALLY WAS
Reduced from a likeness in the "Sunday Herald" (New York).
The aestheticized panorama of Barnum's museum.

＊

オリヴァー・インピー、アーサー・マグレガー共編の『ミュージアムの起源』（一九八一）を手にした時の衝撃が忘れられない。汎欧的な「驚異博物館（cabinet of wonder）」の一大研究論叢だったからである。

たとえば謎の巨大生物の骨だの、世界一醜い女性の肖像画だのを置いてある私設ミュージアムが

キャロル的（3　世界記号化への疑惑——「見世物」）

十六世紀半ばから約二世紀ほど命脈を保っていた。それを故澁澤龍彦『夢の宇宙誌』（一九六四）が「妖異博物館」なる訳語で本邦初紹介を試みた時、その霊感源はG・R・ホッケ『迷宮としての世界』（一九五七）の「ルドルフ二世時代のプラーハ」の章であり、そのホッケの霊感源はユルギス・バルトルシャイティスの『アナモルフォーズ』（一九五五）であった。十六世紀末、醇乎たるマニエリスムの時代を代表する神聖ローマ皇帝ルドルフ二世のプラーハ宮廷が「寄せ絵」画家ジュセッペ・アルチンボルドを擁し、「世界を遊びの相の下に」見るための奇物珍獣の一大コレクションをしたという途方もない文化史の側面を、バルトルシャイティスを紹介する澁澤龍彦、ホッケを翻訳した種村季弘両氏の仕事によってぼくらは教えられたわけだが、両氏はジャーナリズムに拠って広く巷間読者を魅了こそすれ、「妖異」の、「博物」の、と聞いただけでそっぽを向くのが凡そ学会というところの常である。妖異博物館をうんだマニエリスム感覚そのものの究明ともども、澁澤・種村両氏の仕事以来、ほとんど絶無と言ってよい貧寒の研究現状である。

ホッケ著種村訳はドイツ語の世界。出発点が、精神史的文化史を初めて体系化しようとしていたウィーン派のユーリウス・フォン・シュロッサーの『後期ルネサンスの芸術と驚異の部屋』（一九〇八）である。ドイツが今でも本場。バルトルシャイティスを紹介する澁澤は当然フランス語の世界。要するにマニエリスム一般に非常に鈍感な英語圏が、しかもマニエリスム精神を凝縮したようなその収集空間を、さらにしかもアカデミックにつつくなど、絶対考えられなかった。ぼくは処女作『アリス狩り』で、新進の歴史家R・J・W・エヴァンズの『ルドルフ二世とその世界』（一九七三）

を、それとして紹介したが、『魔術の帝国』の邦題で一九八八年、日本語で読めるようになったのは近来の欣快事であった。この邦訳を実現してくれた平凡社編集部二宮隆洋こそ、この『アリスに驚け　アリス狩りⅥ』の「追善」さるべき影の主人公なのである。

肝心の美術史はじめ、一九八〇年代に入ってマニエリスムを前に出す識者がぼくらの周辺に絶えた。たまたま洋書輸入の丸善で販売に協力して海外からの新刊カタログをしらみつぶしに見ていて、海彼（むこう）ではますますマニエリスム研究が旺盛になっていく様子に、日々呆然としていて、ぼくは紹介者ないし警告者として、海外のマニエリスム研究、とりわけ「驚異博物館」研究の急進展ぶりを情報として流し続けた〔『ユリイカ』一九九五年二月号「マニエリスムの現在」号。〕。そして、たとえば「人はばけもの、世にないものはない」と宣し、「世には面（めい）よなる事あり」と言う西鶴の『大下馬』から、エミール・ゾラの『パリの胃袋』の大青果市場風景まで、片はしから「驚異博物館」のヴァリアントとして論じ続けてきた次第である。

それがここへ来て一挙に風向きが変った。スティーヴン・グリーンブラットの『驚異と占有』（一九九一）が、少しだけ情ないことに、新しい流行の批評の名作らしいということで広く読まれ（それって、ちがうよ）、すると今度は猫も杓子も、何を見ても驚異、驚異という形勢になりつつある。人文科学の他の部門が少しく色褪せてみえるほどの殷賑（にぎやかし）の気配さえある。画期とされるジョイ・ケンセスの「驚異の時代」展（一九八七）の紹介者として、コンピュータという箱の中の電子の驚異博物館を新千年紀のマニエリスムとする立場から「新人文学」を全体的に構想しつつある天才バーバラ・M・スタフォードの翻訳紹介者として、それでも嬉しい時代の変化であるにはちがいない。一度火がつきさえすれば執拗で息も長い英語圏が本格的に驚異博物館論に手をつけ始めたことを感じる。あのR・J・W・エヴァンズが『ルネサンスから啓蒙時代までの好奇心と驚異』（二〇〇六）という、あんまりだよと言いたくなるようなすばらしい編著を届けてきてくれたばかりだし、美術史学のパラダイム変換を遂げながら、（逆に英語に弱い）本邦美術史学界による完全黙殺の『美術史再考』（一九八九）のドナルド・プレジオーシの同じくミューゼオロジーを再編集する激しい意図の論叢『世界を摑む』（二〇〇五）も圧倒的である〔Evans, R. V. W. and Alexander Marr (ed.), *Curiosity and Wonder from the Renaissance to the Enlightenment* (Ashgate, 2006); Preziosi, Donald, *Grasping the World* (2005).〕。怪物学（teratology）から陳列・展示の博物館学（museology）まで、既にこれは英文学と呼ばれてきた分野の手になど負えるものでもなく、世間で何となく通りかけ損っている表象論のものでもなく、むしろ『アリス』物語を読み進めながらつくっていく（超領域脱分野の）「アリス学」の重要な一手掛りということなのである。

ウサギ穴を通ることで、逆しまなグロテスク世界がくりひろげられるという雑駁な言い方ではなく、アーリーモダンに十全の展開をみながら十七世紀の終りから十八世紀半ばにかけてゆっくりと公的機関に吸収され、公的啓蒙の制度と化していった「驚異博物館」の世界に向けてタイムス（ト）リップしていくと言った方が、今現在の人文科学の水準には合っているように思う。それが別に無理な連想でないように、ウサギ穴の壁の地図や絵のことを歴史の脈絡の中で述べておいたつもりなのだが、思いだしてもらえるだろうか。キャロルは教授会メンバーの中では「テーブル・コーディネーター」の役として通っていたが、さもありなんだ。

驚異博物館では整理のための「棚」は問題にならない。奇物の横溢（plenum）自体が目的であり快感なのである。そういう世界が棚化、戸棚化していく急激な変化を、ウィーンのある有名な薬種屋の売場の変化に克明に分析したスタフォードの『アートフル・サイエンス』の説得力は圧倒的である。ちなみに十八世紀半ば。実は驚異博物学史でドイツに何遜色なかった英国の私設博物館の雄、ハンス・スローンの西インド諸島関係の大コレクションが死後、国家に遺贈されたのが一七五一年。これが世界最大のミュージアム、大英博物館の出発ということはよく知られていよう。その出発期の乱雑と無秩序をオールティックが面白く書いているが、これが少しずつ分けられ整理されて、今日にいたっているわけである。分類と整理のシンボルとして「棚」はあるし、それ自体が分類と整理のシンボルとしての書物をさらに分類し、整理するために「本棚」があることは言うまでもない。

随分と長いトンネルをくぐってきたが、ウサギ穴の壁が統一ある記号として示していたのは、歴史的文脈を持った秩序化への通過儀礼そのものであった。但し、むろん方向は逆向きの遡行旅である。倦怠から驚異へというヴェクトルの中で、棚や地図の彼方に仄望できる世界は驚異博物館としての世界である他ない。そしてその通り、そこはもの言う花、空飛ぶ象、世界一醜い女、二本足で立つユニコーンが章毎に登場して一向飽きさせない紙上の“cabinet of wonder”である。「キャビネット」、あるいはフランス語で「キャビネ」ともいう。ドイツ語で驚異博物館を“Wunderkammer”

（カンマーは英語のチェインバーで、つまり「部屋」）と呼ぶ代りに“Wunderkabinetten”と呼ぶこともある。キャビネ（ット）はそういう特殊な目的の「箪笥（たんす）」のことを指しもしたし、ひとつの部屋を指すこともあった。「カンマー」ゆかりの「カメラ」が写真機をいう以前に、元々は部屋のことだったのとはまたひとつスケールのちがうキャビネ（ット）論がいくらも可能だろう。

『アリス』物語でいうと、この「棚」はやがて「気がふれ茶った会」で混沌の舞台と化す「卓（テーブル）」の問題に引き継がれるだろうし、『鏡の国のアリス』第五章では、「まわりの棚はぎっしりいっぱいなのに、見られた当の棚だけはいつだってからっぽ」という意味深長な棚にと「脱構築」「脱中心化」されるのである。

「戸棚」や「本棚」、そして「地図や絵」が秩序というものの象徴であることがのみこめれば、それらが載り、それらを包む「壁」を持ったこの空間は広い意味でのインテリアである。インテリアを落ちていく、あるいはひょっとしてインテリア〈が〉落ちていく話なのである『アリス』って！

たとえばマリオ・プラーツの有名な『家具の哲学』という西欧近代の家具調度の巨大概史を通して眺めてみても、ちょうどキャロル同時代辺の情報密度が俄然濃い。外から内を護る器としての部屋ないし家の問題が十九世紀末ほど、あらゆるレヴェルで表沙汰になったことはない。室内に物が集積されているのを見る驚きと快楽がピーター・コンラッドのいわゆる「ヴィクトリア朝の宝部屋」と呼ばれる細密の文芸や、推理小説をつくりだしていった構造は、ぼく自身かつて一度きちんと整理してある。

フランス語やドイツ語でどうなるかは別として、キャロルの生きた英語の世界のことでいうと、『オックスフォード大英語辞典（OED）』は「部屋の中をアーティスティックな効果をめざして装飾すること」としての「インテリア（interior）」の初出を一八二九年としている。一歩進んで「インテリア・デザイン」の初出をみると一九二七年。意外に新しい、というか浅い歴史とわかる上、要するにロマン派末期からモダニズム（主に一九二〇年代）にかけての時代のこととわかる。とはつまりまさしくキャロル同時代の「部屋」の問題と知れる。いずれ今度は『鏡の国のアリス』冒頭部分を同じように丁寧に見てみようと思っているが、まさしく「鏡の家」探訪記だから、インテリアの物語だということは誰しもにすぐわかる。それに対して『不思議の国のアリス』はアウトドアの物語というういい方がよくなされて、ふたつの話を対照的に語ろうとする議論の主な手掛りのひとつにされるが、ちがうのだ。

野外からウサギ穴の内部空間に入りこみ、最後にまた野外にという物語になっており、しかも覚醒から夢へ、夢から覚醒へという動きと重なっている。しかしそういう野外と見えたもの——土手の上の二人の少女やヒナギク——が実は、内部へと秩序化していく社会的暴力によって既に内部化された世界と知る我々には、『アリス』物語に〈外(エクステリア)〉はないとしか思えない。

キャロル伝を見ると、典型的にインテリアに執着する類型の人間である。ぼく自身、その観点で一貫した小キャロル伝「流れのある風景」を書いてもある。今や最も広い、普遍的なものたる数学や論理学の世界に開かれていながら、結局自分のコントロールの利(き)く、自分に害を及ぼさない小さな世界に閉じこもってしまい、よく考えると数学とか論理学とか、広かるべき宇宙さえ、“universe of discourse”というシステム内部でのみ完全な閉域であるという、まさしくオタク・マニエリスムの徒そのものの嚆矢(はしり)のようなあり方なのである。

たとえばオスカー・ワイルドのつくりだしたドリアン・グレイの部屋だとか、フランスにもっと強烈な例があるのでいえば、ゴンクールやゾラの部屋、J＝K・ユイスマン作『さかしま』（一八八四）の主人公デゼッサントの部屋、あるいは世紀末流行の造花をマカルト花(ブルーメン)と呼ぶが、その生み

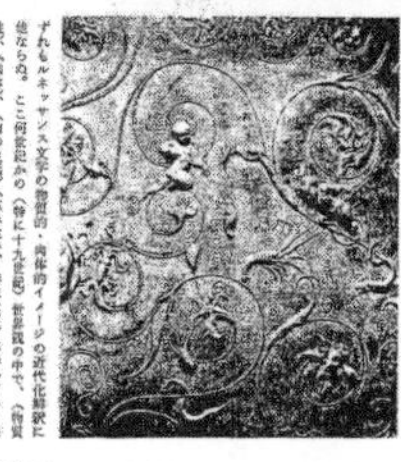

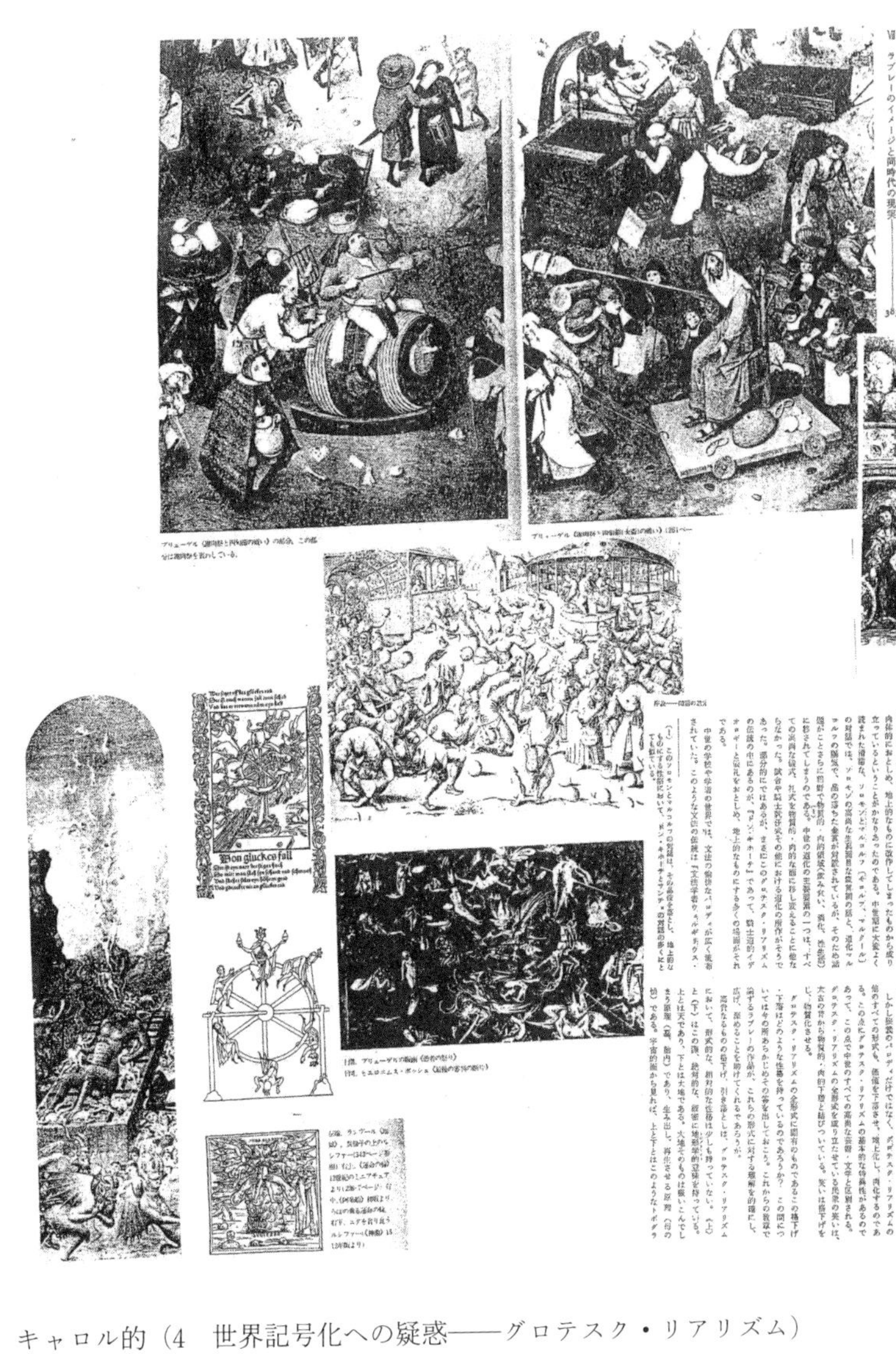

Ⅶ　ラブレーのイメージと同時代の現実　383

ブリューゲル《謝肉祭と四旬節の戦い》の部分。この部分は謝肉祭を表わしている。

ブリューゲル《謝肉祭と四旬節の戦い》(261ペー

福音書などの聖典から崇高な部分を抜き出して来て、それを物質的・肉体的におとしめ、地上的なものに改作してしまったものから成り立っているということがかなりあったのである。中世期に大変よく読まれた滑稽な、ソロモンとマルコルフ（モルフ、マルクール）の対話では、ソロモンの高尚な生真面目な教訓的の話と、道化マルコルフの猥雑で、品の落ちた金言が対話されているが、そのため話題がことさらに粗野で物質的・肉的領域（飲み食い、消化、性生活）に移されてしまうのである。(1) 中世の道化の主要要素の一つは、すべての高尚な儀式、礼式を物質的・肉的な面に移し変えることに他ならなかった。試合や騎士叙任式その他における道化の所作がそうであった。部分的にではあるが、まさにこのグロテスク・リアリズムの伝統の中にあるのが、『ドン・キホーテ』であって、騎士道的イデオロギーと儀礼をおとしめ、地上的なものにする多くの場面がそれである。

中世の学校や学者の世界では、文法の愉快なパロディが広く流布されていた。このような文法の伝統は『文法学者ウェルギリウス・

(1) このソロモンとマルコルフの対話は、その高位者を落とし、地上的なものにする性格において、ドン・キホーテとサンチョの対話の多くに似ている。

序説——問題の設定

ある。

しかし聖書のパロディだけではなく、グロテスク・リアリズムの他のすべての形式も、価値を下落させ、地上化し、肉化するのである。この点にグロテスク・リアリズムの基本的な特異性があるのであって、この点で中世のすべての高尚な芸術・文学と区別される。グロテスク・リアリズムの全形式を成り立たせている民衆の笑いは、太古の昔から物質的・肉的下層と結びついている。笑いは格下げをし、物質化させる。

グロテスク・リアリズムの全形式に固有のものであるこの格下げ・下落はどのような性格を持っているのであろうか？　この問については今の所あらかじめその答を出しておこう。これからの数章で論ずるラブレーの作品が、これらの形式に対する理解を的確にし、広げ、深めることを助けてくれるであろうが。

高貴なるものの格下げ、引き落としは、グロテスク・リアリズムにおいては、形式的な、相対的な性格は少しも持っていない。〈上〉と〈下〉はこの際、絶対的な、厳密に地形学的な意味を持っている。上とは天であり、下とは大地である。大地そのものは嚥いこんでしまう原理（墓、胎内）であり、生み出し、再生させる原理（母の胎）である。宇宙的面から見れば、上と下とはこのようなトポグラ

上図、ブリューゲルの版画《愚者の祭り》
下図、ヒエロニムス・ボッシュ《最後の審判の部分》

キャロル的（4　世界記号化への疑惑——グロテスク・リアリズム）

の親たるハンス・マカルトの部屋といったいわゆる「お耽美部屋（エステティック・インテリア）」の豪奢とは比ぶべくもないが、オックスフォード大学内のキャロルの自室も炉の飾りタイルが夢誘い、ラファエロ前派流の少女肖像画はあり、見事に「きちん」とした快適そうな部屋である。この家じゅうに寒暖計をぶらさげて、どこも同じ温度に保とうとするあたりから、たしかに少しく異様なパンデミック・インテリアにはなっていく。

何を話そうとしているかおわかりだろうか。そう、ヴィクトリア朝とは一見無関係のように論じられてくることが多かった「驚異の部屋」のマニエリスムが俗流化されて生き延びることになったのが十九世紀末のお耽美インテリアだったのだというぼく年来の主張が正しいのかもしれない。それが、ひとつの歴史の流れとして『不思議の国のアリス』冒頭を読んでいて、保証されているという気分になるのは、驚異博物館を「トンネル」にたとえた後で、直截に「家」になぞらえているからで、こうある。

「そうよ！」と、アリスはひとりごとを言いました。「こんなにも落っこっちゃったんだもの、これからは階段をころがり落ちるくらい平気だわ。家の人たちは、なんて勇敢な子だって思うだろうな。そうよ、家のてっぺんから落っこったって、とやかく言いはしないわ」（実際、とやかく言うどころじゃないだろうね）。

次のパラグラフは「落ちる、落ちる、どんどん落ちます」で始まり、すぐ後にまた「落ちる、落ちる、どんどん落ちます」とあるから、それぞれがひと区切りになったものと感じられるとすると、冒頭からこの「……（実際、とやかく言うどころじゃないでしょうね）」までがひと塊という感じである。そしてそこで汲みとられた文化史として一番はっきりした流れが倦怠した今現在（ヴィクトリア朝）から十七世紀を多分通過点として、「魔術」と「驚異」の初期近代・前近代へと遡行して行く暗中の歴史旅（ライド）である。横の壁は棚が見え、棚の壺が見えるほど明るいのが、「下を見おろ」すと「暗くて何も見えません」。文字通り、「蒙（くら）」きを「啓（ひら）」く啓蒙の位相から反啓蒙の暗さ（obscurantism）に向けて、明らかに歴史を遡行中である。

それが垂直な降下として捉えられているわけだが、それがこの流れのひと塊の最後にいたってそっくり家の中での降下として受けとめられているのが絶妙である。「家のてっぺんから」の落下とは何か。内側という側面からだけでなく、高い低いという面から考えられた家とは何か。

マッド・ティー・パーティーにアリスが出くわす直前に目に入ってくる「三月ウサギ」の家は煙突がウサギの耳の形をし、屋根がウサギの毛皮で葺（ふ）いてある（あるいは「おきさき様のクローケー試合」にテニエルが入れた挿絵の一枚は向うの風景が顔に見えなくもない）。ジェイムズ・サーバーの有名な漫画から『アッシャー家の崩壊』へ、そして結局はゴシック小説の嚆矢（はしり）たるホレース・ウォルポールの『オトラント城奇譚』（一七六四）まで遡る擬人化された家、もしくは人間そのものとしての家という喩（メタファー）が問題だ。

「（実際、とやかく言うどころじゃないでしょうね）」に付いたガードナーの注は、キャロルの死ぬことネタのジョークの第一弾なりとしていて重要な注だが、「てっぺんから落っこっ」て覿面に命を落とす家の高さこそが問題である。塀の上から落ちて（多分）命を落とす卵人間ハンプティ・ダンプティのテーマが先取りされているのである。ハンプティ・ダンプティがアリスに「お高くていらっしゃる」というと、「アリスはこのあてつけにむっとなりました」とあるのは“Too proud?”「タカビーだね」に文字通り「高さ」の含意があるからで、「プラウド」や「プライド」は聖書英訳に際して、「高慢」、「高」飛車な悪魔セイタンに付けられた形容で、英語では誇り高いという意味より、自分の美と智恵を神のごときとして「高」慢になったが故に「落」ちていく魔王の連想の方が強い。だからアリスはむっとしたのだ。「プラウド」になった人間たちの築いたバベルの塔の崩壊も、人間精神のありようを建築の高みにたとえるこうした比喩の祖型とみようと思えば、みえなくもない。アリスと白ウサギがまるでエデン神苑の元祖カップルの堕落／墜落のように見えるこの冒頭部は、当然のごとく同じ旧約聖書『創世記』冒頭のバベルタワーの崩壊（フォール）をも、こういう形で秘め隠しているのかもしれない。

「家」が仮に一人の人間の存在、ないし身体ということだとすると、その「てっぺん」は当然頭脳・知性・精神ということになる。この上が知性で下が知性以外のもの、そして上にあるものが文字通り上位で、下にあるものより「偉い」という価値観を伴った上と下のこれも文字通りの上下関係、下が上に馬鹿にされるという地勢図（トポグラフィー）とは一体何なのだろう。おそらく頭が尻より上にあるという人間身体の構造がこの比喩に力を与えているのであろうが、とにかく「てっぺんから」「階段をころがり落ち」て、地下へ落ちるというストーリーを読んで冥府降下の旅イコール「物質的下層原理」とのなじみということをいうミハイール・バフチーンのカーニヴァル文学批評を思いださないでいる方が、たしかにむつかしい。

要するに兎がい、ヒナギクの咲き笑うのは野外という〈外〉であり、そこで妙な経緯で兎の穴に落ちるという設定がいかにも強烈なので、『不思議の国のアリス』は野外の物語、そして落下する先の地下の物語というイメージができ、最初から家もしくは室内の物語だということを鮮明に打ちだし、チェスボードを使って徹底した水平の向きの冒険行だという『鏡の国のアリス』とは何故か好対照をなすという読み方が多分一般的なのだが、どうして『不思議の国のアリス』にして既に問題は〈外〉でなくはっきりと〈内〉であることが、この「『そうよ』、とアリスはひとりごとを言いました……」の短い四行に明らかである。この冒頭部分、ぜひ大翻訳家、僚友の柴田元幸氏の名訳で一度読み通してみたい。スティーヴン・ミルハウザーがこの冒頭をパロディした「アリスは落ちていきながら」の柴田訳が、いつまでもぼくをこの冒頭部分に引きつけてはなさないからだ。

「トンネル」が珍しい時代流行の一物なるが故に文化史としての議論に値する比喩として面白いといって少し話ししてみたわけだが、だとすれば、「家」が〈内〉、内側、内部、内面のこの上ない比喩であると観じて、相応の紙幅を費さないわけにもいかないはずだ。落ちていきながらまるでこれじゃお家みたい、とアリスは感じているわけだからである。

家が高さという点から思いだされているのが我々の感覚と、まずちがう。この高さあればこそ墜落・堕落の落（らく）のイメージが生きてくる。英国の家の持つこの高さのイメージは、上天への憧れを高塔・尖塔という建築構造に表現したゴシックの教会の〈高さ〉が典型的で、キャロル誕生の直前に生じたいわゆるゴシック復興リヴァイヴァル運動をもって家と高さが観念的に連合した。その文学的表現がいわゆるゴシック小説の舞台となる文字通りに高い崇〈高〉な塔や城砦であり、それは主人公たちが傲慢ゆえに落／堕ちる生き様に明快な視覚的イメージを与えるに必要な空間というわけ

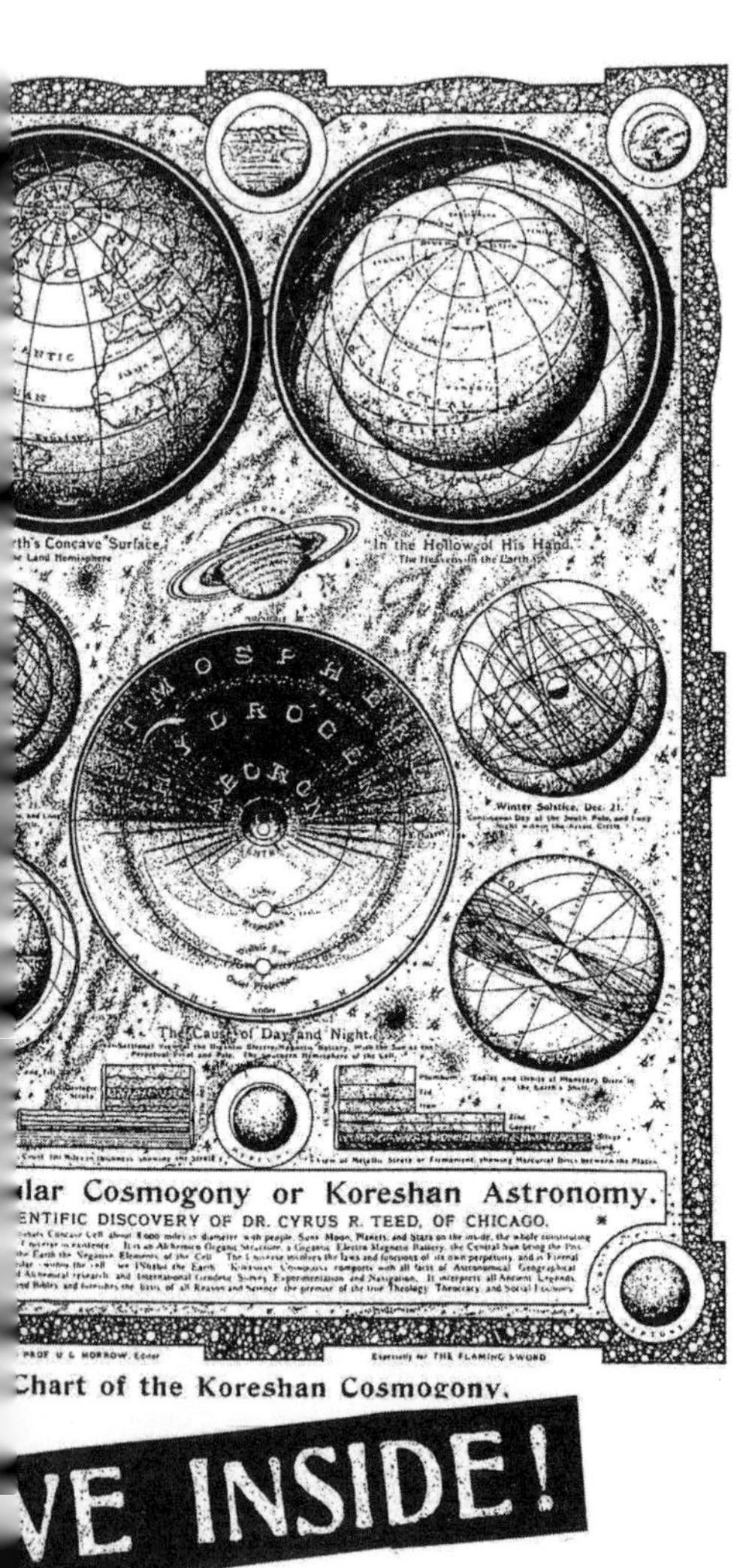

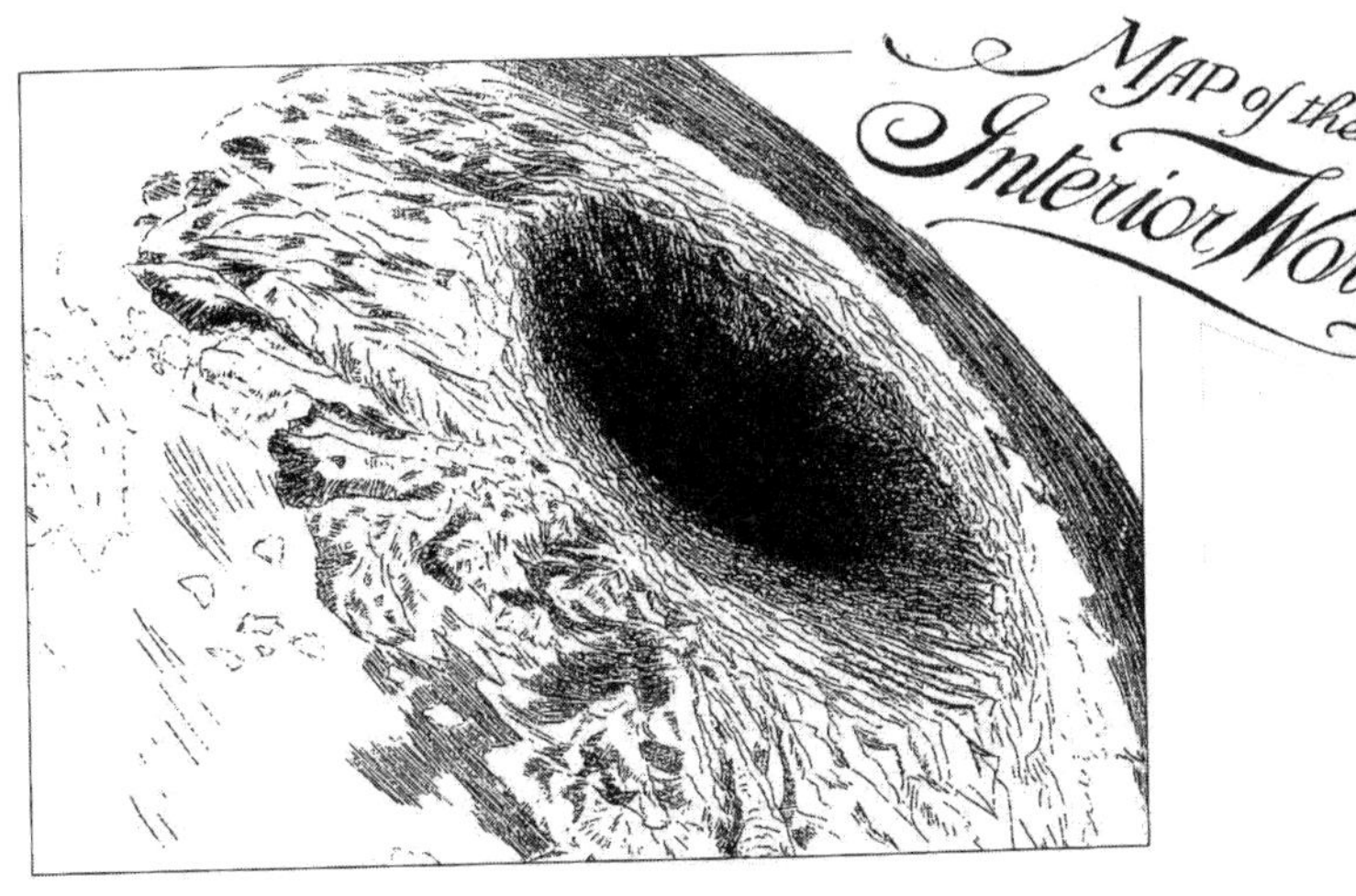

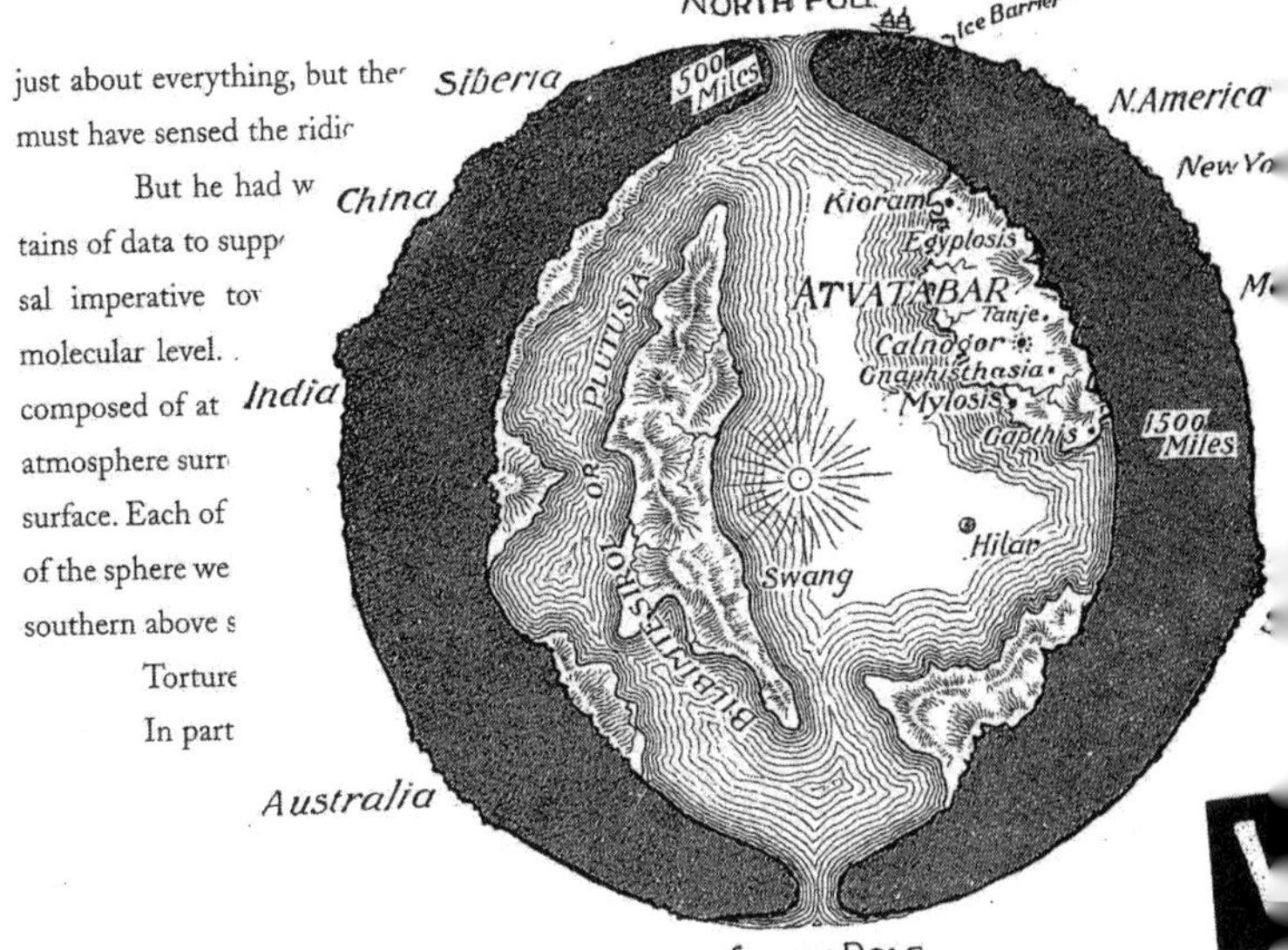

シムゾニア地球空洞説（穴の思想）
改めて巽孝之氏の御教示に感謝。

である。ゴシック小説中の利己的・僭主的な主人公たちの傲慢はよくヒュブリス（hubris）という名で呼ばれるが、そのギリシア語原義は文字通り物理的な高度のことを指した。こうして落ちていく少女たるアリスのどこが傲慢かといえば、究極、相手を「ただのトランプのくせに」といい切って他者を一挙消滅させてしまう行為のどこが傲慢でないか、と逆に問いたくなる。登場人物たちがわけわからないので少女アリスはうんざりという場面の連続だが、ひょっとして実際はアリスの方に問題（ポテンシャルとしての「落」を抱える「高」）があって、そのことはいずれ卵人間ハンプティ・ダンプティが「お高いのね、きみって」といったのに対してアリスがむっとするというふしぎなやりとりでいっぺんにはっきりする。英語でいえば"too proud"かどうかというやりとりだが、これは傲りゆえに悪魔に堕していく（元は）天使のサタンを形容するのに、欽定訳聖書がギリシア語のヒュブリスに充てた英語だったのである。日本語の「プライド」と英語原義が相当ちがうことなので敢えてもう一度いっておくが、そういって傲慢なアリスを非難するハンプティ・ダンプティ自体が傲慢この上なく、そしてまさしく字義通りに塀の上から「落ちる」。まことに〈高さ〉をめぐる面白く、深い逸話だ。全体がもう一人のハンプティ・ダンプティの落下をめぐって展開する物語、『フィネガンズ・ウェイク』の冒頭部が、とりわけキャロルの創造した世界を思いださせるのはそのため、と『詳注アリス』で注釈者マーティン・ガードナーは指摘していて、それはそれで文句なく正しいと思う。この『アリスに驚け』で追善されるもう一人、影の主人公はたしかにこのマーティン・ガードナーであるにちがいない。

しかしそのガードナーにして、今我々が目の前にしている「そうよ、家のてっぺんから落っこったって、とやかく言いはしないわ」という言葉を相手にして、そうなれば当然墜死か、少くとも重傷を負うかで、「(実際、とやかく言うどころじゃないでしょうね)」という作者コメントは正しいのであって、これは「童話」にはいやがられる死のテーマに『不思議の国のアリス』が、何こだわることなくどんどんふれていく傾向の最初の表われである、という注釈にとどまっている。これ以降、「死をめぐるジョークがこの先どんどん出てくるはずだ」、と。キャロル研究の初期時代には『牧歌の諸相』のウィリアム・エンプソンの指摘に基づいたこういう指摘でも人をびっくりさせるには十分足りたのだが、今はそんなことで足りるのだろうかという話をしてこの一文をしめよう。

ある意味、ここで出てきた「家のてっぺんから落っこ」ちるというイメージこそ、「アリス」物語の究極の主題であり、議論さえ正しく進められるなら十九世紀末に極限化する文明ヨーロッパ人(homo europeus)の生き方、生きる環境をめぐる凝縮されたコメンタリーたりうるものだ、とぼくなど思う。先に述べた「驚異」の問題とも絶妙にからみ合う、同じくらい大きな西欧近代の核心的主題としての「家」の文化史の側からみた問題、それである。〈外〉と思っていたものが〈内〉でしかないことの問題、といってもよい。まさしくキャロル同時代の最高の数学的珍品(*curiosa mathematica*)が片側(へんそく)空間「メービウスの環」であるのは屹度偶然ではないと思うのだ。内と思えば外、外かと思えば内というこの位相幾何学——トポロジー——なる新数学の代表格たる小道具をほんの少しだけ先にアウグストゥス・メービウスに発見・発明されたことを同業者としてキャロルがいかにも残念がっている様子を、『キャロル大魔法館』でジョン・フィッシャーが的確にとりだしている。アウグストゥス・メービウスの縁者パウル・メービウスが内／外融通のこのメタファーを用いて、精神／肉体の一元論(モニズム)を肯えないで生じる心の病の治療をした。キャロルとモダニズム——畢竟、キャロル論の至上の到達点はそこ、という気がする。浅くみえて、とほうもなく深い、のかも。世紀末芸術とモダニズムについて今一番読み易い手掛りが多分、大碩学マリオ・プラーツの『ムネモシュネ』であるというのだから、厄介だが追求の値打ちは十分のテーマなのにちがいない。

内と外の対立と両者の一致融通のパラドックスがキャロルの人と作品の全てと、いまだに最高のキャロリアンたるジャン・ガッテーニョはいい切っている。言葉遊びではないが、〈内〉を一番端的に表現する具体的なもの、ないし器が「家」なのである。家はいえである以上にうちなのだ、とでもいっておこう。この両義というか、意味の広がりをぎりぎり巧く孕む英語もある。それがインテリア（interior）である。インテリアが広く「内側な」ものを指していたのが、きちんと装飾意匠された室内を指すようになるのがまさしくキャロル同時代から二十世紀初頭にかけてという本当に象徴的な文化史上の大きな流れを、『オックスフォード大英語辞典』の「インテリア」の項の通読ですら大体は知ることができる。もう少しいうなら、その『オックスフォード大英語辞典』、略称『OED』そのものが、キャロル同時代の案発議に発して（トレンチ、ファーニヴァル）二十世紀初頭に一応の完成をみる、つまりはとてもキャロル的な精神による産物であることも是非付言しておきたい。

インテリアとは何か。キャロル根幹の大問題に作品冒頭でいきなり出くわした。そういうことである。結局、冒頭に尽きている。それこそが「名作」の条件であり、「名作」に見合う良き「批評」の条件なのだということを一文使って申し上げた。はじまり（ビギニング）が「エンド」でもあるというメービウスの輪の究極ヴァージョンが『アリス』物語の正体である。「エンド」が「終り」であり、「目的」でもある言葉遊びに名を借りたひとつの「パラドクシア・エピデミカ」の物語をしてみたが、如何。

同じ構造を英文学のもうひとつの名作、ジョナサン・スウィフトの『ガリヴァー旅行記』にさぐるのが、ぼくの英文学の「エンド」になる。まず個人完訳してみる。「驚異」がいかにキーワードかよくわかる訳を心掛けてみたい。

第Ⅱ部

メルヴィル・メルヴェイユ　――柴田元幸讃

尊敬する柴田元幸氏が自らその時機を選んで東大を「定年」退職されると聞いて驚いたり、羨やましかったりしている。アメリカ文学でこれから凄そうなのは誰かと尋ねてみたら、ぼくが平生高く買っているそちらの畑の男が、巽という男、そして「シバタ」だろうねと答えた日のことをまだよく覚えている。どんな形にしろ、その若手きってのホープが定年かと、さすがに一抹の感懐を禁じ得ない。そう言う当方にだって、とりわけこの十年は大きな変り目で、はっきり言ってアメリカ文学はおろか御本家の英文学だって、旧都立大学が首都大学東京に「転身」する一番きつい四年間にサヴァイヴァルの奸智をめぐらせて表象学科を創科し、そのモデル役ということで意図的に英文学を一時的にしろ離れた。そして明治大学国際日本学部という新設の世界へ、自分としては緊急避難のつもりで移籍した。「国際日本学」なんていうカテゴリーがあり得るのかどうか今だって十分分かってなどいないが、そういうものがあり得るとすればどういうものか日夜律儀に考えあぐねているうちに英文学を全く離れる六年をうかうかと過ごしてしまった。合計して十年はシェイクスピアもジェイムズもない世界をさまよってきたのだが、日本語を全く解せなくても英語の講義のみで卒業可という留学生クラスを担当するうち、その事跡を是非知っておいてもらいたい日本文化の祖たちとして、平賀源内や澁澤栄一、葛飾北斎や新渡戸稲造等々と並んで夏目漱石の名がまあ当然のように浮かんできた。当然大文豪としてではなくて、転換期に事を起した、エマソン流に言う「リプレゼンタティヴ・マン」として、言葉という道具を用いるアントルプルヌールとしてのアプローチとディスカッションである。

相当何でもあり、のルースな漱石観ではあったが、英語に堪能な国文学世界というので、英文学、国文学の双方から距離を置かれた微妙なエアポケットみたいなニッチなソーセキがいる。前から勿体ない領域だと思っていたが、英語でソーセキ英文学を読み論じることの必要から漱石に向かった。英文学でテーブルトークという奇妙な(しかしそちらでは至極本流の)文学ジャンルの存在を知っている身からすれば『吾輩は猫である』は忽ち、お喋りまかりならんと怒る治安警察法下日本での爆発的なお喋り礼讃作品と知れた。それにしても「会話」とは、それを成り立たせる「卓」という調度の文化的象徴価とは何か、江戸人士の与り知らなかった高坐高の洋卓が西洋の象徴となり、「文化」住宅のコア調度となったのはどうしてか。得体知れぬぼくの甚だ非専門的な文化漂流は約三年、「ソーセキ・ナツメ」をめぐって右し、左してきた。『草枕』と『坑夫』もピクチャレスクで一刀両断できた。この辺の呼吸は『かたち三昧』（羽鳥書店）に簡略に報告して、斯界の泰斗たる小森陽一氏の大なる関心を惹くことになった。

半年——学期（セメスタ）——十五回の講義に漱石の『夢十夜』（一九〇八）以上の「教材」はない。かつて同じ明治大学で日本人学生と、日本語を解す（ことになっている）外国人留学生が混り合ったクラスで日本語トラックとしてこの作品をとり上げたことの仔細顛末は既に『夢十夜を十夜で』（同）で報告済み。漱石の『文学論』をもどいたわけでもないが、学生たちのレポート及び講義ノートを組み合わせて一本編んだが、望外の高い評価が嬉しかった。初学生たちにマニエリスムを（！）教えた。

何とも強いられた漱石研究だったが、いわば美術（史）家としての漱石批評の可能性が少しは開かれ、小森陽一氏を媒介に藝大企画展「夏目漱石の美術世界」展が実現した。二〇一三年度の最も意義深かった企画展ベストスリーといったたぐいのアンケートをのぞいてみたら必ず全員近く、この展覧会の名を挙げてあり、『坊っちゃん』の中のターナー評をコンセプトの中心に配したターナー展、そしてラファエル前派と続けざまに催示されて、西欧美学史・美術史との漱石の密なつながりは今や常識に近いものさえある。漱石の風景観をピクチャレスク風景画研究の結果と見る比較文化史家、池田美紀子『夏目漱石——眼は識る東西の字』（国書刊行会）はぼくの『目の中の劇場』（一九八五）を挑発として捉えた最も輝やかしい近来の成果である。全く同じタイミングで出た伊藤宏見『夏目漱石と日本美術』（国書刊行会）のスタンダードな旧套とは比較にならない未来志向の漱石「画文交響」論で、流石は「大」芳賀徹の愛弟子である。佐藤志乃『「朦朧」の時代』（人文書院）

と並ぶ女流新鋭の日本美学史のこの頃の傑作と言っておく。嬉しいのは、大枠と『文学論』を情況証拠に漱石マニエリスト論を始めながら、「マニエリスムのアメリカ」（八木敏雄）のコアたるE・A・ポーに対する漱石の評価（おそらくは讃美）がぼくにはすくい切れなかったところを、池田氏論文は相当な紙幅で論じてみせたところで、久しぶりに自分の巨大指向の文学史のミッシング・リンクがひとつ見つかった、というか穴が埋まった感じで、感激に耐えない。そして、そうかマニエリストの本命ポーをアメリカ文学界で云々することもこれでオーケーか、ということになると、ぼくの場合、当然のようにじゃあメルヴィルは、メルヴィルのマニエリスムはどうなんだということになる。どうなっているのか。——マニエリスム的驚異（メルヴェイユ）を多面的に追求したメルヴィルでなかったのか。

＊

問題は『夢十夜』の第七夜と第八夜である。『夢十夜』の十夜それぞれの夢はそれぞれ独立して読むべしという行き方と、ある程度つながり合ったグループが析出できるという読み方があるわけだが、第七夜と第八夜は巨大な客船上と街場の散髪屋という舞台からして互いに没関係、それぞれに別の理屈をつけて楽しめばよいのかもしれない。現にこの二夜をセットに何かを論評しているエッセーをいまだ見たためしがない。しかし、そうなのだろうか。この二夜をつなげて透けて見えてくるのはメルヴィル『白鯨』以外の何でもないように思われる、という話をしよう。

『夢十夜』各夜のテクストの有難いところは、全文引用しても不粋のそしりを免れる短簡にある。問題の第七夜は次のようである。

> 何でも大きな船に乗っている。
> この船が毎日毎夜すこしの絶間なく黒い煙を吐いて浪を切って進んで行く。凄じい音である。けれども何処へ行くんだか分らない。只波の底から焼火箸の様な太陽が出る。それが高い帆柱の真上まで来てしばらく挂っているかと思うと、何時の間にか大きな船を追い越して、先へ行ってしまう。そうして、しまいには焼火箸のようにじゅっといって又波の底に沈んで行く。その度に蒼い波が遠くの向うで、蘇枋の色に沸き返る。すると船は凄じい音を立ててその跡を追掛けて行く。けれども決して追附かない。
> ある時自分は、船の男を捕まえて聞いてみた。「この船は西へ行くんですか」
> 船の男は怪訝な顔をして、しばらく自分を見ていたが、やがて、
> 「何故」と問い返した。
> 「落ちて行く日を追懸る様だから」
> 船の男は呵々と笑った。そうして向うの方へ行ってしまった。「西へ行く日の、果は東か。それは本真か。東出る日の、御里は西か。それも本真か。身は波の上。檝枕。流せ流せ」と囃して

いる。舳へ行って見たら、水夫が大勢寄って、太い帆綱を手繰っていた。

　自分は大変心細くなった。何時陸へ上がれる事か分らない。そうして何処へ行くのだか知れない。ただ黒い煙を吐いて波を切って行く事だけは慥かである。その波は頗る広いものであった。際限もなく蒼く見える。時には紫にもなった。只船の動く周囲だけは何時でも真白に泡を吹いていた。自分は大変心細かった。こんな船にいるより一層身を投て死んでしまおうかと思った。

　乗合は沢山居た。大抵は異人の様であった。然し色々な顔をしていた。空が曇って船が揺れた時、一人の女が欄に倚りかかって、しきりに泣いていた。眼を拭く手巾の色が白く見えた。然し身体には更紗の様な洋服を着ていた。この女を見た時に、悲しいのは自分ばかりではないのだと気が附いた。

　ある晩甲板の上に出て、一人で星を眺めていたら、一人の異人が来て、天文学を知ってるかと尋ねた。自分はつまらないから死のうとさえ思っている。天文学などを知る必要がない。黙っていた。するとその異人が金牛宮の頂にある七星の話をして聞かせた。そうして星も海も、みんな神の作ったものだと云った。最後に自分に神を信仰するかと尋ねた。自分は空を見て黙っていた。

　或時サローンに這入ったら派手な衣裳を着た若い女が向うむきになって、洋琴を弾いていた。その傍に脊の高い立派な男が立って、唱歌を唄っている。その口が大変大きく見えた。けれども二人は二人以外の事にはまるで頓着していない様子であった。船に乗っている事さえ忘れている様であった。

自分は益(ますます)つまらなくなった。とうとう死ぬ事に決心した。それである晩、あたりに人の居ない時分、思い切って海の中へ飛び込んだ。ところが——自分の足が甲板を離れて、船と縁が切れたその刹那に、急に命が惜くなった。心の底からよせばよかったと思った。けれども、もう遅い。自分は厭でも応でも海の中へ這入らなければならない。只大変高く出来ていた船と見えて、身体は船を離れたけれども、足は容易に水に着かない。しかし捕(つか)まえるものがないから、次第々々に水に近附いて来る。いくら足を縮めても近附いて来る。水の色は黒かった。

そのうち船は例の通り黒い煙を吐いて、通り過ぎてしまった。自分は何処へ行くんだか判らない船でも、やっぱり乗っている方がよかったと始めて悟りながら、しかもその悟りを利用する事が出来ずに、無限の後悔と恐怖とを抱いて黒い波の方へ静かに落ちて行った。


世界や国家を一隻の巨大な船にたとえるのは古来文学修辞の典型的イメージ、いわゆるトポスである。ナウィス・ムンディ（navis mundi 世界という船）と呼ぶ。漱石自身が日本郵船の貨物船で渡欧した時の船上目撃風景の名残りがあるらしい。近代化されていく明治末日本の運命が否定的に大観されているという一般的な見方からすれば短いながら、ナウィス・ムンディ主題の傑作とも言うべき第七夜のイメージ凝集度である。

文字通り水上を直線そのものに疾走していく巨船ながら、地球そのものが丸い、というかこの天体が東へ行くほどにそれを同時に西にもする円環構造を体現している以上、船の軌跡は直線どころか自からの尾を口に咬むウロボロスの円環蛇のフィグーラ・セルペンティナータにならざるを得ない。直線的進行が少々度の過ぎた直線性ゆえに却って心理的に直線からいろいろ「脱線」して行くというテーマを実は『夢十夜』は第三、四、五夜と三夜連続で追ってきているようにも見える。これは実はぼくの批評家としてのキャリアのそもそもの出発点たる「メルヴィルの白い渦巻」(卒論、一九七二)のテーマであった。有名なシンボル・ハンターのチャールズ・ファイデルセン二世が『白鯨』円環文学論を宏大闊達な脚注に散りばめたボブ・メリル社刊『モービー・ディック』、全く同族のハロルド・ビーヴァー詳注になるペンギン・ブックスの『モービー・ディック』を左右に John Seelye, *Melville: The Ironic Diagram* (1970) を真中に置いて『白鯨』に挑めば誰にしろ必ず「メルヴィルの白い渦巻」を処女作に、もう一人の高山宏になっていくしかないだろうと今でも思えるほどの強烈な参考書トリオだった。シーリーは円環する世界に人間が勝手に拵えたイデオロギーをインポーズしようとして破滅していく人間類型を『タイピー』から『信用詐欺師』にまで辿り抜き、彼らの挫折と敗滅を、大きく回る風車に長槍を抱えて突進する長身痩軀のドン・キホーテに喩して「ドン・キホーテ的パターン」と称した。メルヴィル他一般にマニエリスム文学者が熱狂的に参照した先行文学がモンテーニュ『随想』と、もうひとつが『ドン・キホーテ』であることは今日容易に想像がつく。「西へ行く日の、果は東か。それは本真か。東出る日の、御里は西か。それも本真か」という水夫の一行に「ドン・キホーテ的パターン」の真諦は尽きている。ファイデルセン二世編の『モービー・ディック』は当時の同級生だった折島正司に、シーリーのアイコニック批評きっての名作は教え子だった後藤護に、何かのタイミングでプレゼントした。手もとにはない。

「乗合は沢山居た。大抵は異人の様であった。然し色々な顔をしていた」から「船に乗っている事さえ忘れている様であった」にいたる十二、三行はまさしくナウィス・ムンディ文学の典型的表現に即く。男女、人種、職能、趣味等、極力違ったカテゴリーの者を「典型」として並べ続けて、この船の内部が社会制度的にも一個の完結した世界であることを納得させようとする。神を口にする男が「天文学」に通暁しているとか、男は一様に強く自己表現する人間、女は皆自己を抑え気味だとか、四世紀にわたる西欧社会の縮図とも言えるが、ともかく世界そのもののひな形である。ピークォッド号がそういう書かれ方をしているのは周知だろう。人が人を欺くという観相学パロディの要素を入れれば、いつでも『信用詐欺師』でミシシッピ河上に浮く「信用丸（フィデル）」という船につながっていくだろう。

しかし「第七夜」を最高の『白鯨』注釈に変える究極のテーマは何と言っても主人公のほとんど理由の分からぬ倦怠感である。「自分は益（ますます）つまらなくなった」。『白鯨』冒頭の一パラグラフ――「ピストルと弾丸の代りとしての船出」――を典型とする十九世紀末型のニヒリズムに明治末知識人も染っていたのに違いない。ここでも投身自殺の直下直降の直線たるべきものが、行く船との相対関係からオブリークな訳のわからぬ軌跡に変えられてしまう。アインシュタイン出現（一九〇五）直後の「第七夜」なのである。

ものとしての白い鯨が出てこないだけで、物語世界としての『白鯨』の形式的な面を、こうして「第七夜」が見事なばかり片端から要約しているものとすれば、続く「第八夜」は『白鯨』という作品のいわば中身を縮約してみせているという気がする。この二夜は『白鯨』をもどくという点でも是非ともひとつながり、一セットとして読まれなければならない。多色から白へ、そして最後に忘れ難い黒――「黒の力」――に終った夜のあと、いきなり白が横溢し、それを鏡面が乱反射する。「第八夜」はこういうふうである。

床屋の敷居を跨いだら、白い着物を着てかたまっていた三四人が、一度に入らっしゃいと云った。

真中に立って見廻すと、四角な部屋である。窓が二方に開いて、残る二方に鏡が懸っている。鏡の数を勘定したら六つあった。

自分はその一つの前へ来て腰を卸した。すると御尻がぶくりと云った。余程坐り心地が好く出来た椅子である。鏡には自分の顔が立派に映った。顔の後には窓が見えた。それから帳場格子が斜(はす)に見えた。格子の中には人がいなかった。窓の外を通る往来の人の腰から上がよく見えた。

庄太郎が女を連れて通る。庄太郎は何時の間にかパナマの帽子を買て被っている。女も何時の間に拵らえたものやら。一寸(ちょっと)解らない。双方共得意の様であった。よく女の顔を見ようと思ううちに通り過ぎてしまった。

豆腐屋が喇叭を吹いて通った。喇叭を口へ宛がっているんで、頬べたが蜂に螫（さ）された様に膨れていた。膨れたまんまで通り越したものだから、気掛かりで堪らない。生涯蜂に螫されている様に思う。

芸者が出た。まだ御化粧（おつくり）をしていない。島田の根が緩んで、何だか頭に締りがない。顔も寝ぼけている。色沢（いろつや）が気の毒な程悪い。それで御辞儀をして、どうも何とかですと云ったが、相手はどうしても鏡の中へ出て来ない。

すると白い着物を着た大きな男が、自分の後ろへ来て、鋏と櫛を持って自分の頭を眺め出した。自分は薄い髭を捩って、どうだろう物になるだろうかと尋ねた。白い男は、何（な）にも云わずに、手に持った琥珀色の櫛で軽く自分の頭を叩いた。

「さあ、頭もだが、どうだろう、物になるだろうか」と自分は白い男に聞いた。白い男はやはり何も答えずに、ちゃきちゃきと鋏を鳴らし始めた。

鏡に映る影を一つ残らず見るつもりで眼を睜（みは）っていたが、鋏の鳴るたんびに黒い毛が飛んで来るので、恐ろしくなって、やがて眼を閉じた。すると白い男が、こう云った。

「旦那は表の金魚売を御覧なすったか」

自分は見ないと云った。白い男はそれぎりで、頻（しきり）と鋏を鳴らしていた。すると突然大きな声で危険（あぶねえ）と云ったものがある。はっと眼を開けると、白い男の袖の下に自転車の輪が見えた。人力の梶棒が見えた。と思うと、白い男が両手で自分の頭を押えてうんと横へ向けた。自転車と人力車はまるで見えなくなった。鋏の音がちゃきちゃきする。

やがて、白い男は自分の横へ廻って、耳の所を刈り始めた。毛が前の方へ飛ばなくなったから、安心して眼を開けた。粟餅や、餅やあ、餅や、と云う声がすぐ、そこでする。小さい杵をわざと臼へ中てて、拍子を取って餅を搗いている。粟餅屋は子供の時に見たばかりだから、一寸様子が見たい。けれども粟餅屋はけっして鏡の中に出て来ない。ただ餅を搗く音だけする。

自分はあるたけの視力で鏡の角を覗き込む様にして見た。すると帳場格子のうちに、いつの間にか一人の女が坐っている。色の浅黒い眉毛の濃い大柄な女で、髪を銀杏返しに結って、黒繻子の半襟の掛った素袷で、立膝のまま、札の勘定をしている。札は十円札らしい。女は長い睫を伏せて薄い唇を結んで一生懸命に、札の数を読んでいるが、その読み方がいかにも早い。しかも札の数はどこまで行っても尽きる様子がない。膝の上に乗っているのは高々百枚位だが、その百枚がいつまで勘定しても百枚である。

自分は茫然としてこの女の顔と十円札を見詰めていた。すると耳の元で白い男が大きな声で「洗いましょう」と云った。丁度うまい折だから、椅子から立ち上がるや否や、帳場格子の方を振り返って見た。けれども格子のうちには女も札も何にも見えなかった。

代を払って表へ出ると、門口の左側に、小判なりの桶が五つばかり並べてあって、その中に赤い金魚や、斑入の金魚や、痩せた金魚や、肥った金魚が沢山入れてあった。そうして金魚売がその後にいた。金魚売は自分の前に並べた金魚を見詰めたまま、頬杖を突いて、じっとしている。

騒がしい往来の活動には殆ど心を留めていない。自分はしばらく立ってこの金魚売を眺めていた。けれども自分が眺めている間、金魚売はちっとも動かなかった。

白い服の男たちの担う「白」のシンボリズムはいろいろ考えられるが、第七夜とのつながりを活かせば端的に白人（の男）たちが動かす西欧近代社会である。それがいかに「スクエア」な社会かをこの「床屋」のホワイト・キューブ的な四角い空間が示している。この空間は「床屋」のそれとして意味付けられるより先ずは部屋である。そして理髪店を口実に、戸口、窓、そして何面もの鏡という形で幾重にも開口部を用意している。この調度自体が非常に西欧的なものであった。床屋と言えば椅子だが、鏡も椅子も明治末から大正期にかけ華々しいカルチャー・ショックであった。こうして何かを見る環境ということで圧倒的なものであり得る「床屋」を舞台に選ぶことで――断髪令が天皇の「散切り頭」をモデルにやっと浸透し始めていた――かつて江戸前の民衆文化の交流点という床屋から、文明開化の推進役としての「理容」店にと変る一大変化を「第八夜」は細部に至るまで徹底的に利用し尽くした。

この床屋と「見る」「見られる」という視覚現象の結び付きは偶然ではあるまい。正面の鏡像から目をそらそうとすると、白衣の主人に忽ち首をひねられて正面を見させられる。これは端的に視覚文化論の所謂「スコピック・レジーム」（マーティン・ジェイ）の状況である。人は権力が見させようとするものを見る、というかそれ以外のものは見たと認識しない。五色の金魚は忽ち目を惹く商品なのだから、床屋に入る時に目に留めていないはずはない。しかし見た記憶がない。それが主人に表に金魚屋がいただろうが、見たかと尋ねられてから店を出ると、ちゃんと金魚屋が坐って金魚を売っているのを目撃する。政治的誘導とバークレーの哲学をからめたバークレー哲学好きの漱石の奇想は絶品と言わねばならない。Esse est Percipi とバークレーは言った。パーシーヴされて初めてそのものは「存在スル」と言ったのだ。パーシーヴ、パーセプションとは端的に視覚を通じての認識の謂（いい）である。

もっと端的に、この開口部を持つ床屋のインテリア空間は直截のカメラ・オブスキュラである。明るい部屋なので別にカメラ・ルキダと呼んでも構わない。要するに外世界をレンズ入りの小孔を通して対向壁の上に逆立像として投射する構造。そう、我々が写真を撮る器具を呼ぶカメラは元々は、透視絵画術で世界を縮尺して、扱い易い世界〈像〉に変えてくれた画家たち愛用のカメラ・オブスキュラからオブスキュラがとれてしまっただけのもの。十八世紀ピクチャレスク美学ではクロード・グラスがこのカメラのファインダーの役を果したことについては、ぼく自身さんざん書いてきた。

私は目だ、とエマソンは言った。ユイスマンスは目だとか、モネは目だとか言う評言が一種流行語大賞と化していた十九世紀西欧視覚文化全体の中でも、エマソンは目だという。意味付けはやっぱり異様だが、F・O・マシーセンの『アメリカン・ルネサンス』は私（アイ）イーコール目（アイ）という形而上派詩人的な実存的言葉遊び（パニング）にアメリカにおいて再現される「ルネサンス」の真諦を見ようとした点、今なお圧倒的な意味を持っている。エマソン肖像を首から上に頭がのっかっていると思いきや頭大の大きさになった一個の目玉がのっている絵柄で描いたクリストファー・クランチの絵は、この『アメリカン・ルネサンス』の厖大紙幅をただ一枚の絵で理解させるカリカチュア史上の傑作だ。[1]匹敵できるのは岩崎灌園（かんえん）が描いたシーボルトの肖像画くらいか。シーボルトの目玉一個を五体から切りはなして宇宙に浮遊させている奇想画である。

私は目であると主張する人間がその目で見る世界はまさしくアイ＝フルな世界。つまりは世界の代りに私たる目が捏造した世界‐像が世界一杯を満たしている世界であって、汎神論者の世界に酷似している。『白鯨』で主人公が高いマストの上に立って見張り役をつとめていると、悠々たる大洋のリズムと共振して、世界と自分が一体化できる所謂「オーヴァー・ソウル」状態になっている、文体的にも音韻的にも催眠的（ヒプノティック）という他ない見事なパッセージがあって、ところがそこで思わず残酷な海中に転落しそうになった刹那に我に帰り、一命を全うする。「気を付けよ、汎神論者君！」というメッセージは多分、「世界霊」を幻視しようとした北米のネオプラトニスト、エマソンやチャニングに向けて発せられたものとされているが、その通りなのだろう。

「すると突然大きな声で危険（あぶねえ）と云ったものがある。はっと眼を開けると……」という『夢十夜』第八夜中間あたりの何気ない刹那に、ピークオッド号見張りマスト上のメルヴィルとエマソンのせめぎ合いを透かしみるような気がして、そのことの報告を一寸綴ってみた。

グローバリズムの現代だという。急速に広がる世界はそれに見合う広場恐怖の症候をうむ。ジョン・ダンの「お早う」という歴史的な秀什（しゅうじゅう）が示したのがその早い表現だった。今どき、世界の広がり、それに重なる「私（アイ）」の広がりをグローバリズムと呼ぶなら、それはそれについていけない精神との軋轢を生じる。この軋轢をこそマニエリスム（マナリズム）と呼ぶべきである。故八木敏雄氏の大著『マニエリスムのアメリカ』はぼくの「挑発」にのせられた結果と称しているが、何もアメリカン・ルネサンスならぬアメリカン・マナリズムは『詩作の構造』のポー一人に限定されるべきものではないというのが「挑発」者本人の感謝と苛立ちの相半ばする読後感である。同じくショッキングな、サントリー学芸賞当然な「アメリカン・ナルシス」という主題の著の著者の方がどれだけマニエリスムのアメリカの年代記作家としてふさわしいかわからぬ、ということにぼく、今頃気が付いて、遅まきのオマージュをささげようと思うのである。柴田元幸氏の出発点がエマソンであることを改めて思いだしつつ。アメリカ文学に関しては驚くべく無知なグスタフ・ルネ・ホッケの記念碑的マニエリスム論、『迷宮としての世界』（一九五七）がいきなり蛇々と（ネオ）プラトニズム美学を論じて、早くマニエリスム本体のことを知ろうとじりじりしている鋭意の読者をじらせたが、仲々象徴的だ。メルヴィルに「危険と云」われたエマソンが先ずいるのである。「ナルシス」にマニエリスム心理学の象徴を見てとったマエストロ柴田にしか、真のアメリカン・マニエリスム（マナリズム）の透視図は書けそうにないが、如何。[2] それにしても漱石という人は、凄いね。

（1）野田研一「エマソン的〈視〉の問題」。武藤隆二、入子文子編『視覚のアメリカン・ルネサンス』（世界思想社）に収録。

（2）「東京大学現代文芸論教室で、「定年」前に柴田氏が翻訳技術論の教材として使っているのが『ガリヴァー旅行記』と聞いて、巽孝之氏とトランスアトランティック批評を本格的にやるべきとする対談集『マニエリスム談義』（小島遊書房）を刊行したが、柴田氏が「イギリス」に手を出してくれたこの機会に、僕も懸案の『ガリヴァー旅行記』完訳を早く完了し（研究社）、アメリカ文学研究のもう一人の俊才とも、ぜひ『アメリカン・マナリズム』について心おきなく語り合ってみたい」（2020・8・19）

意外にして偉大な学恩　沼野充義讃

掟破りの体だが、感謝をこめて少々長い引用を。敬愛すべき沼野充義先生の文章である。まず、これ。

第一巻がほぼ九百ページ、第二巻が千ページもある途方もない規模の本だ。気軽に寝っ転がって読んだり、散歩に携えたりするためには（本来そういう読み方にふさわしい、軽やかな道化的知の戯れに満ちているのだが）、重すぎる。物理的な大きさだけの問題ではない。博覧強記の「学魔」として名高い著者の本だけに、膨大な内容が古今東西あまりに多岐にわたっているので、めまいがするほどだ。

高山氏は、英文学を出発としながらも、主として西洋における文学と視覚文化の接点に身を置き、万巻の洋書を片っ端から読んで、余人の追随を許さない知の網の目を構築し、すでに数え切れないほどの著書と訳書を上梓してきた。それなのに、主としてこの十五年くらいの間に、書きためた単行本未収録の文章を集めたら、またこんなに厚い本になってしまったのである。

だから、そう簡単に要約も紹介もできないのだが、全体を貫く「高山学」のエッセンスは、むしろ一見雑多なものを絡み合わせた見通しもつかない迷路の中でこそ、導きの糸のようにくっきりと浮かび上ってくる。キーワードはおそらく三つに尽きるのではないか。すなわち「ピクチャレスク」、「マニエリスム」、そして「結合術」。

「ピクチャレスク」とは「絵のような」という意味だが、狭い意味の美術史用語としては、十八世紀後半イギリスに始まる風景などの絵画的美を表す概念である。それを高山氏は十八世紀以降、三百年にわたる近代の文化全体を覆う「視覚的快楽」へと拡張し、その視点から洋の東西を越えてポー、泉鏡花、ブロンテ姉妹、シェイクスピアといった文学的素材だけでなく、様々な文化的事象を読みといていく。かくして話題は、顔、かつら、廃墟、庭園、百貨店、商標、鯨に及ぶ。漫画やポルノも射程に入るのは、もちろんのこと。アカデミックな文学研究者が従来、文学ばかりを追い、挿絵や視覚的要素を「二次的」なおまけとして扱う傾向が強かったとすれば、高山学はそれを根底からひっくり返した。高山氏の出発点の一つに、近代的知の構造を明らかにしたフランスの哲学者、フーコーの『言葉と物』があったが、高山氏はフーコーに欠けていたのは〈視〉の主題であると断言し、自分の道を突き進んだ。

「マニエリスム」もまた元来、狭い意味では美術史用語だが、高山氏のもう一つの原点となるドイツの文芸学者、G・R・ホッケが熱く説いたように、もっと広く近代文化全体の底流をなすものだった。それは奇想、迷路、謎に満ちた、変則的で不調和なものの美学である。

そして、結合術。「異質観念の暴力的野合」こそはマニエリスムの骨法だと高山氏は言うが、これこそは彼の著作の根幹をなす手法と言ってもいい。驚くべき博学があらゆるものをあらゆるものと結びつけ、それまで予期もしなかった新しい光景が開けてくる。坂口安吾とバフチン、平賀源内と夏目漱石、どたばた喜劇と自動車、クマのプーさんと戦争。

このような高山学の集大成を見渡して、改めて思うのは、そこにしばしば言及される先行者や同時代人たち——澁澤龍彥、種村季弘、由良君美、山口昌男、松岡正剛など——とともに見事な知の星座をなしているということだ。高山氏の著作自体が巨大な知の迷宮、いや汲めども尽きぬ宝箱を蒐集した「驚異の部屋」のようなもので、読者はいったんそこに迷いこんだが最後、なかなか抜け出せなくなることだろう。しかし、ある種の知的爽快さが感じられるのは、その世界が閉ざされた空間ではなく、必ずどこかと、誰かとつながっているという感覚を与えてくれるからではないか。

高山氏の知は、次から次へと面白いものを見つけては素直にその魅力にのめりこんでいく「渉猟」型の知である。自分の内面にこだわり、自己表現だけに心血を注ぐといった、文学者にありがちなタイプではない。そのせいなのか、文章はときにかなり乱暴なこともあり、あまりの博識の威勢のよさに文体的洗練がついていけない、といった風だ。また日本の大学やアカデミズムの現状に対しても攻撃的で胸のすくような批判の言葉を平気で吐き（第一巻巻末の首都大学東京批判は、大学関係者必読である）、自分の私生活まで（愛人と出奔したことまで！）平然と書いてしまう。その全部をひっくるめて、高山宏の魅力と言うしかない。

読み通すことは難しい本だが、どこからどう入っても知的興奮を味わうことができる。大いなる〈眼の快楽〉を読者に与えてくれる無数の図版をあしらい、丁寧な索引を添えて（索引こそはこの「知の百科」にとって命である）このように巨大な本をつくるのは、並大抵の仕事ではない。その意味では、この本の陰の立役者は編集者ではないか。その功績も大いに称えられるべきだろう。

これが第一の文章である。ここまで自分の文業、どころか長い人生そのものがただ一篇の書評にまとめられて了うなど、想像もしていなかった。というか誰かこの本を「概括」して第三者に理解できる「評」を書ける人間が自分の生前に現われるとさえ考えていなかった。それが自分の本、二冊に分かれて刊行された「新人文学感覚」（羽鳥書店）で、二〇一一年の五月にその半分が『風神の袋』という題で出て、同い年の十一月に残り半分が、想像通り『雷神の撥（ばち）』という標題のもとに世間に出た。その巨大書――この頃はやりの「兇器本」「鈍器本」のイメージの嚆矢（はしり）と言う人も多いが――二冊を引っくるめて「御用」にしたのが畏友沼野充義による右書評である。自分の制作過程のイメージではこの二艦は一が大和、他が武蔵だった。一がビスマルクであり、他がテルピッツだった。頭の中をいつも「弩級戦艦（ドレッドノート）」という言葉がかけ抜けていった本。「一億総特攻の魁（さきがけ）」という気合だったが、僕が何を言いたいのかがこれでわかる最後がきっと沼野君の世代なんだろうなあ。まさか『毎日新聞』みたいな天下公器でそうした物騒な言葉で一冊の人文書を評すわけにもいくまいが、「破滅型文士顔負け」の一語を以て、僕は他に一篇の書評も出なかったことへの心からの侮蔑への溜飲をさげた。世の「書評」ジャンルの志の低さに絶望していた高山宏は書評子諸賢への挑戦のつもりでいつもにも増して空中分解スレスレの得体も知れぬ鵺（ぬえ）のような巨著を構成していった。案の定、一番目立つ質量の本なのに一篇の書評も見ることはなかった。書く者あるとすれば鹿島茂か大沼野かと思っていた。ベンヤミンと高山宏と流石なことを言った故八代梓（やしろあずさ）（笠井雅弘）と僕の中で並ぶもう一人が鹿島氏で、僕はたまに悩んだ時、仕事師として励みに思い出すのが右に鹿島、左に沼野を配したこの幻の人脈構図なのだが、そもそも右一文も含め沼野による高山評の悉くが鹿島氏父子が始めた世界文芸企画史に残る全書評サイト中にすべておさまっていて、ふうん鹿島もそういうふうに感じているのかと心から生きてきて、書いてきて良かったと思うのだ。鹿島氏は文化史の方に僕を引きつけて、「十九世紀の首都パリ」以外に「嫉妬」を感じさせる本として『世紀末異貌』と『テクスト世紀末』の二拙著を最高の精度と、最強の批評的ウィットで読破しさったのだが、文業全体の把握ということでは、「概括」では（まさしく帝政ロシアの「能吏」という雰囲気がある）ヌマノビッチ・ミツヨスキーにはかなわない（心の通う数人の仲間同士の間では御大、

「ヌマノビッチ」の綽名で通っていた）。しかし如才ない、落ちたポイントひとつあるでない右一篇の書評に、他の誰にも摑み切れないままで終りそうな僕の文業の終りの方から見た総整理をされて了った。見掛けよりは遙かに周到な手練（てれん）の評価芸と感じ入り、今も切り抜きを自参の『風神の袋』のタイトルページに貼りつけてある。

終りの方からまとめられちゃったよということを言ったが、実はそもそものはじめにヌマノビッチがいたことを言っておかないといけない。僕の書評氏一統を最初からせせら笑う構想はのっけの兇器本、『ブック・カーニヴァル』（自由國民社。一九九五年。沼野充義と風間賢二と高山宏を同時にイーヴンな視野に入れていた編集人、森誠一郎氏に、顧るにきみはやっぱり偉大と言っておこう）に唯一、書評を寄せてくれていたのが沼野充義であったことに或る時、気付いて胸打たれたのだ。はじめも終りも、あの本の書評は沼野先生にとか言って関係者に提案とかお願いとかした記憶はない。悪食（あくじき）の故山口昌男氏すら書評しなかった高山宏大艦巨砲本のはじめと終りに沼野充義がただ一人付き合い付れ添ってくれていたのは絶対偶然ではなかろう。その間の僕に一番丁寧に付き合ってくれた人にアカデミー内では巽孝之神がいるし、アカデミー外では松岡正剛神がいるわけだが、誰もが処置に困るはじめと終りの兇器本三点に限って言うなら沼野ただ一人。業界内部での偶然、偶発事と言ってすまされない構造的な機縁をこの人には感じている次第である。

良い機会だから、はじまりの高山宏と沼野先生の出会いを記念して今度はその『ブック・カーニヴァル』への『毎日新聞』沼野評も引いておこう。

あまりに厚い本なので、思わず物差しを取り出し、測ってみた。厚さがほぼ6センチもある。ページ数にして1198。各ページにびっしりと活字が詰まっている。けたはずれの規模の本だ。いや、物理的な厚さとか量だけの問題ではない。ここに詰め込まれた知識の幅の広さ、本に関する情報の豊富さは、圧倒的なもので、とうてい一人の人間の頭脳の中に納まるようなものとは思えない。しかし、その不可能を可能にしてしまったほとんど超人的な「脱領域」の知の鬼才が、まだ四十代半ばの高山宏である。高山氏の「専門」はもともと英文学だが、もはや専門などはとうに踏み越え、ありとあらゆるものに手を出しているがゆえに、何もやっていないにほとんど等しい、といった奇妙に透明な境地に達している。そんな著者に専門のレッテルを貼っても、意味はないだろう。

これほどの知の椀飯振る舞いが6600円とは、信じられないほど安い！　ただし、ここで繰り広げられている知の饗宴を楽しむためには、かなり強靭な胃袋が必要だ。高山氏は、本当に美味しいものをちょっとだけゆっくり味わうといった流儀とはまったく無縁である。美味しいものが一つあれば、いやこっちのほうがもっと美味しい、そういえばこの間食べたあの料理も、といった具合であっという間に料理は十品、二十品を数える。その中にはひょっとしたらゲテものも紛れ込んでいるかもしれないのだが、悪食をものともせず、次々と美味しそうなものに食らいついていく果てしないパワーが、この唖然とするような膨大な本を産み出した。

それにしても、これはいったい何の本だろうか。常識的に言えば、書評や、翻訳の解説、そして雑誌などに発表した論文やエッセイを集めた「雑文集」ということになる。話題はヨーロッパを中心とした、広い意味での文学、美術、文化史、精神史といったところ。しかし、不思議なことだが、「何について」書かれたものかと考えたとき、この本はその膨大さにもかかわらず、いや膨大であればあるほど、すがすがしいくらい空っぽな印象を与える。著者はおびただしい量の書物に言及しながら、決してその一冊一冊の内容の細部には拘泥しない。むしろ、内容など二の次と言った乱暴さで、専門領域や言語や地理を嵐のように超え、様々な書物と書物を結ぶ「知の線」を描き出すことに熱中するのである。

こうして浮かび上がってくるのは、意外な結びつきによって生まれた壮大な書物の星座、いや書物の宇宙とでも呼ぶべきものだ。極論すれば、そこで肝心なのは様々な書物の結びつき方であって、書物それ自体の内容ではない。本書で初めて公開される独自のカード・システムや、講義や論文執筆のための「チャート」も、結びつけることだけが本当に大事なのだという姿勢をよく示している。高山氏がその驚異的な博識にもかかわらず、知識そのものに淫することがなく、専門的知識などいつもいさぎよく捨てられるといった姿勢を取っているのも、おそらくそのせいだろう。

そして、本書の前半に「知識形成史」、つまりある知識がどういった環境で、どういう人との出会いによってつくり出されたか、を論じた文章が多いのも偶然ではない。山口昌男の『本の神話学』をこの分野の先駆的著作としてたたえながら、高山氏はワールブルク研究所、エラノス会議、ボーリンゲン基金といった「知のネットワーク」について熱っぽく語っていく。そういった文章が雄弁に告げているのは、新しい書物や知識の誕生は、結局、人と人との出会いに帰すという思いがけないほど月並みな事実である。

そこからまた、本書のもう一つの驚くべき仕掛けが生まれた。高山氏は101名にものぼる友人や同僚たちから、「高山宏について」論じた寄稿をもらい、それをすべてこの本の中に混ぜてしまったのだ。寄稿者の顔ぶれは山口昌男、種村季弘、荒俣宏、田中優子といった著名な文章家から、高山氏と組んで仕事をしてきた優秀な編集者にいたるまで、多士済々。このようにして高山氏は、他人の知のネットワークについて論ずるだけでは飽き足らず、自分自身のプライベートな知のネットワークを自分の本の中に組み込んだのである。そもそも、この本は学問や知識について傍観者的に論じたものではない。いたるところに著者自身の罵りや怒りの言葉がちりばめられ、注意深い読者には、破滅型作家顔負けの著者の姿を本書のあちこちから組み立てることもできるようになっているのだ。そして、世間から「道ならぬ恋」として指弾されるに違いない著者の純愛の成り行きさえも。そのすべてが「タカヤマ」の世界として、この本の中には含まれている。どうやら高山氏の究極の選択は、書物の世界にのめり込んで自分を消すというよりは、むしろ自分自身を一冊の書物に変えてしまうということだったようである。

「澁澤［龍彦］らがさしずめ世界書物から自己鋳型を抽出すること、つまり書物の自己化を好んだのに対し、高山はもっぱら世界書物への自己の圧延を、いわば自己の書物化を好んだのである」という松岡正剛神の高山宏観を支えに僕は生きてきた（「書物の食卓」）。一般読書愛好家向けの易しい言い方で同じことを言ってのけた最後の二、三行に、概括におさおさ怠りのない能吏の、しかし明らかに凡百の能吏とは精度の違う沼野充義の批評眼と文章技術を感じ、最後まで変ることのなかった対高山観に改めて驚き呆れ、ひょっとしたら最初から三十有余年、ほとんど何も変わることがなかったのかも知らぬ我れと我が仕事に自負・反省こもごもに思いをいたさざるを得ないのである。

沼野先生による初めと終りの高山宏観を鏡にして、ということなのだが、ここに全文引用した二文を支えにやってきたということでもある。支えということなら松岡正剛による右評に劣らず支えになってくれたものが、兇器本サイクル以前の沼野氏による高山評の一文でもある。書評ではなく、ズバリ高山評であるし、『ブック・カーニヴァル』に（「101名」のおひとりとして）沼野氏に寄せていただいたこの御文は『ブック・カーニヴァル』に再刊・復刊の意図が原理的にない以上（ある時期の僕の身も心もが至った「死」の墓碑(オビチュアリー)として出発した企画だったのだ）、とても変った図書館が近辺に存在しない方にはおそらく永遠に見られない文章なので、このまたとない記念の機会に、もう一文追加ということで最後に引用しておく。僕の学業・文業のはっきりした出発点が一九七四年から二年間の東大教養学部助手時代の五万冊図書のレファレンス・カードづくりであったことは何度か書いたが、時になんでこんな作業にあたら青春をと行き詰まることもあった。その時、セミョーン・ヴェンゲーロフの思い立ったカードづくりがロシア・フォルマリスムの胎動をひき起こしたことを記した山口昌男氏の『本の神話学』を日夜バイブルとしたという僕の文章に既に高名だったスラヴ文学者が付した、他には誰も書きようのないこの「日本のチジェスフスキーとしての高山宏」という一文だった。キリル文字は見るだにぞっとする相手だったが、僕がとにかくスラヴと東中欧、ロシアは間に英語を入れようと入れまいと本気でやらねばならない相手と覚悟したのは沼野氏のこういう面白い御指摘であった。こうだ。

高山宏は日本のドミトリー・チジェフスキーみたいな人だと、かねがね思っていた。といってもチジェフスキーが何者か、スラヴ研究者以外にはほとんど知られていないはずだから、少々説明がいるだろう。

高山宏自身が何度か書いていることだが、東京大学の助手として雑用に追われ、鬱々たる（？）日々を送っていたところ、彼は英語科の蔵書に目を通し、その一冊一冊の内容を把握したうえで、複雑なクロス・レファレンス機能を備えた、独自のカードを作るという気の遠くなるような作業に明け暮れたという。一冊一冊の本の内容が生命力旺盛な植物の根のように複雑に絡み合い、十冊、百冊と冊数が増えるにしたがって、幾何級数的な激しい勢いで増殖していく、書物の銀河系。本をろくに読み使うことのできない自分の上司の教授たちに対する軽蔑と怒りを胸のうちに秘めながら、殺風景な助手室で、あるいは薄暗い書庫で、一人黙々とカード作りに励むタカヤマの姿は（もちろん、これは想像であって、その姿を実際に目撃したわけではないのだが）、果てしなき書物の宇宙の司祭のように見えたのではないだろうか。

こういったカードによって現出した、あらゆるものがあらゆるものと絡みあう、壮大な書物の宇宙とは、いかにも高山宏の知のありかたそのものという感じがするので、どうして彼がこのような、ほとんど無謀な試みに着手する気になったのか、などといまさら問い返す必要もないように思えるほどだ。しかし、僕の記憶に間違いがなければ、彼自身はどこかで、そのきっかけとして、ロシア・フォルマリストたちの師匠の世代の文学史家、セミョーン・ヴェンゲーロフ（一八五五—一九二〇）の挿話を挙げていたのではなかっただろうか。いくつもの百科事典の編纂に関わった、他の追随を許さない圧倒的な博識で鳴らしたこのロシア人は、自分のあらゆる知識をカードに整理していたのだという。そのカードの織りなす絡み合いから、二十世紀ロシアの輝かしい文学研究が生まれたのだとすると……。この挿話を知ったとき、タカヤマには閃くものがあったに違いない。

ところで、カードによる膨大な知の集積ということで、僕がすぐに思い出すもう一人の碩学は、ウクライナ出身のスラヴ文学研究者、ドミトリー・チジェフスキー（一八九四—一九七七）である。ロシア語はもちろんのこと、チェコ語、ポーランド語など、ほとんどすべてのスラヴ語を自由に読みこなし、スラヴ諸民族のすべての文学に、その起源から最新の作家にいたるまで通暁し、スラヴ語以外にも、ドイツ語や英語で多くの著作を残したこの怪物的な学者は、やはり膨大なカードを集積していたという（ちなみに、チジェフスキーはスラヴ圏におけるバロック的なるものに関する先駆的研究でも知られているので、この点も高山宏との類似を思わせる）。生前の彼を知っていたアメリカのスラヴ文学者から僕が聞いた話では、あるときフランスのやはり高名な学者、アンドレ・マゾンがチジェフスキーに会ったとき、こう言ったという。「チジェフスキーさん、あなたは論文や本をたくさん書かれていますが、むしろあなたがこれまでに蓄積されたカードを公開したほうがいいんじゃないですか。そのほうがわれわれにとって、きっと有益ですよ。」

もちろん、この言葉には、あまりの博学にときに文章表現が追いつかないといった趣のあるチジェフスキーの書き物に対する、軽い皮肉もこめられてはいるだろう。それに対して我らがタカヤマは、言わば文体を踏み越えていく山口昌男流のパワフルな博覧強記だけでなく、澁澤龍彦を思わせる洗練された文人趣味をもかねそなえた稀有な人物であり（それにしてもどうして、この二つが一人の人間のうちで同居しうるのか。僕にはほとんど奇跡としか思えない）、彼の文章にはマゾンの皮肉な言葉を誘う隙はないのだが、しかし、それでも彼の恐るべきカード・システムを覗いてみたいという誘惑には、やはり打ち克ちがたいものがある。拙文が収められるはずの、この『ブック・カーニヴァル』は、われわれ読者の日頃からのそういった渇望を多少はいやしてくれる書物として、特に画期的なものになるのではないだろうか。

顔も知らぬ書評家がジュディス・ウェクスラーの『人間喜劇』を訳した僕の訳業を短い書評で余りに的確に評するのを見て、鹿島茂侮るべからずと肝に銘じたように、その後僕がピクチャレスクをやっても『庭園の詩学』のドミトリー・リハチョフが一番気に掛る相手になり、マニエリスムに目を向けながら最後は『デーモンと迷宮』のミハイール・ヤンポリスキー耽読に辿りついてしまったのも、いやいや、翻訳者としての自分の最初にして最後のあこがれが結局は川端香男里先生訳のミハイール・バフチーンのラブレー論であってしまうのも、考えてみれば全てこのチジェフスキーたれという沼野先生の一文の衝撃に発していたのだと、知らぬ間の大学恩に慄然とする現在である。

屈辱まみれの学業・文業だったが、数少ないながら勲章もあり、その最たるものが文学系最後のアカデミーかと噂されていた東大現代文芸論に招かれたこと。学生も脱領域の志ある男女に満ち、助手も加藤有子(ありこ)といった将来を楽しみにさせる敏活な言葉で僕をいつも感心させる諸氏に恵まれ、いつも英語やポーランド語が飛び交う、三四郎池そばの塔のような溜り場で、とてもいけないこの講師は缶チューハイをぐっとあけては授業棟に向かった。なに喋ってもよいですよと幾つもの言葉を操る「世界文学」の大先生に言われて、長い教員生活中にもとびきりのパラダイスだった。沼野先生にはしてもらうばっかりで御礼らしきこと何かやって差し上げたのかしらん。週刊朝日百科が「文学を見よ」を標語に三年ほど掛けて世界文学というコンセプトで大企画をたてた時、キリル文字コンプレックスの僕がまず委員として推したのが沼野氏だった。御礼もなにも、すぐ「世界文学」者として巨大な姿を現わす御方への、今考えてみるだに当然至極の選択であった。

かく、高山宏の始まりと（一応の?!）終りに沼野充義がいる。大兄の（と言って僕より七つも若いと知って改めて愕然）文業のいやさかならんことを。記念として老友がまた意地悪な弩級戦艦一隻をプレゼントする。『トランスレーティィッド』という「厚さ6センチ」本だが、これもまた手を出せる評者は大兄しかいまいさ。同じ時代に生きてて良かったよ、沼野君。本当にご苦労様でした！

ボルヘスと私、と野谷先生

野谷文昭氏の方は知らないことのはずだが、ぼくは野谷文昭先生に大きな恩義がある。この機会にそのことを述べて御礼にも替えよう。ひょっとしたら日本の英（米）文学界が示して然るべき恩と御礼と言って言えなくもない。それは大袈裟かもしれないが、ボルヘスを介して英文学史全体が見通し良くなった、少なくともそのひとつのきっかけを野谷先生がつくったと言える。そのお話を。

舞台は月刊誌『ユリイカ』の、数字九並びで記憶に残る一九九九年九月のボルヘス特集誌上の対談で、多分その号の宰領者たる野谷氏が対談相手にぼくを選んでくれた、その対談「火と代数の文学」である。それまでぼくにはまとまってボルヘスを論じた仕事はひとつもなく、「ボルヘス学会」から見れば何者でもなかったのだから、今でも氏に「何故なの」と尋ねてみたい気もする。

ほとんど視力なしという条件やら、一寸だけ風変りな博学趣味やらで、よく何故いかにもというボルヘスをやらないのと言われていたし、翻訳で読めるものはほぼ読み知ってもいて現に相当近い、というか似た相手だと感じていた。ボルヘスの場合、翻訳で読めるという時、相手は相当量の英語版でもあって、英訳されていた部分は全て読み知っていた。

日本へのボルヘス紹介の尖兵が故篠田一士氏であることは皆知っている。仏訳されたボルヘスからの重訳であるにしろ、こんな作家がいると逸早く伝えた着眼、目利きぶりには深い敬意を表さねばならない。文学起業家シノダとしては最大の鴻業であるに相違ない。

ところで、というかところが、というか、大なる敬意を表すべきこの御大に侮蔑と敵意を抱くようになるつまらぬ事態がいろいろ生じて、氏の衝撃的な死にいたる十有余年という貴重な時間、大人気ない最低の没交渉関係となって了い、大学同僚なのに思い出せる言葉のやりとりだけで十回あるかないか。その辺、いろいろな所に書いた。

その一回あるかないかの一回がボルヘス『伝奇集』の篠田一士訳（集英社）に関するやりとりで、『ドン・キホーテ』の作者、ピエール・メナール」をボルヘス全作品のメディア論的位置付けへと開くはずのライプニッツの『カラクテリス・ウニウェルサリス』を「普遍的性格論」と訳しておられるが、この「カラクテリス」は寧ろ、キャラクター広義の「記号」とか「文字」とか訳すべきものので、今ちょうどライプニッツブームだし、いろいろ言われますよ、次の版では是非直された方がと「進言」したら、無学の若造にボルヘスの何がわかると一喝された。別訳者の岩波文庫版『伝奇集』の方がどうなっているか、こわくて見ていないが、篠田訳は何度か版を改めるたびに、しかしずっとこの過ちを繰り返し続けた。「若造」から言われたのを無視なら可愛げだが、やがて氏の尊敬するウンベルト・エーコの『完全言語の追求』が邦訳されるにいたって「普遍的性格論」がいかに正確でなかったか愕然とされることもあったはずだが、篠田氏すでにこの世になかった。ライプニッツが近代に媒介し、そのプロセスの一六六七年にコンピュータ言語（0／1バイナリズム）さえ生むことになるユニヴァーサル・ランゲージ・スキームズ（普遍言語構想）が二世紀半ほどしてシンボリック・ロジックを生むが、マラルメ、ヴァレリーがらみのこのこれまた広義のシンボリズム、サンボリスムもボルヘス大賞玩のエリアである。『伝奇集』中の訳は、もはや当然のように「象徴的論理学」となっていて、これも「記号論理学」でないと何のことか分かりませんね、と序でに申し上げたのに、結果は同じことだった。

こういう流れを全て把握した上で、カラクテリスに関わる問題を二十世紀に開いたのが『哲学事典』の大フリッツ・マウトナーである。一緒に受賞したベケットも、ボルヘスもマウトナーの仕事を最大の霊感源としていることも周知。それが篠田訳では「モースナー」。非常に偉大な存在という扱いをボルヘスがしているものだから、はてさてそのモースナーを知らないで自分はボルヘスを読んでいるのか、とか思って英訳本で欧文綴りを見て、シノダの奴め！と、これは破顔一笑するしかなかった。

それやあれや、大篠田がボルヘスに見た「文学」とは何だったのだろう、と一九九九年九月当時、ぼくはすっかり、このレベルで回っているボルヘス学会／学界に一切関心がなかった。そこに野谷氏との対談の話。自分では何となく相当分かってしまったと勝手に思い込んでいたボルヘスをめぐって、当時最強のボルヘス・エキスパートと目していた氏とやりとりしなければ、という思い詰めた気合で、手に入るボルヘス作を片はしから読み直した。そしてこの短期間（一ヵ月！）のボルヘス再読を介して、かつて一度も考えたことのなかった高山版〈小〉英米文学史記述の構想が固まった。問題のボルヘス対談の翌二〇〇〇年に出した『奇想天外英文学講義』がそれである（当時は講談社メチエ叢書）。ぼくの本としては珍しくよく売れ、講談社学術文庫に『近代文化史入門』なる超ダサッ！タイトルで入っているが、この生みの親こそ、だから、対談相手にぼくを選んだ刹那の野谷文昭である、ということになる。大恩義、である。

自分で言うのもなんだが、この本はひとつの画期である。何十年後にどういう評価を受けているか知らないが、二十世紀に可能な英文学研究のひとつの整理、というか精算をしたつもりだ。端的に言えば司教ジョン・ウィルキンズの『真正言語論』を取り込むと英文学史がどう変り、どう見えてくるかという一点から出発したのであり、先のコンピュータ言語の出発もまさしくそうだが、一六六〇年、清教徒革命終了の十年間が二十世紀に向けての「新しい」英文学像の起点であるという着眼だった。そこで言語観、ひいては文学観、ひいてはメディア観が一変するのだが、そこを突いてから展開していく英文学史は、でなければ究極書とされても良いピーター・コンラッドの『エヴリマン英文学史』でさえ全然手付かずだった。ボルヘス自身の『イギリス文学講義』も落第！

ボルヘスの今でこそ画期とされるエッセー「ジョン・ウィルキンズの分析的言語」は『異端審

問』（一九五二）の中の白眉である。中村健二氏による邦訳刊行は一九八二年。これを読んで、やはりうじうじと周辺をなぞるばかりでラチのあかなかったぼくの近代「カラクテリス」論は一挙にはずみがついて、すぐ『メデューサの知』（一九八七）に結実した。

キーはロンドン王立協会である。十七世紀初め以来、地下に潜行してきた薔薇十字団が一挙公然化し、あまつさえ勅許をえて、近代最大最新の理系アカデミーとなったもの。その初代総裁と目されるのが（宗教上の理由で総裁にはならなかった）ジョン・ウィルキンズであり、その主著がリアル・キャラクター、即ち「真正言語」論である。一六六〇年代の英仏を席捲した普遍言語実現の運動は文学から「曖昧さ」や「パラドックス」を除けと主張する理系学者のグループが推進した。まだ誰にも言えていないが、「トレーン、ウクバール、オルビス・テルティウス」で幻想の国家をつくり出す謎の学者集団とは端的に十七世紀薔薇十字系のこれら理系学者たちの運動を指すもの、と読めてくるのである。「オルビス」と聞いて初学時、ぼくなど、そうした薔薇十字系知性集団の領袖、ヤン・コメニウスの代表作たる『オルビス』を連想しないわけにいかなかった。一六六〇年代を転換点とするこうした言語と表象をめぐる動きの結果、謎の国家が狂った百科全書の中に出現するわけだが、そうなると何ということはない、その幻の国家こそ「近代」というに他ならないだろう。そういう表象をめぐる新しい動きを一六六〇年代英国を舞台に明るみに出したのは、たとえばジェイムズ・ノウルソンの『英仏普遍言語構想』であって、一九七五年刊。ジョン・ウィルキンズをただの永久機関研究の失敗者の地位からコンピュータ言語研究へのとば口の地位へとアップさせたのだが、その二十年も先にそれをやってのけていたのが「ジョン・ウィルキンズの分析的言語」である。しかもミッシェル・フーコーが表象論の古典、『言葉と物』（一九六六）をボルヘスのこのエッセーを枕に語り始めたその刹那に、文学研究と哲学研究が〈表象〉の営みということで何間然するところがなくなった。そこの弁えなくして、「王立協会の息子たち」なるデフォーやスウィフトを、「小説家」として論じても、ほとんど無意味である。

王立協会の言語観では十七世紀の所謂バロック的文学は曖昧・逆説嗜好を批判されて、覿面に消滅する。その必死の名残りが考証文学の華たるサー・トマス・ブラウンのまさしく迷宮的文体、アレフそのもののエッセー群である。ミルトンやマーヴェルをやる人間はいるのに同時代のブラウン卿をやる人間がいないのは英文学研究の過失だね、と生前、仏文学者の澁澤龍彥氏はいつも「英文学者」の僕にこぼしていた。『言葉と物』刊行の一九六六年にはフランセス・イエイツの『記憶術』も出、そしてロザリー・コリーの『パラドクシア・エピデミカ』も出た。因みにグスタフ・ルネ・ホッケの『迷宮としての世界』の邦訳もこの年に出て、「記憶術」も「パラドックス」も「マニエリスム」の範疇に入るという壮大な図式がこのあたり、一挙に出来上る。「アレフ」が「ザヒール」に化す、「魔術」が「表象」に克服され、という「近代」なる問題がこうして総体として「マニエリスム」の語で語り得る、バロックと言う代りに「マニエリスム」と言ってみると、ボルヘス・マニエリスト論がなおいくらも可能では、とぼくは野谷氏を相手に喋り続けた。

笑いながら、『ユリイカ』の今特集にボルヘスの「思考機械」論を『家庭』誌から訳して入れてありますよと野谷氏は仰有った。雑誌が出て急いでのぞいてみるとまさに冷汗三斗、ズバリ、ラモン・ルルスのマニエリスムをボルヘスが縷説していた。先生は黙ってぼくや『デジタル・ナルシス』の西垣通氏の数歩前を行っていた！　野谷文昭とはそういう御仁である。

一九二六年のトランク
——『ファンタスティック・ビースト』と『ハリー・ポッター』の世界

ハリーが新たなゴーレムと知った途端、少年の幼い額に刻まれた稲妻形の傷が、「真理」の文字を額に持つ原ゴーレムのそれと重なるものと感じられて、これは相当大仕掛けなカルチュラル・ヒーローの物語と知れてくるのである

——『風神の袋』

ディティール・マニアではないけれど、
脚本にはない背景も
やっぱり知りたくなるんだ。

——エディ・レッドメイン・インタビュー

1 「マジ?」カルな市場

話題の映画『ファンタスティック・ビーストと魔法使いの旅（原題 Fantastic Beasts and Where to Find them）』は「ハリー・ポッター」の新シリーズということになっている。封切り前から『ファンタビ』と略称で呼び交されているほどの話題作だが、「ハリポタ」本体との明々白々な繋がりは当然だれしも知り、論ずるところになるだろうから、ぼくとしては、わずらわしげなディティールに立ち入ることのできない、まだ見てない人間の特権を活かして、というか、ぎりぎり知りうる限りの基本的な設定について思い付く限りのことを書いてみる。基本的な設定だけでもう十分過ぎるほど考えさせる突っこみどころ満載なので、「ハリポタ」との繋がりとは別に非常に良くできた話だと思う。これはスピンオフ、ではない。とかいうと、いきなりルネ・マグリットふうだが（「これはパイプではない」）、トランクから魔法動物がと聞いただけでぼくはマグリットがハイ・モダニズム運動の渦中に描いた傑作、《夢の鍵》のトランクのことを考え始め、マグリットが熱愛したはずのルイス・キャロルの『鏡の国のアリス Through the Looking Glass and What Alice Found There』の原題のことを忘れさせてしまう巧みな邦題の怪我(けが)の功名たる「魔法使いの旅」というフレーズで、旅のマジシャン、あのハリー・フーディーニのことを、脱出芸を一個のトランクから思い付いた（かも知れない）もう一人、史上に名高い「ハリー」のことを考え始めている自分がいる。『ファンタビ』の舞台が一九二六年に設定と聞いて、そんなぼくは思わず忍び笑いを漏らす。ハリー・フーディーニが亡くなった年、「マジックの黄金時代」が終わったとまでいわれた年だからである。これ「脚本にはない背景」かも！

そう、映画を見るより以前にぼくの頭を一杯にした『ファンタビ』の基本的な設定と先に書いておいた、まさしくその設定とはつまり一九二六年のニューヨークが舞台であり、キャラクターが英語でいうマジシャンであるという事態のことだ（あえて日本語で魔法使いとはいわないでおく理由は、明敏な読者にいう必要もないだろう）。一九二六年のニューヨーク、そして旅のマジシャン。この二点を一度に語れるものが何かあると便利なのだが、ウィット溢れるJ・K・ローリング女史は直球ど真中に一個のスーツケース、というかトランクを、旅行鞄をその道具に選んだ。「鞄」という字も仲々にマジカルな字面（じづら）をしているが、トランクにも引っくり返るような深く面白い「文化史」がある。それをまとめて全部ぶちまけようという素晴らしい着眼だ。映画ポスターのせいもあるが、走り抜けていくコミューター・トレインを、大きな旅行鞄を提げながら見下している主人公魔法使いのイメージはいかにも鮮烈である。マジックの終りと始まりが交錯し、封じ込めながら突然の開けの誘惑にも満ちたトランクを時代のアイコンとした一九二〇年代、ハイ・モダニズムの大都市が豊かに担った記号どもの交代劇を、このポスターはううんとうなるしかないほど絶妙にかすめとった。

一九二六年のニューヨーク。三年後、全世界を震撼させるウォール街大恐慌の大震源地たる時と場所。一度経験してしまった世界破滅戦争の記憶も薄れぬうちに早くも行進する次の軍靴の音が聞こえ始めてきたいわゆる戦間時代。合間の快楽をむさぼるがごとくに文化は頽唐し爛熟した。時代のキーワードは端的に「狂(フォーリー)」。当時のニューヨークでならそれはジャズ・エージと呼ばれたはずだ。結局、もうひとたびのハルマゲドン戦禍の直因となった時と場所を選んで『ファンタビ』は、第二次世界大戦とそれに流れ込む時代の闘争と危険の風土(クリーマ)、とはつまり、集合意識の昼がついに知りえぬ次元でのマジシャンとノー・マジ(シャン)との血みどろな闘いの、割と目に見え易い――だからこそ映画にもできた!――部分だったのだという造り、というか含みを持たざるをえないだろう。「ハリポタ」が長い長いイングランド(ロンドン)対スコットランド(エディンバラ)の血みどろ闘争史を隠し持っていたように、大英帝国史が今や世界全体の経済戦争の終幕劇に繋がっていく歴史的瞬間を、『ファンタビ』は問題にしている。ローリング女史、なんだか映画をやめたピーター・グリーナウェイの代りをつとめ始めたみたい。そう、もうこれは直截に荒俣宏先生の『帝都物語』のライヴァル! あるいは微視の歴史家カルロ・ギンズブルグの、歴史学のテキストというよりははっきり映画化こそが望まれる『ベナンダンティ』、あの「夜の戦い」の強力ライヴァル! 世界大戦勃発に与えられる魔術的根拠!

トランクは、一九二〇年代にニューヨークを世界最大の金融都市にのしあげさせた近代グローバル経済の印(アイコン)である。金が魔術であり、ビジネスが魔術であること、すぐだれにでもわかるこのメタファーを『ファンタビ』は文字通りのものにして演出してみせたともいえる。ついに戦間時代のニューヨークに行きつく膨満と格差の近代経済が十七世紀後半の英国に発したという話は、またかといわれるのもいやだし、ここでは繰り返さない。一枚の紙っきれで物や人の誇りや存在を「交換価値」にすりかえていく表象の制度全体が十七世紀後半の英国に出発したわけだが、その代表格が経済であり市場であった。も一度いうが、一枚の紙きれが化けた紙幣を満載したビジネスマンの提げたトランクはもうそれだけで十分マジカルという言い方もできるぐらいだ。

表象の制度全体が限界に達した時代が一九二〇年代、まとめて表沙汰になった。ひとつの象徴が世界金融市場の崩壊だったが、もう一面ではアートも同じ批判的様相を示した。というところで《夢の鍵》のルネ・マグリットの話に戻ることができるが、それは最後に。

2 「マジ?」カルなアート

世界最強のビジネスメンがニューヨークに旅して行った一九二〇年代は、というかそこに発して二〇年ほど続く実にあわただしい時間は、アートの方ではモダニズムと呼ばれる時でもある。第一、そのアートの代表格がそもそもキネマ、映画だった。映画が先行する半世紀の奇術、つまり俗化を余儀なくされたマジック(呪術。本来のいい)の演目の到達点に他ならなかったことは、種村季弘映画論がしつこく力説してきたことだし、周知のことと思う。だからハリー・フーディーニ晩年のコナン・ドイルと組んでマジック行脚に出たことを描く小さい名画、チャールズ・スターリッジ監督の『フェアリーテイル』を『ファンタビ』ファン、必ず併せ見るようと改めて提案しておこうと思うのだ。

映画が人気のマジック（奇術、手妻）――の小屋から大きく離陸していったその一〇年（ディケード）を舞台に、マジシャン一統最愛用のトランクこそが実質の主人公の『ファンタビ』ではあり、そのトランクがだから「どこでもドア」だったり、それこそキャロル童話の兎穴やら「マルコヴィッチの穴」だったり、かつそのトランクから狂ったヴンダーカマーみたいに、見たこともない珍獣怪鳥がとび出てくるという一本の映画、といえば、それはもはやマジック映画による、マジカルな映画出生という事態へのえらく「ノー・マジ」な（！）自己言及でなくてなんなんだろう……。

いや、興奮のまま、話の進み方が早過ぎる。まず誰しもの目にたしかなモノとして映るトランクに話を戻して、モダニズム「トランク」連想ゲームの責めを果たそう。

「ハリー・ポッター新作（映画）」で検索をかけてみて、『ファンタビ』のキーはこのトランクだろうという感想が少なくないのは皆、さすがだね。一八八〇年代にルイス・キャロルが「ポートマントー（物語）」と名付けて、二つの語がごちゃごちゃになってできたいかにもキメラ的なノンセンス語が、その後、モダニズム・アートの中核となるシュルレアリスムへと引き継がれていく。そこでは多分山高帽と同じくらい旅行鞄が時代のアートの中心的イメージとなる。も一度いうが、「脱出王」の奇術家フーディーニにとってトランクは興行旅のお相手というにとどまらず、彼の名を永遠にしたエスケープ・トリック、脱出芸のために必須の檻（おり）となり、異界へ／からの出入口となるに至った。トランクと骨がらみのアルス。面白い。開けるやそこから無数の災禍がわらわらと現われる「パンドラの箱」をパノフスキー夫妻がアートの永遠の神話に変えていく（夫エルヴィンはギリシアの大神パンの名を名にしていたから、妻君のドラ・パノフスキーと併せて「パン」「ドラ」になる。長い美術史学上、最高のジョーク、というか最強の鞄語? 二十世紀最高の写真家キャパと恋人ゲルダ・タロー、二人の交渉を扱った感涙ものドキュメンタリー映画、『メキシカン・スーツケース』を、沢木耕太郎によるキャパ・ノンフィクションとともに必見すること。二人の写真を一杯詰めた伝説的トランクのことだ。

そう、「箱の思想」史へと話を広げてみるのも面白い映画だ。(一九二六年同時代にフロイトが広めた) 魂の容器という意味合いから、折りしもブームの世界旅行、観光旅行(タイタニク号沈没が象徴的)のシンボルとしてまで、また一九二〇年からのモダニズムのもろもろの運動の中で、トランクが具として、象徴としていかに大きな役割を果たしたか、『ファンタビ』を見ながら改めて広く、深く考えてみると良い。カール・ベデカー観光ガイドブックが大抵の世界旅行の旅人のトランクの中にあったし、ナチスからの逃亡劇の挙句、ヨーロッパ最西端の地に自決したヴァルター・ベンヤミンの、血と脂で汚れた『パッサージュ論』草稿をぎっしりと詰めた悲しいトランクまで、モダニズム芸術史を、戦間時代のせわしげな文化史の全体を、トランクの魔術の、脱魔術化、そして再魔術化の成り行きとして語ることができそう(ビジネスの象徴たるトランクの中から魔法の動物が出てくるとはそういうことだ)。いや、それにさらにジョゼフ・コーネルの、弟への思いが丁寧にたたみ込まれた「ポエム・オブジェ」作品までが繋がるとなると、ついには壮大な「箱をめぐる戦略」(田中純)にまで、世界そのものを自我の容器として感受する美意識にまで話は広がっていく。それこそファンタビ・アイディアの遠い祖たるマニエリスト一統のヴンダーカマーから、007の何でも内蔵されてる新型武器庫としてのスーツケースまで、ポピュラー・カルチャー化された「箱の思想」（横山正）が際限もなく可能だし、『ファンタビ』の楽しみのひとつとしてたとえばヴンダーカマーをそっくり運搬するグロッタ装置としてのトランクを幻視するといったマニエリストのきみ、あなたにふさわしい楽しみ方があっても良い、と思う。実際、映画評論にはきりがないことの一典型。

さて紙幅尽きる前に、マグリットの《夢の鍵》のことを。『ファンタビ』をきっと解く「夢の鍵」だと思うからである。四枚の絵がマトリックス状に並ぶ。左上には明らかに馬が描かれているのに、キャプションは「扉」、その右隣は時計を描いている絵なのに、付いているキャプションは「風」。左下は水を容れる水差しの瓶なのにキャプションは「鳥」。そして問題の右下の一枚には、トランクの絵にちゃんと「トランク」というキャプションが。「言葉」と「物」のあいだが揺れ動くのを徐々に一対一対応の約束事に文字通り封じ込めていったリプリゼンテーションの成立過程そのものの、そちらの批判的表現ではモダニズム屈指の悪達者、ルネ・マグリットの作中にも最強の一幅である。表象の封じ込める力を一挙に開示したもの、それが一九二〇年代、フロイトの合理化し、見える化していく説明と結びついたシュルレアルな魔法であった。『ファンタビ』一九二〇年代論はこのことの認識なくては、わかったことにならないのではないか（フロイトの「不気味なものについて」と、ロベルト・ヴィーネの『カリガリ博士のキャビネット』とも、一九一九年なのである）。マギア、マージア、ファンタスティカ、ファンタズマル。この映画の原題の一語一語がマニエリスム・アート、オカルト・フィロソフィーの深奥をひそめている。「ビースト」という語については一世風靡のポケモン「しんか・チェックポスター」を思いだしてもらおう。モンスター（monsters）を「ポケット」に封じ込めるようにその内に封じ込めている箱をひとつひとつのトランクと感じてもらえば、恐怖の対象である他ない相手を可視化し、分類し、ある秩序、ある遠近法に余さず収納し去る「表象」が、そして表象制度の累積としての「近代」四〇〇年がほぼ直感的にわかってもらえるのではないかと思う（ぼくの今や常套のテーブル記号論と同じコンテキストで）。

『言葉と物』と《夢》のコラージュ

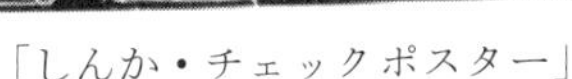

「しんか・チェックポスター」

表象とか近代とか、視覚文化とかを題に掲げるレクチャーでぼくは必ずこの大傑作ポスターを、小学館の有難いお許しをいただいて使う。そして今後『不思議の国のアリス』冒頭部を読む時、シュヴァンクマイエルの『アリス』クレイ・アニメとともに必ず『ファンタビ』を併映だ！

「このわたしは人間の内部に」――一九二〇年代に起きたこと

ギルバート・キース・チェスタトン（一八七四―一九三六）の『ブラウン神父の秘密』（一九二七）を読む。というか、見る。丁寧に年号をチェックしたのには意味がある。ひとつは作者が典型的な後期ヴィクトリア朝期の人間で、たとえば精神分析学の心理学者ジークムント・フロイト（一八五六―一九三九）や、英国で言えばシャーロック・ホームズ連作のA・コナン・ドイル（一八五九―一九三〇）と同じ時代の空気を吸っていたことがすぐに判る。一九二七年というのも、あと二年でウォール街の世界恐慌に向けて、探偵小説の大本の大本たる金（マネー）の構造そのものが揺れに揺れていた近代的価値観そのものの大変化の年で、想像つくようにオカルトだのマジックだのをキーワードにするサブカルチャー、というか巧い洒落で言えば「オカルチャー（occulture）」の大流行していた時代で、金の文化の象徴たる旅のトランクから怪物が出るアイディアで売ったハリー・ポッター・シリーズの

「スピン・オフ」映画『ファンタスティック・ビーストと魔法使いの旅』がそこをいかに巧く突いたかはぼく自身、会心作「一九二六年のトランク」に書き尽くした（つまり「ユリイカ」誌二〇一六年十二月号）。そうか、やっぱりそのあたりなんだという気分で久しぶりに『ブラウン神父の秘密』に対することになったわけである。

ホームズものの最後を飾る『シャーロック・ホームズの事件簿』が一九二七年の刊行というのも象徴的だ。絶妙なバトンタッチというか文化の感覚の大転換があった。それが一番良く分かるのが『ブラウン神父の秘密』だろうという話をして、解説に代えたいと思う。

先ほど冒頭でこの作品を「読む。というか、見る」という妙な言い方をしておいたが、一体「見る」とは何をどうすることかという大問題に係わったのが探偵小説史上のホームズ・シリーズからブラウン神父シリーズの高速な展開、転回であったからだ。見る、って何を、いかに？

そもそも「探偵」の語もない日本に明治十年代、その語が生れたのは英語の“detective”からの翻訳だが、探の字も偵の字も見ることを指しているから、「覆い隠されているものをめくって中を見る」という英語語彙（ごい）の語源まで含めてよく訳せていると思って、改めて感心する。語源ついでに言えば、『ブラウン神父の秘密』の「秘密（secret）」だって、元々は“secerno”というラテン語からで、集塊から分離される、引き離す、関係を絶つ、引きこもる等々の意味だから、内と外の分離を出発点として内を外から見て少し分かり易くするという探偵もしくは探偵小説そのものの構造といきなり密に係わるものなので、ああ『ブラウン神父の秘密』ね、と何となくうけ流せる言葉ではない。

考えてみれば「童心」だって「知恵」だって「不信」だって、宗教的に皆深い！

探偵とはディテクトする人、めくって内をのぞく人と判った。だから探偵小説は英語でディテクティヴ・ストーリーというのである。しかれば探偵小説をもうひとつ、「ミステリー」の語で呼ぶのはどういうことか。実はこれが二十歳というかなり年上になってぼくが探偵小説に惹かれた原因というか発端になった。ぼくが英文学に目を向ける因をつくったもののひとつが俊才で鳴らした故高橋康也氏の名著中の名著、『エクスタシーの系譜』（一九六六）で、カトリック神秘主義と（意外にも）数学的・論理学的想像力の関係を英文学中の一系列としてみている。十七世紀、カトリック的であるが故に苦しんだ形而上派詩のダンやリチャード・クラショーからまさしく二十世紀初めの文人たちのカトリックへの転向・改宗（代表格はT・S・エリオット）まで、普通英文学と言われてイメージする世界とまるで別ものの知的でどこか後暗い系譜があり、そこにチェスタトンも当然加わるはずと知れた。右名著の厖大な目次にチェスタトンは入っていなかったが、その後高橋氏がチェスタトン狂いで、日本におけるチェスタトン紹介者の一人と知ってごくごく納得がいったのを覚えている。

その場合のキーワードが真芯に「ミステリー」だった。処女が子を産む、神にして人にして聖霊でもある一存在（結局、なんなの？）……カトリック教義の根本にあるこうした「非合理なるが故に我れ信ず」という大命題をミステリウム（mysterium）と呼ぶ。ぼくがこの呼称に引っ掛かったのがこの語のギリシア語源「ミュステリオン（μυστήριον）」の意味する「目を閉じる」という、つまりは覆いをめくってまで見るディテクティヴの行為とまるで逆の意味だった。

つまり見る／見ないの両極の呼び方が、この種の探究行ストーリーにはつきまとっていることになる。ふしぎなり！　で、探偵小説マニアが集まる折りに出掛けて質問をすることが何度かあって不審がられたことは拙著『殺す・集める・読む』（東京創元社・創元ライブラリ。収中のチェスタトン論はパラドックス論として行くところまで行けた、それまで最高と考えていたヒュー・ケナーのチェスタトン論をひょっとして越えたとささやかに自負）に記した通り。もう皆さまに御迷惑を掛けることはないと思う。一応納得いく答は得られたからだ。それはウィリアム・デイヴィッド・スペンサーの『ミステリウムとミステリー』という大著で、ウンベルト・エーコの話題作『薔薇の名前』が引金になって、よくもよくもと思うほどカトリックの坊様・尼（あま）さんが探偵をつとめる小説を集めて論じてみせた。「聖職者探偵もの（Clerical Crime Novel）」という、出てきて当然の一ジャンルが見事に設定された。是非探本されたい（W. D. Spencer, *Mysterium and Mystery*, UMI Research Press, 1989）。どう考えてもチェスタトン研究者は、これ必読だなあ。

現実の視覚文化史に合う議論にするなら、見る〈対〉見ないというペアではなく、外を見る〈対〉内を見るというペアとして現われていたのが一九二〇年代という時代だったように思う。「見る（see）」が全く同時に「分かる（see）」に掏り替るのが近代視覚文化の最大問題で、その代表選手が遠近法（perspective）である。混沌たる世界を秩序化すると言いたい時 "put...into order" と言う代りに "put...into perspective" と言ったりするあれである。多次元的混沌をたとえば二次元に表面化する技術を〈絵〉と呼ぶ。世界をこういう絵に還元する作業を特に意識的にやったのがロマン派前後の英国で、余りに面白い現象なのでこれを久しく忘れられていた「ピクチャレスク（絵のように）」という本来の名で呼び直して、ぼく自身、『目の中の劇場』（一九八五）以降、何冊かの本で縷説（るせつ）してきた。風景をこと細かに描く／書く技術をピクチャレスクと呼ぶなら、人（々）の外見をこと細かに観察し、描写する技術をフィジオノミーという。観相術ないし観相学と訳す。この二つの見る技術を職業的に巧くこなす、そしてそこに意味を読みとっていくのが探偵である。シャーロック・ホームズの卓抜せる技倆は、一（いっ）に掛かってこれである。シャーロック・ホームズ連作中、初期の『四人の署名』冒頭部のこうした技術への見事な讃美と好対照とされるのが『ブラウン神父の秘密』冒頭の標題作「ブラウン神父の秘密」であるのは周知であろう。外を見る、或は外から見る技法では捉えられない相手を、シャーロック・ホームズはあっさり守備範囲外として諦める。その昔、ぼくが「童謡殺人」ジャンルと名付けた利害得喪の計算を越えたところになにやら見えにくい動機を持つ犯罪ないし犯罪小説の世界。チェスタトンの名探偵はそういう時代が要請した、これも一種立派なサイコ・ディテクティヴであるのだろう。それをフロイトその他の無意識心理学の物語に還元しないで、「ハギオロジー（hagiology 聖徒研究）」としてやるところにカトリック的メタ探偵小説の妙がある。「聖職者探偵もの」の妙味である。

　ホームズが相手を「まるで昆虫でもあるかのように」外から観察する能力とブラウン神父が言う「見る」文化は、遠近法が良い例だが十六世紀（今日言うところのマニエリスム時代）に発し、細部データの分類・累積を体質として抱えたピュリタリズム十七世紀を経、啓蒙精神——蒙きを啓く、文字通りディテクティヴな精神——を経て、文物横溢がたえず「秩序」を、「解答」を要求する十九世紀にいたって、要するに制度疲労（眼精疲労！）を生じたのだ。

探偵小説をこんな四世紀にもなんなんとする「見る」文化の中に捉え直させるだけのアッピールがブラウン神父シリーズ、とりわけその反近代的方法を「方法」としてはっきり提示したこの『ブラウン神父の秘密』一巻にはある。犯罪者の心理になりきる、すると見えてくるというのだが、ロマン派以来の「想像力」論がとても興味深く俗化した形である。理屈としてはわかる。たとえば現象学哲学の流行した時代だ。世界を外のデータからみるのでなく、対象の内部に入ってそこから見えるものを追っていくいわゆる「記述の哲学」。話法も三人称という客観的話法を失って、かと言って複雑な世界を前に今さら一人称にも回帰できないがゆえに、描出話法という名の彼でも我でもない視点からの語りが、「意識の流れ」感覚がフォークナーやヴァージニア・ウルフの「純」文学を（実は意想外に早く『ガリヴァー旅行記』をも既に）強撃し、三人称小説を小説と思ってきた世代を大混乱させる。モダニズム小説だ。

ピクチャレスク、ロマン派（とくにゴシシズム）は強固な「内」／自我への信頼を家、部屋、庭、そして壁という、閉じ込めと逃走」（W・B・キャノハン）の小テーマに結実させた。それを戯画的なまでにそっくり踏襲したのが探偵小説である。本書の「ブラウン神父の秘密」と「フランボウの秘密」にはさまれた八篇はそういう古典的探偵小説の外から見る目線を見事なまでに——徹底的に自照的（リフレクシヴ）に——堪能させてくれる。が、それでは見えてはこない、ではどうするか、それで相手になりきるという何だか今般脳科学のミラーニューロン理論じみた議論になる。メタ探偵小説が「聖職者探偵もの」を巻きこんで「神なき世」のポストモダン神学をうちたてつつあるという感じが改めて新鮮だ。

チェスタトン最後の探偵小説、『ポンド氏の逆説』（一九三六）の最後の最後でポンド氏が文字通り池（ポンド）の表面と同化し、混沌世界を鏡映する一面の鏡であることが知れて読者を究極チェスタトン的に驚愕させる。自からを空（くう）にすることでのみ、いかなる他者の内面をも映しだすブラウン神父とは自からの空無を世界 - 謎の解消にささげるキリストとも思えてくる。ううむ、ハギオロジカル！

いずれにしろ見る／見られる、内／外の単純な二元論はもういかなる探偵小説も支えられない。そう言い放った『ブラウン神父の秘密』が、遠近法の無効を告げるエルヴィン・パノフスキーの『象徴形式としての遠近法』と同じ一九二七年に登場してきたのは絶対に偶然ではない。

ExtraEditorial　――E・A・ポーのメディア詩学

1　マニエリスム・メディアル

田舎新聞社ひとつ呑気に営業している「西」の町に東方の三賢者よろしく、仲々鼻息荒い「エディター」氏が乗り込み、相像にたがわず田舎新聞二社の仕様もないツバ競り合いが始まる。ナンセンス（或はノンセンス）文学の比類なき傑作掌編でありながら、二〇一九年の現在から見れば近代世界文学の骨子的問題の絶妙にからみ合うものとして十分高い評価を施されて然るべきなのに、ひとつには、たとえばマーシャル・マクルーハンのメディア論全体が優秀極まる英米文学史になりおおせていることを、メディア論者一統が狭くもメディア論に跼蹐（きょくせき）して外に目が向かず理解しないで居るために、また他方では、アメリカ文化研究者を含めた英語圏文学の専門家たちが、そろそろ一世紀の展開をみるマニエリスム――Mannerism が英語該当語――文芸にまるで無知・無関心できたということがあって、アメリカ十九紀前半作家、E・A・ポーの問題の作、"X-ing a Paragrab"（訳題「×だらけの社説」）は滑稽作、パロディ作、諷刺作として以上の評価は得られていないようだ。

フランス革命、アメリカ独立革命、そして南北戦争への契機という華々しい時代相からして紙と活版印字の新聞雑誌メディアが一大開花をみたのがポー同時代合衆国の半世紀と言って良い。パルピングという技術革新を閲(けみ)してアメリカもポーも紙(ペイパー)の魅力に触れた。紙狂い(パピロマニア)（papiromaniaques）のアメリカということで、僕自身、『テクスト世紀末』に既に一文を草したこともある。加うるに十五世紀半ば「グーテンベルクの活版印刷術」がもたらしたことを熱心に説いたたとえばマクルーハンがいわゆる情報拡散のパラダイム変換が実質アメリカという僻遠の地で熱く再現されるのが、まさしくそのポー同時代だった。誌紙編集者、いわゆるマガジニスト（magazinist）としてのポーは、今やあらゆる種類のポー論の根底に、いつもなくてはならない。

そもそも編集者とは何なのだろう。「×だらけの社説」とは訳者野崎孝氏になる名訳である。のっけから新聞社同士の諍い(いさかい)の滑稽譚ということで、「エディター」は何の疑問もなく「主筆」と訳されているのだが、「エディット（edit）する」ヒトとはそも何をする族(うから)であるのか、たとえば手近の羅英辞典で"edo"(エド)を引いてパラパラ見るだけであなたは多分腰を抜かす。狭過ぎる一社会的職能としてのエディター、そしてその業としてのエディトリアルが、もっとはるかに広大なテクスト製作行為を指すべきものなのだとする感覚が、このところアンソニー・グラフトンやら松岡正剛やらの「編集工学」的着眼で当然のように広がってきていて、とても良い状況だと思われる。

そしてそれこそ、僕に言わせれば（こちらも美術史家諸兄の手から拡大的、発展的に奪回された）広義のマニエリスム営為の意味するところなので、かくして名著、『ストイックなコメディアンたち』（富山英俊氏訳。未來社）巻末解題において僕が謳った、電脳マニエリスムに依る「メディア詩学」の極点、少くとも大結節点のひとつがポー（Poe）のポー詩学（Poetik）だったことになるのである。

現在狭義化されて言われるところよりはるかに広いもの（恰も“art”の広義化されたところと似るもの）としての「メディア」、そして「詩学」（*poetica*）が、これも概念の冒険として段然広義化されたマニエリスムとそっくり被る、少くとも眩惑的に重々交映（reflect）し合うものだという批評の新事態を、ショートショート「×だらけの社説」は大笑いしながら剔抉している。僕は別段、途方もない観念連合で遊んでみせているわけではない。本邦アメリカ文学研究の望まれていた極点を成した故八木敏雄氏の『マニエリスムのアメリカ』が「ポー詩学」の典範的テクスト、ポー述作の「詩作の構造」を初めてという自信と強度を以て、「マニエリスム」と命名しおおせたからで、二〇一二年以降、ポーの誌紙と文学作品における諸要素結合を、仮に知的有袋類たるアメリカ文学者と雖も「アルス・コンビナトリア *ars combinatoria*」という歴たるマニエリスム美学範疇の評語で呼ぶ他なくなった。世界にさきがけた言祝ぐべき事態ではあるまいか。八木先生の急逝を誰よりも惜しむ所以である。

2　○がない、×だらけの活字箱

問題の二つの新聞の古参の方が新参者の文体の感動詞——端的には"Oh!"——が過剰の「大」仰なところを嗤ったのに対して、新参者の方は最初少しは反省して大人しい書き方で反撃しようとしたのだが、そこが意地っぱりの悲しさ——というか、内容ならともなく「文体」を批判されたのが許せぬ典型的にマニエリストな気質の悲しさ——で、感動詞"oh!"は勿論のこと、"o"という文字、発音記号[ou]で表わされる二重母音のオンパレードを盛り上げる。そこな英語原文、なにしろ一「パラグラブ」の短簡なものなので、まず引いてみる。その後、千両「訳」者野崎孝氏の、「おう」尽しの迷超訳を並べてみる。

"So ho, John! How now? Told you so, you know. Don't crow, another time, before you're out of the woods! You, re your mother know you're out? Oh, no, no! --so go home at once, now, John, to your odious Old woods of Concord! Go home to your woods, old owl, —go! You wont? Oh, poh, poh, John, don't do so! You've got to go, you know! So go at once, and don't go slow; for nobody owns you here, you know. Oh, John, John, if you don't go you're no homo —no! You're only a fowl, an owl; a cow, a sow; a doll, a poll; a poor, old, good-for-nothing-to-nobody, log, dog, hog, or frog, come out of a Concord bog. Cool, now--cool! Do be cool, you fool! None of your crowing, old cock! Don't frown so —don't! Don't hollo, nor howl, nor growl, nor bow-wow-wow! Good Lord, John, how you do look! Told you so, you know —but stop rolling your goose of an old poll about so, and go and drown your sorrows in abowl!"

「よう、ジョン君よおぅ、ご機嫌はどおかね？　どおうも、いわんこっちゃなかったろおぅ？もおう、二度と、うれしそおうに、ほおうほおぅ鳴き立てるのは止めたほおうがよろしかろおう、まだまだ君は危い林の中から抜け出してはいないのだぜ！　君のおふくろおうさんは、君が抜け出したものとしょうちしていなさるかよおぅ？　おぅ、ちがう、ちがぅ！　――そおうだからして、もおぅ、ジョン君よ、そおうそおうにして、こきょうへ帰りたまえ、君のあのコンコウドのぞおうっとするよおうな林の中へ帰りたまえ。よおう、ふくろおぅ君、君のきょうりへ帰りたまえようおう！　よおぅ帰らん？　ほ、ほおぅ、ジョン君、そおうなさるのは、よくないよおう！　どおうしても帰らんければいかんぞおう！

　それは君もしょうちのはずだ！　そおうだから、そおうそおうにして帰りた　まえ。のおうのおうしていてはいかんよおう！　そおうだろおう！　ここでは、君もしょうちのとおうり、誰ももおう君をしょうにんしていない！　おう！　ジョン、ジョン、もし君が帰らぬならば、もおう君は、人ではないよおぅ――断然、ちがぅ！　君は、あほおうだ！　ふくろおうだ、モオウモオウのうしだ、ブウブウの豚だ。にんぎょうだ、でくのぼうだ、かわいそおうな、のおうなしの、もおうろくぼおうずだ、まるたんぼうおうの、ワンこおうの、コンコウドの池からとび出してきたゲロこおうだ。よおう、おちついてくれよおうおちついて！　おたのみもおうすから、おちついてくれよおう、間抜けやろおう！　ほおうほおう鳴くのはやめてくれ、ふくろおうおやじ！　そおうそおう、じゅうめん作るのはやめてくれよしてくれよおう！　叫んだり、咆えたり、うなったり、パウ・ワウ・ワウと鳴くなんて、おことわりもおす！　よおう、ジョン君、なんという、ごめんそおうだ！　そおうだから、いわんこっちゃないだろおう？　そおういう具合に、がちょうのよおうなしゃれこおうべを、うろうろ動かすのはやめて、うさは酒のうつわで飲みこむことだ！」

面白い応酬だが、これだけなら大した読後感にはならない。“o”が多いね位ですむところ、その夜のうちにこれを社説に組まねばならぬ活字工の少年がいざ活字を拾おうとすると、相手新聞の小僧がちょろちょろしていたのがかっぱらっていったようで、活字箱に“o”の字が（邦訳で言うなら『う』の字が）一切ないことが判る。で、こういう場合の慣例に従って「足りない活字の分は“x”の字で補う」ことにする。そうやって『う』の字を全部『×』に入れかえ、そのままそれを印刷にまわしたのであった。翌朝、この田舎町の新聞読者が目にしたのはどういう社説だったか、想像はできるだろうが、想定をはるかに越える面白紙面なので、これも原文と野崎訳を並べてみよう。

“Sx hx,Jxhn!hxw nxw? Txld yxu sx, yxu knxw.Dxn't crxw, anxther time, befxre yxu re xut xf the wxxds!
Dxes yxur mxther knxw yxu're xut? Xh, nx, nx! Sx gx hxme at xnce, nxw, Jxhn,tx yxur xdixus xld wxxds xf

Cxncxrd! Gx hxme tx yxur wxxds, xld xwl,-ı gx! Yxu wxnt? Xh, pxh, pxh, Jxhn, dxn't dxs x! Yxu've gxt tx gx, yxu knxw! Sx gx at xnce,and dxn、 t gx slxw; fxr nxbxdy xwns yxu here,yxu knxw.Xh,Jxhn,Jxhn,if yxu dxn't gx yxu're nx hxmx ı-nx! Yxu're xnly a fxwl, an xwl; a cxw, a sxw; a dxll, a pxll; a pxxr xld gxxd-fxr-nxthing-tx-nxbxdy lxg, dxg, hxg, xr frxg, cxme xut xf a Cxncxrd bxg. Cxxl, nxw ı-cxxl! Dx be cxxl, yxuf xxl! Nxne xf yxur crxwing,xld cxck! Dxn't frxwn sx ıdxn't! Dxn't hxllx, nxr hxwl, nxr grxwl, nxr bxw -wxw-wxw! Gxxd Lxrd, Jxhn, hxw yxu dx lxxk! Txld yxu sx, yxu knxw, but stxp rxlling yxur gxxse xf an xld pxll abxut sx,and gx and drxwn yxur sxrrxws in a bxwl!"

「よ×、ジョン君よお、ご機嫌はど×かね？　どお×も、いわんこっちゃなかったろお×？　もお×、二度と、うれしそお×に、ほお×ほお×鳴き立てるのは止めたほお×がよろしかろお×、まだまだ君は危い林の中から抜け出してはいないのだぜ！　君のおふくろお×さんは、君が抜け出したものとしょ×ちしていなさるかよお×？　おう、ちが×、ちが！――そお×だからして、もお×、ジョン君よ、そお×そお×にして、こきょ×へ帰りたまえ、君のあのコンコ×ドのぞお×っとするよお×な林の中へ帰りたまえ。よお×、ふくろお×君、君のきょ×りへ帰りたまえよお×！　よお×帰らん？　ほ、ほお×、ジョン君、そお×なさるのは、よくないよおゝ！　どお×しても帰らんければいかんぞお×！　それは君もしょ×ちのはずだ！　そお×だから、そお×そお×にして帰りたまえ。のお×のお×していてはいかんよお×！

そお×だろお×!ここでは、君もしょ×ちのとお×り、誰ももお×君をしょ×にんしていない! お×! ジョン、ジョン、もし君が帰らぬならば、もお×君は、人ではないよお×——断然、ちが×!君は、あほお×だ! ふくろお×だ、モオメモオ×の×しだ、ブ×ブ×の豚だ。にんぎょ×だ、でくのぼ×だ、かわいそお×な、のお×なしの、もお×ろくぼおうずだ、まるたんぼうお×の、ワンこお×の、コンコ×ドの池からとび出してきたゲロこお×だ。よお×、おちついてくれよお×——おちついて! おたのみもお×すから、おちついてくれよお×、間抜けやろお×! ほお×ほお×鳴くのはやめてくれ、ふくろお×おやじ!

そお×そお×、じゅ×めん作るのはやめてくれよしてくれよお×! 叫んだり、咆えたり、×なったり、パ×・ワ×・ワ×と鳴くなんて、おことわりも×す! よお×、ジョン君、なんとい×、ごめんそお×だ! そお×だから、いわんこっちゃないだろお×? そお×い×具合に、がちょ×のよお×しゃれこお×べを、×ろ×ろ動かすのはやめて、×さは酒の×つわで飲みこむことだ!」

3 「ケース」から「レター」が「盗」まれた事件

ひねくれ者の上に頑固者のエディター乙（おつ）が先に住んでいた同業の甲（こう）を嗤（わら）おうとして、相手に突かれた弱点を逆用する。それが活字箱（ケース）の中の活字（ムーヴァブル）の〝o〟の字であるところが、メディアをパロディした自からも秀れた一メディア論であるところの「×だらけの社説（エディトリアル）」という傑作である。これが誰にでも分かる第一のレヴェル。要は戯文なので、読者は自からの英語理解力に応じ、多少の言葉遊び能力に応じて一読微苦笑で十分なのである。

ところが読者の教養に応じて、この笑いのレヴェルが変ってくる。選ばれた活字が「0」であり、「X」であるからで、ふたつとも特に字面として、また音として特段に変幻自在の使い道のある字だからで、この二字の選択にポーの独自境がある。まず、0の字と音にまみれた文章を一瞥した甲がひとこと何と言っているか。“Why, the fellow is all O!” こいつ、どこを見ても「おう！」しか言っていないと、訳すならそれで十分（ちなみに野崎訳では、「いやはや、筆者は、まるで、全身これ『おう！』ばかり」）。が、そのあとにポーが加える四、五行で、話は実はそう簡単でないことが即判る。こうだ。“Why, the fellow is all O! That accounts for his reasoning in acircle, and explains why there is neither beginning nor end to him, nor to any thing he says. We really do not believe the vagabond can write a word that hasn't an O in it. Wonder if this O-ing is a habit of his? By-the-by, he came away from Down-East in a great hurry. Wonder if he *O*'s as much there as he does here? ‘O! it is pitiful.”

もはや翻訳の必要はない。0がケースの中の一活字であると同時にゼロ、無、能「無」しを意味する実体のある単語としても機能していて、英単語Nothing,Nobodyの多義性、文法上持つ玄妙不可思議な性質をめぐる高橋康也氏の執拗かつ重要極まるノンセンス文学論で我々の基本財産となった筈の大問題が目の前にあることになる。この男は全身○だ。そう、たとえばハムレットやリア王を指してシェイクスピアが言いそうな台詞だ。たとえば神の伝統的定義として使われてきた全円の喩（フィギュア）を思いだせば良い。地球座（グローブ）を指してシェイクスピアが言った「この木の丸舞台 this wooden O」を思いだせば良い。○という「全」をも「無」をも（しばしば同時に）意味する逆説的記号を、それそっくりの営みをする活字メディアを口実に妙味し、嗤（わら）っているのがこの「×だらけの社説」の、もうひとつ別の（そして隠された一段深い）意味合いなのであって、マニエリスム文学一般に不易流行の「円環の変貌」（ジョルジュ・プーレ）がこの掌編の背後にある。エディター乙自身が何故さらにOにこだわるか、自身で「この美しい母音——永遠を象徴するこのエンブレムを捨ててどうするか」と言い放つにおいておや。稀代のルネサンス学の碩学、『パラドキシア・エピデミカ』のロザリー・L・コリーが、その弟子筋の『無（ゼロ）の記号論』のブライアン・ロットマンが、まさしく「全」と「無」を循環するという営みを指して言った「パラドックスの文学」をあからさまにまで、一見ルネサンスの教養文学と時空を大きく隔てた十九世紀中葉、アメリカン「ルネサンス」で突然変異させ、形にしたE・A・ポーというあり方が、たったひとつのバーレスク掌編にさえ、かく歴然としている。メディア論でありながらアメリカン・マナリズムの模範的実践たる一篇。現今のメディアそのものが、必要あらば時空を越えて顕在化してくるとされる（グスタフ・ホッケのいわゆる広義の）マニエリスム／マナリズムの一変奏なのかもしれない。ホッケ（一九五七）を読み、マクルーハン（一九六二）を読み、そしてロザリー・コリー（一九六六）を読み、騎虎の勢いで『言葉と物』（一九六六）まで併せて読む結果として、マニエリスム・ベースの「メディア詩学」の「詩作の構成（コンポジション）」としての「×だらけの社説」評価がうまれる。エディター乙（おつ）による甲への反撃の「パラグラム」執筆は“the composition of the really unparalleled paragraph”と書かれている。その直後に登場する“composedly”なるなにげの副詞さえも単に“firmly”の意味以上の仲々含みのあるものと感じられてくるような磁場ができあがり、その同じ段階の中で「場合とか状況を指す“case”さえ、ムーヴァブル活字をぎっしり詰めた「活字箱case」と計算ずくでごたまぜにされる。我々が相手にしているのはシュルレアリスト、イシドール・イズーのいわゆる文字耽溺（レットリスム）（lettrisme）の世界なのだ。印刷工の活字拾いという、あまりと言えばあまりな場面で、文字拘泥（とはつまり表象への疑惑）の文学史——ホッケはそれらの上位概念として「マニエリスム文学」と言ったに過ぎない——の中の、エッセンシャルな包含事項を片はしから表沙汰にしてみせたのが「×だらけの社説」。エディターとしてのポーの日常雑感がここに余念なく活かされたわけだ。最近の批評ブームの達成の頂点とされ、あまつさえ最近のポー研究の目玉とされた才媛バーバラ・ジョンソン「盗まれた手紙（レター）」論を「ウリポ」グループを真似て「盗まれた文字（レター）」とも読み換え、「×だらけの社説」に改めて時代の光というか逆光を当ててみた。

4　マニエリストという「デヴィル」

こうして印刷活字の“o（オー）”と記号○が孕む形而上学や異文学上の問題の絶妙な往復や被り具合を一瞥してみたが、もうひとつ活字“x（エクス）”の問題が残っている。もう一度印刷所の小僧ッ子（devilと呼ばれることが多い。この作品のキモ）「ボブ」君が盗まれた「レター」の代りにx字で代用したくだりを原文で確認し、邦訳日本語（野崎孝訳）で大笑いし直してみよう。ボブ君もこう言っている。翻訳不能、というか原文の遊びの力が凄すぎる。

‘I shell have to x this ere paragrab,’ said he to himself, as he read it over in astonishment, ‘but it’s jest about the awfulest o-wy paragrab I ever did see’: so x it he did, unflinchingly, and to press it went x-ed.

こうして「Xされた記事（X-ed paragrab）」が翌朝、我々の知っている体裁の、まさしく暗号文そのもの――“cryptograph”（暗号）の用語初出が、OEDによると、まさしく当時のE・A・ポーその人なのだ――の活字になるわけである。その記事が惹起した反応は原文によると“The uproar occasioned by this mystical and cabalistical article, is not to be conceived. The first definite idea entertained by the populace was ,that some diabolical treason lay concealed in the hieroglyphics”とあり、流石にこれを「この摩訶不思議な社説が出ると、人々は喧々ごうごう、ちょっと想像も及ばぬ騒ぎがおっぱじまった。まっ先に、人々は、この迷文には、何か極悪非道な魂胆がひめられているにちがいないと考えた」と、呑気そうに意訳するのでは、ポー同時代の文化の嗜みへの理解不足の譏りを免れ得ないのではないか。そう、“picturesque”を「画致に富む、美しい」、“dissolving view”を「消え去る絵」と訳して恬然としている研究者・翻訳家を論難したことがあるが、今回このコンテクストでの訳としては mystical は「神秘主義的」、cabalistical は「カバラー秘教の」、そして「迷文」と訳された hieroglyphics は「ヒエログリフ」、（エジプト）聖刻文字とちゃんと訳して欲しかった。マニエリスムの一語も用いずして『アメリカン・ヒエログリフィクス』、『解決を目指す神秘』の二名著で、アメリカン・ルネサンスの作家（ことにポー）の表象、マニエリスムの全貌・異貌をあかるみに出してみせた天才ジョン・アーウィンへの学恩の証しともして、是非敢えて印象的に直訳の訳語を残しておいてもらいたかったと思うのである。名訳に難！ 名訳なはなしだ！

古文書学のチャンピオン、ジャン・フランソワ・シャンポリオンが新設エジプト学講座の最初の教授になったのが一八三一年のこと。ナポレオンのエジプト遠征がもたらしたエジプト狂い（Egyptimanie）の精華がシャンポリオンによる古エジプト聖刻文字の解読作業で、ロマン派による世界なるテクストを「神の署名」として改めて崇拝する世界読解作業全体の仕上げとして決定的な刻印を残したことをジョン・アーウィンの『アメリカン・ヒエログリフィクス』が明らかにした。世界を「魔」が印字した象形文字、ないし暗号（クリプトグラフ）として、「オルフェウスの声」（エリザベス・シューエル）の連綿の系譜として『本を／に夢む *Dreaming in Books*』のアンドルー・パイパーが西欧ロマン派全体の問題なりとして整理したものを、もう一度ポーとボルヘスというトランスアトランティックな「マニエリスムの（南北）アメリカ」の問題として引き受け直した大冊がジョン・アーウィンのいま一冊のヒエログリフィックスの（ポスト）モダン文学論である。最適任の訳者、若島正氏を得て、白水社より邦訳刊行の算段してあるが（近刊予定）、西欧ポストモダン文学の極思弁的（スペキュラティヴ）

なマニエリスム的側面の理解が一挙に進む段取りなのだが、いかにも思弁的、思惟（イノエーシス）の書き手であるポーが一見そうとは見えない軽みだけで進むバーレスク作でそれをやってのけたことが何故か見逃されてきた。ボルヘス読解を通して「神の署名」概念に肉迫しえた土岐恒二のポー論が読みたかった！

ホッケのマニリスム論は一九五〇年代一杯をかけて、「神秘」と「カバラ」が長大な文明史に「常数」として幾度となくリヴァイヴァルしてきた運動が、時代の文芸史に、典型的な人間類型、生き様全体の「原・身振り」の現象史に如実に現れることを言って、神秘主義思想とカバラ思想が底流する所、文芸がマニエリスムとして循環的に蘇生してくるとした。シェイクスピアの十六世紀末を各世紀末において必ず反復するこの循環史観に立つと、十七世紀初頭にかけての「醇乎たるマニエリスム」（ホッケ）がまさしくロマン派のノヴァーリスとポーを媒介に、「象徴派詩学と記号論理学」（ジョン・ノイバウアー）の十九世紀末、メディアとコンピュータリズム分析の細微化がさらにそれに加速度を与えた二十世紀末（AI詩人が初音ミクみたく、カブキ台詞をコンポーズする！）、……という超歴史的把握の中でのE・A・「ポーのメディア詩学の位置が自ずから見定められてくる。そういう超絶理解のみなら、これ以上縷説するにも及ばない。シューエルの『オルフェウスの声』やジョン・ノイバウアーの『象徴派詩学と記号論理学』（邦題『アルス・コンビナトリア』）を一度通してお読みいただければ基本、足りる。そういうハイ・レヴェルの古典的述作にもポーの位置付けはないし、まして面白半分の戯文以上の扱いが一篇も見当らぬ「×だらけの社説」

の低評価は全体何たる怠慢か。

ホッケの『迷宮としての世界』（一九五七）にも同『文学におけるマニエリスム』（五九）にもポーの名は全然出てこない。二、三回、たった一行という感じなので、何のかんのと言ってもそのヨーロッパ中心主義には鼻白む他ない。そのヨーロッパの古典的マニエリスムのよく知られた定法の数々がいわゆる「形式的マニエリスム」と呼ばれるもので、世界観がどうした社会構造がどうしたという大掛かりな肩の凝る大議論とは少し離れたところで、同音異義語（ホモニーメ）が一杯出てくるだの地口三昧（パニング）だの、『不思議の国のアリス』が良い例だが言葉遊びへの偏愛といった修辞的形式で編み上ったテクストは、まず問題なく遊戯狂（ルーディック）のマニリスムとだれしもに認められる。実はひとつの単位の文章中に或る一文字を使わないという馬鹿なルールがあって、永遠の名著、アルフレート・リーデの『遊戯としての文学』に拠れば、こうした形式的マニエリスムの一典型がこういう忌字技（ディポグラマ）（deipogramma）だという。なんということはない、問題の印刷所の魔（デヴィル）／活字小僧はこれを最新メディアを使ってやってのけた結果になる。将来多分当たり前になるAIという「機械仕掛けの詩神たち」（ヒュー・ケナー）の差配下なる文学機械たちの嚆矢なのだ（この坊や、パシリ以上の役目を持っていたわけだ）。そしてそやつが克服したことになっている旧世代のエディター甲乙二人は真逆に、同じ音、同じ字ばかりで一単位分の文章をコンポーズする、形式的マニエリスムで言うところの集字技巧（パングラマ）（pangramma）の名手ということになっている。そういう、メディア問題に仮装した普遍的なマニエリスム文学、そして「パラドックスの文学」の傑作として捉えるというおそらく一番しっかりした解釈で、この「×だらけの社説」はE・A・ポー＝マニエリスト観を実装化（サブスタンシエート）してあくれる作と思われる。おそらくは、この作が媒介者となってOULIPOグループ、とりわけジョルジュ・ペレックの奇作『煙滅』は書かれたのだと思うが、如何。

宿題を果たしておく。“o”の方の象徴性、エンブレム性については述べたが“x”の方が残っている。記号としての日本語では×でもあり、だから「バツ」の記号論・音韻論ともなる。幕切れは連続のアクロバット。邦訳者野崎孝氏の訳を併載したことの意味はそこにもある。そこに気付いて“X-ed paragrab”の名工夫で（excellentはx-ellentに、eccentricはx-entricに……活字上はなる、そのx-ellentjokeを卓バツな冗句、X-entricは奇バツな男、というふうになるしかないというので、独立した日本語・日本文学の奇作に仕立てた故野崎氏の「×だらけの社説」はひょっとして『フィネガンズ・ウェイク』の柳瀬尚紀氏による超訳以上の出来ばえと感じられる（ペレックの『煙滅』の篠塚秀一郎訳も絶品だ）。その当時、都立大の英文学科で同僚だった野崎先生に自分の翻訳を褒めていただくことが多かったが、つまらぬことで不平を言ってばかりの僕のいつに変わらぬ慰め手であった土岐恒二先生もその場にいらして、お互いの翻訳談義に思わず時を忘れたことが幾度もあったことを思い出す。原文と対等な日本語にこれ、できるわけないよと思いつつ論じ始めた「×だらけの社説」に、ひょっとしてと思って翻訳に目通ししたら野崎孝訳とあって、出来映えは絶品だった。そこに“x”登場のわけがこう訳されている。「×は未知数であるけれど、今度の問題には、×が無数にふくまれている。これは未知数ではなくて、無知数だ、というのである」。巧い！　三人でこの話したかったなあ。せめて一度くらい英米文学者の顔をしてみたくて引き受けてしまった『ガリヴァー旅行記』（研究社）の個人完訳で苦しみ抜いていた僕、それからどれだけのヒントと勇気をいただけたはずだろう。

平賀張り、英訳すればSwiftly ——個人完訳『ガリヴァー旅行記』解題

1

世界文学規模でも、諷刺文学と呼ばれるジャンルではレジェンダリーというか最高傑作といって間違いはないジョナサン・スウィフト作『ガリヴァー旅行記』（一七二六）の全訳である。底本に用いたのは今現在「スウィフト」を読む・研究するといえば究極これとされているケンブリッジ大学出版局スウィフト著作中の *Gulliver's Travels*（ed. David Womersley（2012））である。事実やデータをめぐる詳しく、かつ目配り良い注を厖大に必要とする『ガリヴァー旅行記』をまともに読破した気にさせてくれる本格的詳注がスウィフト作品そのものと拮抗する分量、各ページに細かい活字で溢れ返るのを、圧倒されつつ娯しむことができ、そこから得た知見を邦訳に活かす工夫がとりわけ愉しかった（しかも究極書とされる割に「馬抜け」な誤植が多い！）。

『ガリヴァー旅行記』といえばいわば英文学・英語圏文学の王道である。中野好夫氏や平井正穂氏が訳し、訳者同世代では富山太佳夫氏が訳し、最近では翻訳界の革命児、柴田元幸氏が『朝日新聞』に週イチで連載という仲々の斬新メディア感覚で訳を試みているし、英語翻訳ということではもはや神といっても良い故柳瀬尚紀氏までが着手。さすがに鉄中の錚々たる才物たちの中にもはや出る幕無しとあきらめかけていたところ、先生無念の御他界で、冒頭部訳のみ、雑誌に載って企画は立消えとなった。もう一度言うが「神々の黄昏（たそがれ）」みたいなこの一大闘争場裡になにも今更、自分如きがと、何度考えたかわからないが、しかし別の所で何があろうが、これは自分がという結構な意図なり覇気（はき）もないわけでなし、お引き受けした。多事多端、周りが流石に心配してくれだす迄脱稿を引っ張ってしまったが、とにかく出稿に漕ぎつけた。二〇二〇年、時代を変え文化を変える様相のコロナ・ウィルス禍の渦中、感染重症化を懸念される七十年配の、「残り時間僅か」オブセッションのまま、二ヵ月強で全篇訳し抜けた！

小生、英文学者としての目配りや見識に大きな自負を持っているわけではないが、半ば自分自身で切り拓いてきた十八世紀文化史という脱領域（エクストラテリトリア）では、その中核的文芸作品ということで『ガリヴァー旅行記』に手を出しても全然悪くない立場にあるとは自分でも思うので、（このあと少し述べるように、M・H・ニコルソンの観念史、ロザリー・コリーのパラドックス研究、そしてB・M・スタフォードの十八世紀身体文化論を三つ揃いを組み立て切ったと自負するので）その18世紀文化史の中に『ガリヴァー旅行記』が占めるべき場所について記し、おまけに今回は研究者としてのみか、こうして稀有なことに日本語に移し換える訳者としてひとことふたこと言える立場になったので、この作品を日本語で今読むことの意味など少し書いてみようかと思う。

早い話、全篇のキーワードは、"true"および"truth"である。これを既訳すべてのように、「真実（トゥルース）」と訳すだけでは仕事は終わりでない。理性馬フウイヌムが体現する倫理的な「誠実」も不即不離に内包している"true"なので、たとえばシェイクスピアの『ソネット集』でおなじみの訳者泣かせのこの一語のダブル・ミーニングに『ガリヴァー旅行記』翻訳の難しさ、そして突破できた時の喜びはあるというようなお話だ。こういう趣味、アイリッシュ作家に多い（スターン、ジョイス、ベケット、フラン・オブライエン）。もっと大きく言えばマニエリスム英文学だ。一応「まこと」と訳し、「真（まこと）」「誠（まこと）」と使い分けるし、両方同時に意味内包していると感じられる場合はいっそ「まこと」とわざと大きく、曖昧な平仮名訳語とした。「こころ」ではどうだったんだろう。「心（こころ）」でも「意（こころ）」（語や主張の趣旨・意味）でも使い分け利（き）くし、とかとか出稿後でもなおいろいろと楽しく悩んでいる次第。つまらぬ知識が、翻訳の美しき手法（ベルラ・マニエラ）が現場の職人作業を攪乱するのである。これは何となく「真実」「真理」と訳されているのがほとんど無自覚にすうっと頭を左から右へ滑っていくといったフツーの読者体験では起こらない。が、まさに世界の将来を担う一文化がそこに大きく躓（つまづ）くような時代に、まさにそこをまことのテーマとして『ガリヴァー旅行記』（一七二六）も（その概念的要約書たる）『桶物語』（一七〇四）も、つまりはスウィフトの代表的「諷刺」作は書かれた。別の時代に生きる翻訳者をいじめようという底意地悪い本なのだ。

風刺といって、単に同時代の政治ばかりが対象ではない。言語自体、表象そのものががらがらと嗤（わら）われているのである。

2

男女関係の甘っちょろけた「まこと」のこうした意味論的な幅、というかずれ方を含まないのが、“true”の仲間で言えば“real”であり、それがもっと局限化された“factual”な、要するに“fact”の世界である。ひと昔前、元々はラテン語過去分詞由来の「つくられたもの」の意味でしかない“fact(um)”が『オックスフォード英語大辞典（OED）』をのぞいてみると、一六三二年初出とある。小生なりのある閃きがあって“datum”（与えられたもの）から正確な情報・数字を指す「データ」の初出を調べると一六四七年。ははあ、やっぱりね。因みにもっと根源的にこれらの親分格たる“real”をみると『OED』では初出一六〇一年とある。ほらねほらね、と腹の底から学魔風哄笑がこみあげてきた。

要するに十七世紀前半の英国に「まこと」の内容と意味の分解・彌縫（びほう）が生じたが、それはカトリック追放の意志に貫かれた「パンデミック・ピュウリタニズム」（斎藤環氏の名表現だ）の英国十七世紀の清潔・理性崇拝、フウイヌム崇拝の社会学と間然するところなく表裏の関係にあった。そしてその動きがそっくり学問・学術の錯綜が近代学知の「ファクト」一辺倒・「データ」妄信病化の舞台となったロンドン王立協会の成立・発展史となる。そしてこの王立協会が英語純正化に手を付けた時、演劇メインのシェイクスピアの一劇壇が「三密」追放のピュリティ好きたちの手で絞殺され、そうやって生じた空白「痴帯」に「新しい生活様式」に媚びまくる「小説(ノヴェッラ)」が登場した。これが武漢肺炎(コロナ)の二〇二〇年との余りの状況的酷似にいちいち驚くしかない小生なりの「まこと」観念誕生の英文学史である。必要な参考文献一覧をつけてチャート化し、小ぶりながら展望博大な予言書、『パラダイム・ヒストリー』(一九八七)に発表した。参観を乞う。

　学知の単線化を笑うスウィフトがラガード企画研究アカデミーのモデルとしてこの王立協会に照準を合わせたのは至極当然である。一見、パロディとは言いながら王立協会の科学に焦点を当て、それを同時代文学(「小説」)との相互干渉ということで生涯のテーマとした観念史学派のエース、マジョリー・ホープ・ニコルソンの名を覚えておいて貰いたい。二〇二〇年の今に届くスウィフト研究はニコルソンの『科学と想像力』と『月世界への旅』から始まった。スウィフトを王立協会メンバーの光学機器好き、普遍言語狂い、異世界旅行趣味に直結させたのはヒストリー・オヴ・アイディアズ(観念史派)の驍将(ぎょうしょう)にして、平易を売りのほとんど芸能的語り口のアドマンだったこの「ニコおばさん」ほとんどお一人の鴻業だった。こういう文理の区別を肩に力(りき)を入れずやってみるアプローチからすると、ダニエル・デフォー(一六六〇-一七三一)とスウィフト(一六六七-一七四五)は冒険小説と風刺小説といった今さらめく小さな区別を通り越してカトリック対プロテスタントせめぎ合う十八世紀知識史、学術史に互いに表裏となった好ライヴァルとしてしか眺められないのである。英文学に屹立する「古典」などという勉強不足な評価など今さら犬に食われろ!

それまで「ロマンス」と呼ばれていた自分も今日からは科学的新時代に即応する「小説」と呼び替えられますが、その場合、自分はうそ／虚構とは区別さるべき「実」話なのだという執拗な反論に『ロビンソン・クルーソー』も、そしてご覧のように『ガリヴァー旅行記』結末部も多大な紙幅とエネルギーを割くが、いわゆる「文学」の外でも哲学・神学はじめほとんどの知的分野で「リアル」であること、「トゥルー」であることが問題になっていたことが、「まこと」の観念史とでも呼ぶべき間口広いアプローチをすると問題になってくる。観念史派の研究者たちの聖典、『西洋思想大辞典』（全四巻、邦訳平凡社）で「確実性（十七世紀以前）」「確実性（十七世紀以後）」という仲々他の哲学事典で見られない項目があるが、「十七世紀」という分水嶺の設定が妙味で、一六〇一年〜一六六〇年に渉る先ほどから問題にしている問題的な時代の観念史に今や人文科学のひとつの焦点が当っている。そう、「小説」という観念は飽くまでその大きな動向のひとつの下部表現に過ぎない。『パラダイム・ヒストリー』への世上の高い評価をもとに、一六六〇年代という（王立協会設立の）十年を基にデフォー（一六六〇年生れ）、スウィフト（一六六七年生れ）の謎めいた文学ジャンルの誕生を説明し切った積りでいるのが拙著『近代文化史入門』（講談社。二〇〇七）なので、流行の十八世紀文化史研究に必須のその十七世紀前段階についての空白を、この小拙著でぜひ埋めておいて貰うとよい。ムシの良いお願いだが、必須の予習知識だと思う。今こそ必読の文化史副読本だと思う。ここいらご自分だけで勉強するの、今や大変！

文化史を標榜する研究・批評アプローチの中で一番斬新かつ闊達なアプローチが観念史だとして、

「確実性（サートゥンティ）」観念の次にスウィフト文学に近いテーマが知識の「確実」化と連なってニュートン光学との観念史的つながりであるのは有名な話だ。単著としてはこれもマージョリー・ニコルソンの『科学と創造力』に尽きる（*Science and Imagination*, Great Seal Bks,1956）。顕微鏡／望遠鏡および縮小／拡大の観念史をミルトンからスウィフトまで辿った文理融合企画の嚆矢にして極点。一九三〇年代後半の初出エッセーを編集した。ヒトラー政権確立と併行して連発された近代視覚文化論（観念史的文化史の代表的分野）の傑作。ニコルソン女史の本はレヴェル高い、その上、文体平易。と理想的な文理融合の啓蒙書ばかり。二、三、呼び水的企画のつもりで邦訳したが、後続企画なし。基礎疾患多い高齢者でなければ無理してもコロナ化のステイホームにつけ込み、今回の邦訳に連動させて日本語にしようと思ったくらいの意識高めの文化史の名著。一九三〇年代に一つの学問分野を創発させた、このレヴェルのものも日本語に財産化できないまま、時間だけは百年も掛けた日本の人文学は沈静化しようとしているというのが現実だ。第五章「スウィフトの、「ラピュタ航海記」の科学的背景」のみ抄訳あり（この章はノラ・M・モーラーとの共作。山口書店から単行本化）。ニコルソンの光学の観念史の傑作『詩神がニュートンを召喚する』とともに是非。スウィフトの言語遊戯を論じる場合のバイブル『ノンセンス』に始まり、ポストモダン文化における巨大性（ジャイガンティズム）と矮性（ミニアチュア）論の中にスウィフトをきちんと位置付けた『憧憬論』のスーザン・ステュワートをスウィフト研究のオメガとするなら、遡ってアルパはと言えば間違いなくこのニコルソン女史。圧倒的貢献だ。視点の相対化で大小判断が自在に転換してしまうのが『ガリヴァー旅行記』前半の執筆の基本コンセプトで、それでもう十分にマニエリスム的視覚文化論の重要作品ともいえるし、名著『映像の召喚』で、ガリヴァーの懇望に応じて次々と歴史場面を幻像化して見せる幻妖王を「ファンタスマゴリア」興行師たちの映画の元祖とみて、そこからスウィフト好きの大変な見識を披露していた四方田犬彦も流石だ（氏の丸々一巻スウィフト論たる『空想旅行の修辞学』より、小生など、こちら『映像の召喚』の僅かな指摘・記述の方が何倍もインパクトフルで、インサイトフル）。

　文化史を一番面白くしてくれる観念史からするスウィフト論としては『パラドクシア・エピデミカ』（一九六六）のロザリー・L・コリーの名前を挙げておくことができる。拙訳あるから（白水社）、是非。花田清輝の名エッセー、「極大と極小」を読むまでもなく、スウィフト一般、殊に『ガリヴァー旅行記』はヨーロッパ逆説狂い文化史の一精華である。ヤフーとフウイヌムどちらにスウィフトが真に「まこと」を感じているとみるか。むしろスウィフト以降の近現代史を当然スウィフトよりよく知る我々、新世紀のヤフーたちにとっては仲々簡単に、ガリヴァーの言い分をそのまま首肯するわけにはいかない。絵空ごと、綺麗ごとのフウイヌムの「理性」をガリヴァーがこうまで信奉していることのムチャぶり、というか頭の悪さに引っ掛かることのないきみ、あなたの読後感はそうだったなら、はてさていかがなものであろうか。コリーのパラドックス文学論は、残念というかいかにも意味深長に、スウィフト登場の直前で終っている。コリー早逝のあと、自著を恩師に献呈する秀れたクリティックが一杯いたが、スウィフト関連ではClark,John R.,Form and Frenzy in Swift's Tale of a Tub(Cornell Univ. Pr., 1970 と Louis,Frances D., Swift's Anatomy of Misunderstanding (George

Prior,1981)の「コリーぶり」が群を抜く。これに先ほど挙げたStewart, Susan,Nonsense:Aspects of Intertextuality in Folklore and Literature(Johns Hopkins Univ. Pr., 1978; ibid., On Longing:Narratives of the Miniature, the Gigantic, the Souvenir, the Collection (Johns Hopkins Univ. Pr., 1984)を足せば、スウィフトのパラドックス観念史研究はほぼ完璧。

こうして私のエッセーでは代表的素材をもっぱらルネサンスからとって来るのだが（シェイクスピア、セルバンテス、ジョン・ダン、マーヴェル）、凡そパラドクシーは何もルネサンスに限ったことではない。西欧の伝統の中では、人間のする認識とは何であるかに心いたす著述家たちは勢いパラドックスに染まりやすかった。十八世紀で言えばバーナード・マンデヴィル、スウィフト、ローレンス・スターン、そしてディドロ。一方パラドクシーはいつもノンセンスと密なつながりを持ち、ルイス・キャロルとモルゲンシュテルンが……

というのが、コリー流に見る「世界文学」としての『ガリヴァー旅行記』の位置付けということになる（『西洋思想大事典』の「パラドックスの文学」の項。高山訳。傍点高山）。ボルヘスやビートニックにさえつながるという。スウィフトとパラドックスとまで言って、ふと面白いことを思い付いた。Lemuel Gulliverという名の小パラドックスのこと。「レミュエル」は語源のヘブライ語では「神に捧げられた」を意味するのに、Gulliverの方は十中八九の研究者にGullible（「だまされやすい」）を連想させるみたいなのだ。名に既に全部明白。まことなのか、うそなのか、この本！

「人間のする認識とは何であるかに心いたす」文学がスウィフト文学だとコリーを真似て言っておこう。言い切っておこう。何がリアル、何がファクチュアル、何が「まこと」で何が嘘か。こういう病すれすれの相対思考好み、循環論理狂いを“epistemophile”［認識論好き］と呼ぶ。スウィフトは「表象の古典時代」（M・フーコー）の典型的作家である。またしても一六六〇年代の十年(ディケード)が問題だが、『言葉と物』の社会哲学者フーコーがフランスの翰林院(アカデミー)に就いてばかり言葉(ウエルウア)と物(レース)の乖離を言った一六六〇年代、英国知識界また王立協会を舞台に「普遍言語構想」が大流行し、そっくりのちのコンピュータ0／1バイナリズムへつながる母体となったタイミングで、その侃々諤々の現場をこれほど生なましく記録に残している『ガリヴァー旅行記』はそれだけで長く記憶に留まる知的“Jocumentary”とは思わないかい。小生自身、僚友、荒俣宏氏が『別世界通信』で「暗号学左派」と呼んで早々に喜んで研究していたこういう動きをきちんと整理して『メデューサの知』という大きな本にまとめた。多くの翻訳が「普遍的な言語」と、のほほん訳しているところ、「普遍言語」と訳してみせたのはその辺、ちゃんと十七世紀のことを勉強してから十八世紀「娯楽文学」訳してね、という、少々嫌味を言って見せた積りである。研究者翻訳家のささやかな矜持と嫌味。今回訳のメリットとデメリットだ。ただ横のものを縦にするだけの「本厄」を『ガリヴァー旅行記』は許さない。

だから最後に少し、今回の邦訳プロセスのことをメモしておく。「プロスペクト」という言葉があって素直に「見通し」と訳して済むところ、これが十八世紀のピクチャレスクなイングランドで大流行したお洒落単語だと知れば、当時これを読んだイングランド人の耳朶の快感をも思って「プロスペクト」という音、残したい、よね。「認識論」小説でもいいけど、その前にまず売れ線の驚異-文化大学の一大傑作なんだから、よほど暑苦しいことでもなければ「ワンダー」とか「マーヴェル」「マーヴェラス」という語はカタカナ表記を残す。「見通し」とか「驚異」とか「好奇心」とか皆、ちょっと鬱陶しくプロスペクト、ワンダー、キュオリシティ等々のルビが振ってある。時代の一大流行語だったという印だ。当時はやった語やフレーズに当時のイングランド人読者がどう敏感に反応したかのイリュージョンを訳語に残す親切とこの訳書の訳者は心得ているわけだ。翻訳「屋」ではなく十八世紀研究家が訳せば、この親切、むしろ当然ではないか。オピニオンは、「意見」である前にまず「オピニオン」と訳す。そういう十八世紀人読者想定イリュージョン大事の方針で行けば、「ジャパン」と出て来るのいきなり「日本」と訳すの、おかしい。やっぱ、まず「ジャパン」だろ？　「ナンガサク」をどうして「長崎」なんて訳して、のほほんとしてられるの？　元通り「ナンガサク」でしょうが、ここは。この辺の日英語融通の呼吸が実に面白い訳業だった。ギリギリこのイリュージョン突き詰めれば、十八世紀イングランド人読者が日本語で読めた筈ないんだから、日本語訳したこの本そもそもが変と思えてもくるわけだし、むむむ。故ウンベルト・エーコが『ロビンソン・クルーソー』のパロディたる『前日島』を書いた時、或る用語の或る意味が本当に十七世紀にあったのかなかったのか、いちいちコンピュータにチェックさせたそうだが、やっぱりそうだよね。

逆に（無理して）日本語にして了ったために（コンテクストに割と巧くなじむ）日本語の言葉遊びがいくらもできる。これは英語ではこういう洒落だなと了解できる時には、きちんきちん対応する日本語の洒落に厳密に置換したが（これは責務）、たとえばフウイヌムがどう見ても（？）ウマなので、一例としてフウイヌムの犯すミスはほぼ自動的に「馬抜け」にならざるを得ないとか、ウマの抱く傲慢だから「驕慢」の訳語表記しかないねとか、それにしても肝心の「驚きというキーワード」、馬が敬うたあなんだとか、そのレヴェル。ウマの世界に長い間いたために君の喋り方、妙にヒンヒン嘶きみたいな変な音が混じって気に掛かるとガリヴァーが言われてしまう所まで訳してしまうと、そうだそれらしい該当箇所随所に「ヒン」「ヒンヒン」「ヒンヒンヒヒーン」とか適当に品良く入れておかなくてはとか思い付いて、入れた。ほとんど柳瀬尚紀流。そういうの、何これって、すぐ文句を言ったりネットで文句言うのやめてね。それなりに考えあってのことだから。マニエリストに依頼したら、こういう訳になる他ない！

十八世紀イングランド人がどう受けとめるかとか、同時代、宝暦や明和の時代の日本人が読めたならどう感じるだろうとか、いろいろ考えているうちに、風来山人平賀源内がなぜか『ガリヴァー旅行記』のことを聞き知って、『風流志道軒伝』（一七六三）として、それを「訳す」事態を暫くぶりに愉しく想像した（拙著『黒に染める』で昔一度、試みている）。小人国、大人国、穿胸国とへめぐる、後の狂講「大講釈師」の若年の「島めぐり」トポスの「平賀ぶり」「平賀張り」文体の大傑作である。通説では中国の『山海経（せんがいきょう）』に取材したのだとか。しかしやっぱり本ネタは我利馬でしょう。旅や島や驚異が内容でもあり、形式でもある。島が形式？ そこら辺、いつもなら最高の研究書（Shell, Marc, Islandology, 2014）を一読して万端満足するところ、やはり訳となると、その面白みといたずらは格別だね。だって、「文学」にしなきゃいけないわけだからね。特に學魔訳ということになると、皆最初から超訳を期待しているわけだもの。これい良（よ）い訳（やく）なの、言（い）い訳（わけ）なの？

一番最後に付いている、ガリヴァーがシンプソン氏に宛てた書簡を訳すべきかどうか躊躇があった。物語本体が発表された一七二七年以降のどこかで書かれたものということがはっきりしている文章なので、初版本体を当時の英国人読者がどういうふうに受けとったものかという点にこだわってみた訳者としてはこの文章を物語本体の直後に、あとに読まれてしまうのはどうも違うとしか思えない。

こういう出版を取り巻く人間関係を示す副次的材料を文芸哲学のジャック・デリダやジェラール・ジュネットは「パレルゴン parergon/pareruga」と呼んで、本体の評価や鑑賞を一変させる効果を持ち得るものとしてクローズアップした。本体読了で一応つかめた作品の主張なり、イメージがこの「付録（アクセサリー）」でもう一度大きく反転する。パラドックス文学のはな精華といえば、それまでだが、この部分、読むか読まないか、読むとすればいつ読むか。本体発表後八年たった。一七三五年の版に登場するこの付録のこうした現代文芸批評的意味合いをもっと深く考えてみたければピーター・ワーグナーの『アイコンテクスト』を読むと良い（Wagner, peter, Reading Iconotexts, Reaktion

Bks.,1995）。最新最強の『ガリヴァー旅行記』論として推す。

（２０２０・８・１５）

遊行する機械　——やなぎみわのステージトレーラー計画

旧知の演劇人やなぎみわが神話と機械に、神話とはつまり機械と直観してはばかる所なしという次元に突入中のようである。

そういう旧知の演劇者には、たとえば桃山邑(ゆう)がいて、かつて桃山が主宰する水族館劇場について感想を求められた時、僕はテアトロンの原義に即(つ)くべき劇団であるというようなことを言った。シアター（theater）の大元のギリシア語が「テアトロン（θεατρον）」だとして、それは劇場はむろんのこと広義に「見る場所」一般を指す。スペクタクルが観客を驚かせる力の方に舵を切った桃山邑の作劇術にぴったりの評語を献呈したつもりでいた。

しかし現場で、腰から一杯大工道具をぶらさげて身軽に動き、指示を出し続ける桃山邑の姿を見ていて、まず僕の頭の中にあったのはラテン語の「スターレ（stare）」もしくは「ストー（sto）」だった。国とか状態とかという意味のステートや、駅を示すステーションになっていく大元の語で直截に立つ／立てる（建つ／建てる）をめいっぱい幅広く指す。立ったままじっと動かないというニュアンスを含む。問題はこの原義に発する一連の概念群に状態・段階を指す「ステージ（stage）」も含まれていることだ。寺社の何もない空き空間（「芝」）に忽如として堂々の鉄パイプ劇場（「芝」に「居」るポストモダン）を出現させる桃山邑は、だから稀有にも文字通り立／建てるヒトなのであり、大工と役者（わざおぎ）を同時に守護する宿神の申し子である。めったにお目にかかれない職能のこの神話的融合に感激した僕は、宿神・後戸神のそういう絶妙の両義性を巧く一巻に（『精霊の王』）まとめた中沢新一氏と桃山邑を引き合わせた。僕の機械演劇論、それで一段落、と思っていた。が……が、しかし、二〇一七年からこっち、「ステージ」のひとという評言にさらにふさわしい芸能者がもう一人現われた。ステージが、立つもの、建てるものである「段階」から劇場・舞台であるものへと飛躍し、変性していくものであることを全部見せようと考えた魔術的なやなぎみわである。その「ステージトレーラープロジェクト2017」である。工学に長（た）けたほかいびとまた一人なのだ。

車がいわゆるトレーラーハウスを運んでくる。このトレーラー部分が中から中からどんどん外へ開いていってステージに化け、楽屋を穿ち、毒々しい書割りに展（ひろ）がる。常設の劇場が問うのに苦労し、挙句そのことを問うのを止めてしまう空間のうちと外の弁証法的関係を問うのに、このステージトレーラー以上に直截なものは、そうめったにあるものではない。移ること（*carriage*）の中に車（car）がある！

舞台はいわば部屋であり、もっとわかり易くいえば一個の箱である。箱の一側面が観客側に向け消滅したものが、「第四の壁」(ブレヒト)を取っ払った普通の劇場のリアリズム演劇だといえる、そうした箱。車に運ばれてきた一個の巨大なトレーラー以上に箱のイメージに合うものも、いわれてみれば他にそうはない。しかも、物理的制約ということを除けば理念的には逆無限後退的にどんどん中から中から新たな「うち」をねじり出してくる――そしてそれがどうやら神話というもののあり様とダブるのだと言いたげな――この考え抜かれた機器＝記紀劇場の根本的な構造なのだ。キーワードとしてうち／外を一瞬として手ばなすことのないこのポケットステージは、商業演劇が完全に面倒臭がりだしている存在の二重性の無窮の流動を実存の永久機関のように――ガソリンが続く限り――演じ続けるのにちがいない。

ステージというキーワードの中で「段階」と「舞台」が無碍に交錯する面白い瞬間があった。話は少しく歴史的になる。しかも「サイクル」という一層ややこしいキーワードがらみだ。一番典型的なのは中世英国演劇史の花形、ミステリー・プレイと呼ばれるものの中に「サイクル」と呼ばれる一共同体を丸ごと取りこむ大演劇があった。僕など英国演劇史をかじった人間はシェイクスピアに入る前、十三世紀から十六世紀にかけてのチェスター・サイクルとかヨーク・サイクルとかいう、演劇が祭礼でもある時間も空間も広壮な演劇の研究をやらされる。キリストの生涯を幾つものギルドが分担して演じる。チェスターやヨーク州のあちこちで行なわれる複数同時併発のキリスト伝の各場面を信者／観客は順次見て歩くので、観劇が、俗化していく社会の中での巡礼の行程ともなる絶妙な仕組であった。たとえば現在でもスイスのある地域に残るこの巡礼サイクル劇と同じものが、やなぎみわのキャラバン演劇に感じられる。熊野を中心とする畿内に発して主たる聖地を巡って皇居に至るというプロット展開からして巡礼劇たることは間違いない。劇中に聖地巡礼を演じるだけでなく、なにしろトレーラーの実物なのだから、ステージそのものが伊勢へ、恐山へ時計回りに移動して巡業していくことが可能というのが（ちなみに「スターレ」がらみでいうと、「ステーション」も駅という意味に近代化される前は巡礼たちが体を休める宿「留（りゅう）」の意だった）、この劇場に車が付いていることとの究極の奇想なのだ。ステージも漸次展開する「段階」を意味し、しかも車に引かれて移動するトレーラーという以上、直線的進行をイメージさせるが、舞台にのせられるものが神話という「永劫回帰の時間（イル・テンポーレ）」（ミルチャ・エリアーデ）であるという、一見したところ矛盾であるように見えるところが、概念上このプロジェクトの面白いところである。見掛け上の直線と包含される演劇概念そのものの円環性の対立、そして融合の妙。究極の「対立物の統一」というマニエリスム的性格が、転がる車という仕掛けに劇場を載せるという、やなぎみわの畿内や京都にいて巷を練る散楽空車（山車（だし）や曳山（ひきやま））を見続けてきたそれほど非日常でもない奇想の中から出てきた。「サイクル」という極く中世的な聖史劇がモータリゼーションの二十一世紀に仲々複相的な両義（多義）性を帯びて蘇った。リニアーなもの万能の時勢にサイクリックというか、いっそサーキュラーなものがおだやかに、しかしはっきりと蘇った。そう言いたくて「サイクル」という古演劇に触れてみた。

☆

前近代の巡礼演劇のことに触れたり、第一、モータリゼーションは二十世紀のことだったり、いくらたかが一台の風変わりなトレーラー車輛のことと言っても、問題はズバリ「近代」なのである。僕とやなぎみわの実質的な出会いは『アサヒグラフ』にやなぎが発表したデパガ（デパートガール）の群像を極めてピクチャレスク＝サブライムな百貨店の広大空間に配した写真シリーズに呆気にとられて、一文を草した時である（二〇〇〇年九月十五日号）。たとえば、こうある。

外にして内なる空間の両義的魅惑をパッサージュ（アーケード原理）ということくらい、今日だれしも知っている。その原理を商戦略に応用したのがデパート発明者ブーショーだったり、公道を自分の百貨店の中に通させたシカゴ市長のパーマーだったりしたのだが、新世代の文化史家たちの机上の空論と化しつつあるパッサージュ空間の魅惑と閉塞を、これだけ徹底して目に見えるものにしてくれたやなぎみわの「コロンブスの卵」的創意にびっくりした。

（『雷神の撥』羽鳥書店に収録）

問題は依然としてうちと外なのだ。今度はそれを劇場についてやった。内／外の峻別と照応を不可避の宿命とする空間を舞台にやったわけだから、構図ないしメッセージは明快、というか峻烈きわまった。結果的にやなぎが回帰せざるを得ない十六世紀マニエリスムは演劇が時代の形而上学的不安と二重化した時代で、内／外はたとえば『ハムレット』の劇中劇（マウストラップ）に結晶したというのは周知のところであろう。次にこれに匹敵する世界の内／外分離が意識化されるのはフランス革命前後のロマン派がそれと言われているし、さらにその後は一九二〇年前後のモダニズムの時と言われている。これは今日、オルタナティヴな近代文化史ということではむしろ当然のように言われている流れで、内／外分離はむしろこの史観からははずされた市民文化、高度消費文化の各位相の方で甚だしく、激しかったというのが、たとえば僕などの近代文化史観である。内／外の分離そのものというよりは、意識の外に出されたものが今や存在しないものと感じさせられるまでに徹底した次元のうち／外の分離がそこでは市民の常識となり切っているからだ。一九二七年まで「ザ・ピクチャレスク」観念までも忘却されていた。そして一九八〇年代まで再び忘れさられていた。理解できない厄介なものは全て「絵になる」フレームの外に圧し去るピクチャレスク美学を現実世界の中枢に「立／建」てた極みが鹿島茂や僕の研究が示したようにデパートだとすれば、何をどう勉強してきた結果、マヌカンのように無機質な姿かたちして巨大遠近法・崇高美空間に坐り尽くすデパガたちのピクチャレスク文化の漂流先にこのやなぎみわという人物はたどりついたのだろうか、と僕はオマージュを綴りながら、いぶかしんだものだ。

僕がやなぎのステージトレーラーを確実に目撃し、仔細な分析に誘われるのは二〇一九年のことになりそうだとして、僕はつい笑ってしまう。ローベルト・ヴィーネの名画『カリガリ博士』からぴったり百年だからだ。これではまるで「百年待っていてくださいね」という『夢十夜』（一九〇八）第一夜の男女の頼りないあえかな約束ではないか。表現主義映画どうのこうのという話ではない。『カリガリ博士』はもっと丁寧に言えば『カリガリ博士のカビネット』というタイトルで、この「カビネット」の含意を気楽げに省略するから演劇論一般がちっとも盛りあがらないんだという話を、故山口昌男氏は僕との対談でいつも必ず問題にしたのは流石である。この英語で「キャビネット」、もうひとつのドイツ語で「カンマー」とも呼ぶ空間こそはキャビネ・ド・キュリュー、ヴンダーカンマーからの当然の連想も手伝って、奇異を見せる舞台なる「箱」の謂だと思う。カリガリの「箱」、即ちドイツ表現主義映画の仮面をかぶったマニエリスム演劇なのに相違ない。トレーラーに箱が載せられていると僕が言う時、宇宙万象をコンパクトに劇場のメタフォリックスに詰めこんで動く、というか「運ぶ」やなぎみわの策謀に僕が何を見ているかの、これが一端だ。

少し大袈裟を承知で言えば、同じ一九一九年にフロイトの画期的論文「不気味なものについて」が出て、外と峻別され、自らに屹立独行する「うち」に一定の深い意味合いが与えられたことがある。ロマン派のE・T・A・ホフマンの謎めいた中篇小説『砂男』への精神分析学派からの一解答ということとだったが、人間意識内側一般の意味と、その人間の住む「家」の意味が完全に重ねられて、まさしくロマン派文芸において人間意識が同時に家（家族・血統）の崩壊の劇であるような重苦しい文芸の暴発となった。W・カイザーの『グロテスクなもの』（一九五七）とA・ヴィドラーの

『不気味な建築』を補助線として読むと「うち／外」の文化史は基本的にミスなく立ち上げられる。両方とも早く文庫化されて若い批評世代の共通語になれ！

この百年の文化史・文学史的脈絡の中でやなぎみわのプロジェクトを考えてみた。第一次世界大戦終戦の年から丁度百年、日本の全てが皇国史観に一統され始めてから丁度百年。そう言えば二〇一九年は一年をあげて皇居界隈が賑やかになる年でもあり、近畿一帯がざわめく年にも当る。全て偶然なのかもしれないが、全てやなぎみわなる巫女（メディア）の周到な策謀、近代を見据えた予言者（シビル）の演劇マニエリスムなのかもしれない。この「百」年――やなぎが福島の桃（百）（もも）に執着してみせたのも存外――この『夢十夜』的ジョークはやなぎ自身の絶妙なジョークである。

むろん漸次その前史はあったわけだが、第一次大戦を期して小市民的リアリズム文芸は終結し、いわゆる「神話」研究、神話文学ジャンルの大流行期に突入する。日本における記紀文芸再興もそうした時流の一環だ。南方熊楠帰朝から『遠野物語』に相渉（わた）る時代。この百年が中上健次を口実にそっくり再現される。中上個人の作品というよりは二十世紀に呪呼された神話系（ミソロジー）の構造と時代性全般が俎上にのぼせられる。手垢のついた小説よりも演劇が、リアリズム演劇よりも「野生」や「残酷」の演劇が席捲して然るべきだったこの百年のとても頭のいい整理とそれへの共感が僕にはある。

幾つかのパラドックスにふれておこう。「反対物の一致」と先に言っておいた点でもある。劇場と言えば「立／建」ってそこに確立し、定住したものと誰しもが思う。先に言った「スターレ」の世界。**ステ**ーブルかつ**スタ**ティック。動きのない世界だ。変身とか成長とかを舞台（いた）の上の内容としながら常設・不動の容れものが次第にその内容をも蝕む。勅許され、公認されたそうした劇団は次々とレジティメート・プレイだのレギュラー・プレイだのと呼ばれてそらぞらしく威勢を張り、そして堕落していった。合法演劇というわけだが、劇的なるものは本質的に法をはずれるものなのだ。(僕の半生を見ればいい。) 法に認めてもらえなかった演劇は「フォラン (forain)」と呼ばれたどさ回り、大道芸人、生活の場はもちろん「小屋」。その芸は「小屋掛け芝居」、そして「見世物」と呼ばれる。桃山邑の芝居に僕が執着するのは北九州炭鉱世界を大八車を引いて数人で彷徨する黒白の映像を絶対に手ばなさない点だ。赤テント、黒テントの肉体派テント演劇の葛藤の中で随分難しい立場にあったように仄聞するが、定住拒否、野戦攻城の意気や良しである。「スターレ」に対するに「モト (mot)」「モヴェオ (moveo)」という原語に発するキーワードを並べてみれば分かりが良いかもしれない。ムーヴ (メント) とかモーション (ついでにエモーション) とか。モバイルとか言えば一挙に今様だ。これらを一挙にまとめたブットビ企画がモーター、モータリゼーションと演劇を結びつけた点だ。自動車の多機能性は考えて見るほどに突拍子もなくて、楽しいものが次々と出てくる。「はたらく車」の世界。文化史的に重要なのは移動図書館、面白いのは移動式キッチンの類。ひと昔前にはミニチュアのお寺を載せて、走る霊柩車も目にした。動かないところに価値ありとされるものが次々と移動可能になる。劇場が車に載せられるという発想は劇場の観念史上の画期である。新御三家と呼ばれるアイドル歌手の一人が渋谷駅近辺で突然、トレーラーの片側を開けて街頭ライヴを挙行、パトカー出動で大騒ぎになった時、僕たまたま居あわせて商売うまいねと感心したことがある。やなぎみわのトレーラーが全然似て非なるものなのは、行く土地土地の地霊（ゲニウス）との深刻な係わりを引きずって動くからである。静に対するに動（しかも静の止場）というパラドックスにさらに、魂や情といった凡そ機械的なものの真反対なものを動かす機械というパラドックスがステージトレーラーにはある。

ひとつ演劇に係わる誤解をといておこう。演劇と言えば役者一人一々の身心の鍛錬だの、発声術や所作術の集合体と平気で思っている研究者が多くて困ったものだが、半分は機械（メカネー）の世界である。僕はやなぎみわの畿内圏の演劇・芸能を高く評価しているが、理由の一斑は江戸時代、歌舞伎芸を一挙に機関（からくり）、機巧三昧に変えた並木一族を心から崇拝しているからで、四世鶴谷南北にしてもこの点では、たとえば並木正三の足もとにも及ばない。阪大理工学部の石黒教授に心酔中の平田オリザ先生みたいに役者の身体までロボットのように考えるところまでいく必要はないが、やはり舞台は装置さまざまなレベルでは実に精妙な機械なのだ。演劇のマシニズムについてやなぎみわがカルージュの『独身者の機械』を随分読みこんでいることを確認したが、それにしても演劇自体を移動する機械の一部にした超キャラバンの創意はひとりやなぎみわに帰するものとして讃えておきたいと思う。

モータリゼーションと世界劇場が結託した異形ステージ等と言えばいかにも騒々しい奇想の演劇のようにも見えるわけだが、内から内から何がはじき出されてくるかわからないステージの「箱内箱」（mise en abine が mise en scéne と完全に被（かぶ）り合う／歌舞り合うところが妙味だ）も、いわゆる

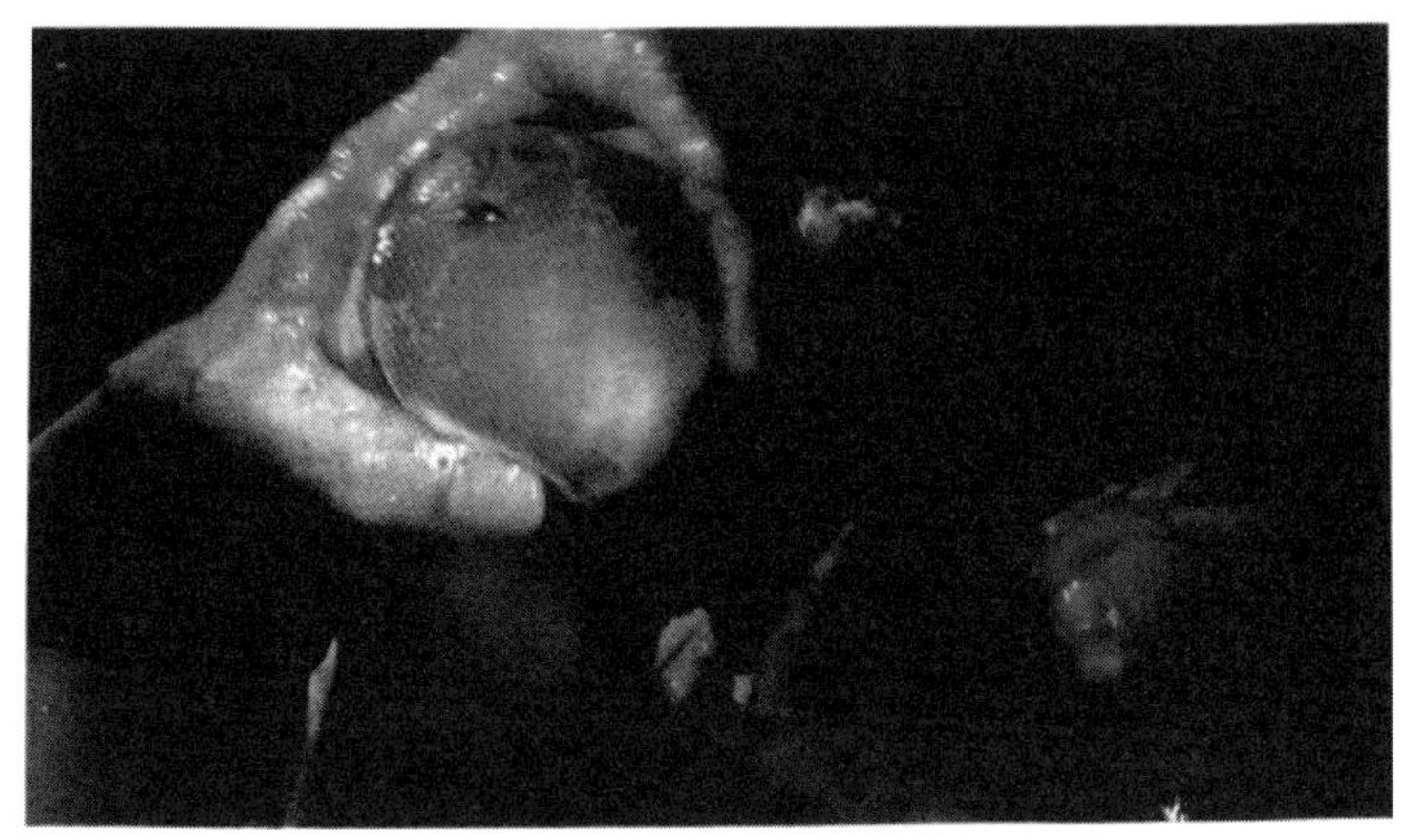

《桃を投げる》2018 年

《神話機械》2018 年

終りなきタマネギの皮剝ぎにはならず、中上健次を重たげな錨（アンカー）として引き摺（ず）る終りをちゃんと仕組んでいるわけで、相対化地獄のちゃらいポストモダンな実験室ではない。長い演劇史にちゃんと名を残せるしっかりした戦略を堅牢な体幹として具えているところがさすが熊野、畿内の芸能行為である。

　このモバイルな運動能力は悪名高いヴァガボンド法（アクト）に苦しんだ初期近代の中の演劇史を思い返せば、華やかすぎるほど画期的な事件とも言える、ということだ。旅役者たちが実質支えた中世〜近世の芸能史は、放浪のメディア、定住を拒む移動のほかいびとを、放浪と移動の故に無条件に疎外、逮捕拘引する無法の法によって弾圧され、さなきだに歌舞演劇ぎらいのピュリタン独占支配の十七世紀英国の劇場封鎖（一六四二）によって、シェイクスピアを含む野生演劇先駆演劇の壊滅が余りにもむごく証明するように、消滅を強いられた。柳田民俗学が有名にした客神（マレビト）信仰を思いだそう。安定した「うち」になくもがなの外の情報をもたらす者として超危険視された異物の一端が間違いなく旅の役者たちだった。時代劇で正負いずれのカリスマ集団にしろ、大方が旅役者の異装をまとって場面間を移動する不思議な演出上の約束ごとはそこに根を持っている。一点にしっかり根を持つ土地霊（ゲニウス）にとっては、移動する神話はそれ自体が邪悪な淫祠邪教（ペイガン）であったはずだ。やなぎみわ作劇術（ドラマトゥルギー）の根幹たる（いやむしろ「根無草（デラシネ）」たる）移動は、自動車でおなか一杯のモータリゼーションの今にあって、しかしやはり当り前のものに見えてはいけないし、嬉しいことに当り前のものには見えない。

外から闖入（ちんにゅう）してくる異物を内側の論理は「巡礼」として認可した。『日輪の翼』は内容として老婆たちの遍路行、若者たちの漁色行二重の放浪旅を扱いながらステージトレーラーそのものが歴たる巡礼（ピルグリメージ）の営みになっている。名著『巡礼の構図』（NTT出版 Books In-form シリーズ）に『日輪の翼』はまったく斬新な一章を加えるにいたったと言っておく。

余りにも大きな芸能文化史の（そしてひょっとして余りにも誰もが知っている）王道の議論を試みてみたから、残る僅かな紙幅で、素材論理の両面で思いきり極私的な着眼点を言い足しておきたい。思いきりの我田引水。

芸能だ巡礼だ移動だと言えば山口昌男流の「中心と周縁」論がやはり出てこざるを得ない。近畿域に発して皇居に至る話で、どこが中心でどこが周縁かが問題にならないことはあり得ない。根なし（デラシネ）を主題に選ぶやなぎみわには畿内という絶対の「根（ラシーヌ）」があるらしいのが面白い。「幾」重にも「機」械好きなやなぎへの執着とは何か。漢字形声に見るこの「幺」が僕には細い糸の「かたち」なので面白い。畿も機もつまりはテクスチュアルな行為なのだ、と。それだけではない。畿は「みやこ」と読み、帝都のことなのだ。これを中心に外へ九ステージに領域分割が行なわれていく。中心から周縁へのいわゆる九畿である。我々のよく知る「夷」も「蕃」もこの九段階のうちのひとつだ。「畿」は中心であると同時に「さかい」という読み方もあった。境界の意味だ。いっそ地方という意味さえある。つまりどうやら中心と周縁、内と外をめぐって考察と感覚を重ねていく意識のありよう全体をこの「畿」一語は包含しているらしく、今さらながら山口昌男を副読しつつ中上健次を、そしてやなぎみわを追ってみたい余りにも甘美な誘惑。

ギリシア神話を知りながらその肝心の中上健次の畿内伝承を知らない不心得者がいるとも思えないが、そういう人間が「日輪の翼」と聞けば、まずは不幸な飛行によって父親の目の前で墜死を遂げた少年イカロス（イカルス）の姿を思い浮かべることになる。むろん父親とは大工たちの祖型的存在たる工人（エンジニア）、かのダイダロスに他ならない。二十世紀後半、一冊の魔書の介在によって我々の時代最大の神話存在として復権した「呪われた」エンジニア。そしてその一冊の魔書とはグスタフ・ルネ・ホッケ著『迷宮としての世界』（一九五七、邦訳六四）に他ならない。迷宮が同時に劇場であると何がどうなっていくか、考えるだに鳥肌ものなのだが、歴たる工人が同時に劇場差配人である時には、この神的な原＝工人はたとえば宿神と呼ばれ、なぜこの神に於て迷宮制作者が同時に演劇を司る者であるかが、たとえば中沢新一『精霊の王』で精確に議論され、現に建築職人の桃山邑氏が「水族館劇場」を鉄パイプで文字通り「構築」するありようを捉えて宿神神話をそっくり演劇化してみせる稀有な劇団ということで、僕はずっと讃えてきた。そして今、やなぎみわの「機」の中の「畿」をもまた。

一説によれば遊行とは迷宮行であるとも。

そう、文化を「驚異のアルス（arte della merabilia）」（マンリオ・ブルーサティン）の連続体とみる人間にとってやなぎみわの策謀ほど鮮烈な「驚く（τὸ θαυμαστόν）」ための「テアトロン」はそうそうはお目に掛かれない。熊野を論ずにアリストテレスが必要になるほどに！　と言っておこう。

マニエリスム、または「揉め事の嵐」——橋本治 青空人生相談について

1 御縁、浅くて実は深い

昭和も、平成をへだてて実に遠くなりにけりと言われるタイミングに橋本治を失ってしまった。昭和二三（一九四八）年生れだから僕より、荒俣宏よりひとつ下。その橋本さんが二〇一九年一月二九日になくなった。その五ヵ月ほど前、急性心不全で死んでいて不思議でない状況にあり、合併した腎不全を引きずっていた自分にとって、この奇才の死はやはり衝撃だった。これでもう荒俣君を失ったら、もう団塊の語り部に語るべきものは何もない。「団塊」をひとつの世代の名にプレゼントしてくれた小説『団塊の世代』（一九七六）の堺屋太一さんが、橋本さんがなくなった十日後になくなって、象徴的に僕にとって唯一、世代論としてそれなりに意味を持った「昭和」が終った。平成最後の年が昭和最後の年ということになったとでも言うか。以下追善。

御縁と言っても電話でのやりとりだけ。しかも、エロ雑誌としてばかり喧伝され、最後は警視庁に追及されて廃刊に追い込まれた『写真時代』の企画上のことなので、僕に「学者」としてのイメージを少しでも持っている人間はみな「ウッソー、またまたァ？」である。旧知の写真評論家、飯沢耕太郎氏の名編著、『『写真時代』の時代！』を御覧になると良いが、いずれ荒木経惟のSM写真で有名になるエロ写真を売りにする予定では銀行融資を受けられそうにもないというので、奇才末井昭氏は『写真時代』前段階誌をひとつクッションに入れて、たとえば当時若者に人気のハードな思想誌『現代思想』とかに常連的に名を連ねる「最先端」な人気批評家を各号目次に総結集して、融資の誘い水にするプランを立てた。その目次案と人選に僕も動員された。

『現代思想』人脈のどの辺に僕が位置していると天下の白夜書房が判断したものか、いまだに定かではないが、赤瀬川原平、上野昂志、糸井重里、南伸坊といったひと世代上の猛者たちに若手がまぎれこむ時の口入れ稼業の一人が若き日の「學魔」だったと聞いて、驚きながらも喜んでくれる筈の人の数も、もう随分減っただろうという話。多木浩二といった清廉潔白な先生にはあっさり寄稿を断られたといった話は既に色々書いた。

『アリス狩り』という僕の処女評論集が出て、それが少しだけ齧じったマニエリスム論なんかで話題になった一九八一年は、『写真時代』創刊の年なので、「学者」が「エロ」でどこが悪いみたいなバカな気負いがあったんだろうな。ちなみに『写真時代』廃刊が一九八八年のことだから、僕自身の批評活動初期の主力分とそっくり時期的にかぶり合っている。そういう、英文学専攻の筈の人間の念頭から全然離れない怪しくもノンジャンル、悪達者な書き手の一人にまだ良くは知らない橋本治がいた。当然あとで分かって嬉しい半分、そうかやっぱりかという得心半分だったが、橋本治『花咲く乙女たちのキンピラゴボウ』もまた忘れがたく一九八一年の事件だ。

良くは知らないが、そもそも僕が橋本さんと出会っている（筈な）のは東大入学した一九六八年の教養学部駒場祭のキャンパスのことで、背中いっぱいくりからモンモンの彫りものをした若衆が「とめてくれるなおっかさん　背中のいちょうが泣いている」のイナセ過ぎるポスターで、デザインしたのは誰かという話で、「はしもとおさむ」という名を初めて耳にした。教養学部で日本古典を教えている大物に守随（しゅずい）憲治氏がいて、古典資料の整理を住み込みでやる学生を捜しているという話が伝わってきて、誰に決ったんだろうと思っていると、「はしもとおさむ」らしい、というようなエピソードが重なって、なんだか色々やるマルチタレントな人物像が次第にできていった。僕自身、何故か新入生のくせにフランス語が好きで、非常勤で見えていた丸山圭三郎先生にきみ、ジュネーヴにいたでしょう、あちらの訛りがあるねとか言われて頭掻いたのが噂になっていたらしく、「駒場のランボー」をある日のぞきに行ったが、生憎と相手がその日、授業に来ていなかったとか、橋本さんが思い出ばなしをしてましたよ、と後日ある編集者から、僕をめぐる噂ばなしとして聞かされた。

後日、話題の『桃尻娘』の作者だと判っても、画期的な女性マンガ評論の書き手と知っても、天才的な編物家（ニッター）らしいと聞いても、何も驚かなかった。頭で考えつくことをすぐその手（マヌズ）が実現することとを理想とするアートが歴史的にマニエリスムと呼ばれるということ自体、その一九六八年から暫らく駒場キャンパスで知られ、将来の新しい美術史家の卵たちの一大関心事であったわけだが、文学や美術の境界を一切持たないのかもしれない橋本治という学生が僕にとっては生けるマニエリストとして身辺に幽霊のように徘徊していた。当時、見えてはこなかった「はしもとおさむ」を今日扱いを覚えた用語でもって橋本治として一度自分なりに定着してみるとどういうことになるのか少し記して、追善に替える。

2 「人生相談」のジャンル論

僕にとって究極のハシモト的ジャンルは「人生相談」というコミュニケーション・ツールないし、いっそエクリチュールである。戦後の雑誌文化、またラジオ文化の中で一種象徴的な存在だった人生相談ないし「身の上」相談を、民放ラジオで言えば社会哲学者加藤諦三氏が相談内容によってプロの弁護士を動員して本格的に重たくやる系列から、自からのカリスマ人生をそのままぶっつけてくる無敵の一刀両断派の淡谷のり子、美輪明宏のシビアな系列まで、やはり一九八〇年代からひとしきり盛り上がったのを、大学での講義を夜間部に切り換えてまでも真昼時毎日聴きまくったものである。考えるほどにいかにも時局の面白いジャンル。

新聞・雑誌の人生相談欄だと、まとめておいて読むことができるし、とりわけ橋本さんの人生相談のようにそれが本にまとまると、「人生相談」がひとつの文芸ジャンルを形づくるのだということとが判ってくる。批評やら戯曲やら、表現ジャンルそのもの拡大を意図したふしがある橋本さんの文業（という呼び方が一番適切か）全体の中でも、活字化された人生相談というのがとりわけユニークなもののように思われる。

　ゆとりと言えば簡単だが、そもそも「人生」が「相談」の対象になり得るということが歴史の上から見て凄いことだ。長い歴史を抱えた階級固定の文化からすれば、人は何か別の人になることなど考えることすらできなかった。「階級」が壊れ、暫らくはその壊れたことの反動が大地震の余震のように続く時代が、というか祖型的時代がフランス革命の頃のフランスとヨーロッパにあった。桎梏（かせ）というか抑圧的規範があったのが壊れていく。悩む自由――橋本流パラドックスで言えば「悩む必要性」、悩みの「メリット」――が問題になる。悩むすき間あるニッチーな時代。

　フランス革命直後で言えば、主に小説家のバルザック周辺が発達させた「フィジオロジー（生理学もの）」という奇態な文芸ジャンルが、私見によれば人生相談文芸の祖型（みやお）である。身分制度のタガがゆるんで、自由であると同時にゆるんでいることの不安が人心をじっくりさいなむ自由への／からの逃走の社会大のパラドックスが、どういう人間になりたいと思えばどういう考え方をすべきか、そしてその結果、どういう外見の日常生活になるべきか、それに見合うライフスタイルをとっていると他人の目にちゃんと映るかのスタイル・ブック、コード・ブックが生理学ものと呼ばれる奇態なジャンルであった。この辺、さすが世界的なバルザック学者（バルザシアン）の鹿島茂氏が詳しく（一九四九年生れの鹿島氏もいつでも人生相談に乗りだせる一番橋本さんの絶大教養と人間に対する好奇心に近い傑物と思うが、やはり団塊のこの辺の人脈では数寄モラリストということで共通する世代論が例外的に有効という気がする）、バルザック『役人のフィジオロジー』などちゃんとその鹿島氏訳で邦訳もされている。僕で言えば、自分でそこいら一度に掘り起こすだけの学力はないので、ジュディス・ウェクスラーの名作中の名作、『人間喜劇』を訳してあるから参照されると良いと思う（ありな書房）。

フィジオロジーという散文の新時代処世術ジャンルを、問いとそれに対する答のセットという形で一応の完結はみるという対話ないし対談の形式に、いわばドラマ化し、さらにフランス革命時絶頂期に達していくエピストラリー・モード（書簡体）に活字定着させていく工夫が必然として生れ、各種メディア的変遷を辿って橋本治の、たとえば『青空人生相談所』の一九八〇年代に流れ込んでいくというのが僕の観測であるが、如何。

こういうことだ。いじめのこと、進路のこと、転職のこと、親子関係、浮気、強姦された、不感症など性と異性交遊、対人恐怖、浪費癖、考えられる限りありとあらゆる問題が、悩んでいる側の手紙の文面として現れ、それに回答者の手紙の文面が（実は雑誌面の記事として）答える。これが無茶苦茶に面白い。「スシが何故二個ひと組で出てくるのか一個ならもっと楽しい」みたいな「悩み」には「子供電話相談室にでもお聞き、このバカ」という対応で、わざわざ取り上げることもないのにと思うが、「世の中に色々な人間がいて」を大原則に「ゴチャマゼに」議論すると宣言するこの亞ジャンルではそういうきれいごとの切り方、というか取捨選択はない。

ランダムに二、三例。これだけで、「今」の「時代」、父親の不在が人生相談ほとんどのコアにあることの糾弾（うぅむ、耳痛ッ！）、人生相談のメインたるべき「今の若い現代女性」の実は虚妄でしかない欲望の軽佻へのいかにもストレートな辟易ぶりという大主題が明瞭。あちこちに記憶に値する銘句がちりばめられるのも「愚行」「賢者文学」ジャンルの系譜である。

おじいちゃんは今、老人ホームにいます。前はウチでいっしょに住んでいたのですが去年老人ホームに行きました。先日遊びに行ったらすごく寂しそうで、年をとったように思えました。ボクの母はおじいちゃんのことがあまり好きじゃないみたいで、家にいた時もガミガミと注意ばかりして、おじいちゃんはかわいそうでした。ウチの前にはオジさんの家にずっといたのですがオジさんが福岡に転勤したのでボクの家に来たのです。

老人ホームは三人くらいがひとつの部屋に住んでいます。庭も広くてきれいで別に悪い所じゃなさそうですが、やっぱり一人で住むから家族が一緒じゃないので寂しいのかなと思う。同じ部屋にすごくいばった人がいて、その人は昔、おじいちゃんが働いていた会社のエラい人だというので、すごくいばって僕が行った時もいろいろと用を言いつけていました。

ボクはおじいちゃんと一緒に住みたいのです。

という可愛い孫くんから、でも諸事情あってうまくいかないという相談。

回答者は「色々な」場合を蜒々と考えた結果、これしかないという結論を出す。

老人ホームから脱出する方法は、それしかないと思いますよ。その老人ホームはかなり上等な老人ホームで、それ故にこそ、そこにいるおじいさんが働きに出ることを禁じているのではないのですか？　だとしたら、あなたのおじいさんが働きに出る為には、あなたのおじいさんはまず、あなたと一緒にあなたの家に住まなければなりません。あなたとおじいさんが一緒に暮らせる方法は、あなたのおじいさんがまた働きに出るという方法しかないのです。そして多分、あなたのおじいさんが働きに出る、その働き口は、あなたのお母さんが「外聞が悪い」と言っていやがるようなところしかないんだと思います。残念なことに、お年寄りの就職先はそんなところにしか見つからないというのが現状ですから。多分、あなたのお母さんは反対するでしょう。でも、その反対は、必ずや突破しなければなりません。そうでなければ、あなたのおじいさんはそのまま、生ける屍です。人間の体というのは、使っている間はいつまでも使えるものです。でも、同時に、人間の体というものは、使わなければ腐って行くだけのものです。ともかく、就職口を探して下さい。そして、そこで問題になって来るのが、あなたが一言も触れていない、あなたのお父さんの存在です。

あなたにお父さんはいないんですか？

いるんだとしたら、今度の件を、お父さんはどう考えているんですか？　あなたのおじいさんの現実は、やがてあなたのお父さんの現実にもなるようなものなんですよ。一体、お父さんは何をしてるんですか？　お母さんの言いなりですか？　お母さんにまかせきりですか？　気が弱くて言いなりというのも、強くてお母さんにまかせきりというのも、実はどっちも逃げているという点で、おんなじことなんですね。

あなたにお父さんがいなかったらしようがない。あなたはおじいさんと一緒になって、新聞の求人欄を必死になって見ましょう。そしてもし、あなたのお父さんがいるんだったら、「おじいちゃんの仕事を見つけてよ」って、お父さんに言いましょう。

橋本さんの本は全部読んだ。自分がなんでこんなにウックツを抱えているのか全部解ったわけじゃないけど（頭が悪いので）、〝あっ、俺も生きていけるかなぁ〟と感じた。今はタマラナクナイ生き方を探し始めたところ。前おきはここまで。

私は某公立大学の医学部の二回生の男子。相談にのってほしいことは端的に言うと、俺も女友達が欲しいよね、というあまりにも陳腐な事だけど、二点あって、一つは、「ガールフレンドを見つける地道な努力」を具体的に教えてほしいという事。二つ目は、〝女友達が欲しい〟と思う反面こんなウックツしている今の自分が恋愛したって、それはウックツしたもので、何の意味もないのかもしれないという疑問に答えてほしいという事。

こんな質問をする人間の傾向どおりに、私はコミュニケーションが下手で、男の友人に関しても、心持ちの似た少数の人なら、そうでもないけど、自分とはちょっと違うタイプだなぁと思ってしまうと、途端にぎこちない話しかできなくなって、何か話さなくっちゃと思いつつも沈黙してしまう。いろいろな人とおしゃべりができて、ワイワイいって楽しめたらいいなあと思うくせに、全然話すことがない自分なのだ。女の子なんか特にそうで、女の子と楽しんで会話できたのなんか殆んどない。

だから〝女友達〟ができないのも当り前なのだが、何をどこから手をつければいいのか教えて下さい。

■某公立大学の医学部の二回生の男性へのお答

初めに言っておきますが、地道っていうのはつまらないことですよ。つまらないから、〝地道〟としか言われないし、退屈だから地道っていうのははやらなくなっちゃったんですね。地道というものを支える唯一のテーゼというのは、〝一番の近道というのは、実は遠回りをすることでしかないのだ〟というようなもんでありますから、これは時間がかかります。時間がかかる上につらいことです。それが何故かというと、地道ということをやる人間は、〝他に何の取り柄もないからだ〟という前提があってのことだからです。つらい・退屈・つまらない・無能というものをひっかぶってそれが延々と続くのが地道です。地道の二字にはそういうことが含まれています。そのことを覚悟の上でどうぞ、ということです。

まず一つ目の方からまいりましょう。〈女友達が欲しいと思う反面、こんなウックツしている今の自分が恋愛したって、それはウックツしたもので、何の意味もないのかもしれない〉という疑問ですが、あなたのご質問の中の〈それ〉というのは勿論恋愛をさしますね？〈今の自分が恋愛したって、それはウックツしたもので〉の〈それ〉です。そうですね？

どうしてそういうことが分かっていながら肝腎のことが、分からないのでしょう、あなたという人は。ウックツした人間が愛をすれば、それがウックツした恋愛になるのは当り前でしょうが。どうしてそれがいやなの？

勿論これもかなりに意地の悪い答で、それはあなたがあるステップを抜かしているからなんですね。

あなたの恋愛に関しての基本構造は次の通りです。

あなた（がいる）、——**恋愛感情**（がある）——→**女友達**（がいる）

これはあまりにも抽象的すぎませんか？　ということです〈あなたがいる〉というのは結構ですが〈女友達〉というのあまりにも漠としすぎています。あなたに関しての基本構造というのは、正確にはこうなんです——。

あなた
（がいる）

女　女　女　女　女　女　女　女

女友達　女友達
女友達
女友達　女友達

素敵な女友達

それは、世の中には色々な女がいるということであります。と同時に、一人の女の中にも色々な段階があるということではあります。

あなたが通りすがりのある女と会う。「ああ、女だなァ」「ああ、いい女だなァ」と思えば、それは彼女と〝女〟部分で関係を成立させたがっているということである。はっきり言って、性的な感受性を刺激されているということ。

その女の人と何回か道ですれ違う内に、「あ、あの人だ」と思い、向うも「あ、また会ったような人だ」と思っているように見えれば、あなたは「ああ、口がききたいなァ」と思うであろう。そしてその時には、あなたは彼女との間で、〝女友達〟という関係を成立させたがっている、ということになる。

そして更に時間が経って、いつの間にかあなたは彼女に「あ!」などと言ってしまった。彼女もやっぱり、それで「ああ……」などと言ってしまった。お互いに知ってる人間同士だということをあからさまにしてしまった。だとしたら当然、そこからあなたは〝恋愛感情〟というものを育てて行ってしまうであろうということにもなる。それが成立するか否か、一方的なものであるかどうかは又別にして。

勿論ここまで書けば、あなたは「ああ、そうだ」と思うであろうし「初めっからそうなるだろうなァとは分かっていた」と思うであろう。思って、結論だけ早呑みこみして、「その結論段階に於ける彼女への恋愛感情というのは、かなりにウックツしたものであろうなァ、そうなるに決っているからどうせなァ」と言って、あなたは努力をあきらめる。〔…〕

ウックツした人間がウックツした相手とウックツした恋愛を、それと知らないですることによって、「自分もウックツしないですむ部分もあるのだなァ」と知る——そしてそのことによって、今までウックツ度百パーセントだったのが、ウックツ度七十五パーセントに薄まって再びスタートを切る。何回かの女遍歴を繰り返し、繰り返すたんびに「ああ、ウックツしている自分はダメなんだ」と念入りに繰り返し、繰り返すたんびにウックツ度は薄れて行くというのが、人生なのであります。

で、愈々ガールフレンドを見つける地道な努力ということになりますが、既にお分かりとは思いますが、こういうことを人に教えてもらおうという態度そのものが地道さとは無縁なものなのであります。地道というのは前にも言いましたように、〝他になんの取り柄もない、無知無能で、しかし性格だけはいいからしようがなくもそうなってしまう生活態度〟なのでありまして、「どうしたらいいのか人に訊こう！」というような智恵さえも出て来ない人間でなくては出来ないことなんですね。

なにも教えてやんないと言っている訳ではないのですが、地道というのは、意図的にやろうとすると、非常にもってまわった作為的な生き方になってしまうということなんです。ヘタをすれば、執念深い痴漢と間違えられかねないという危険性があります。そのことにだけは気をつけて下さい。

そしてもう一例典型的な、「別れられない女」への回答。

友達からも付き合いが悪いって言われるし。とにかく別々に暮らしたいんです。「出てって！」と言えばそれでいいんでしょうけど、彼が住んでたアパートを私の知らない間に解約したって言うんですよ。そうなると行くとこないからかわいそうでしょ。だからまた「居てもいいよ」ってことになるんですよね、ズルズルと。きらいになったわけではないのでそう強くも言えないし……、でも、はっきり言って出て行ってほしい。私は一人でいたい。橋本先生、どうしたらいいでしょう。

■大学二年女性へのお答

ねェ、どうしてそういうこと彼に言わないんですか？　ここにあなたが書いて来たことをですよ。これをそのまんま彼に言えばいいじゃないよ。チャンと筋も通ってるし、思いやりだってあるし切実だしさ、この手紙に書いてあることを、そのまんま彼に言えばいいのさ。それで相手が分かんなかったら、それは相手がどうしようもないスカタンだっていうだけだもん。あなたが書いたことをそのまんま言えば、それで相手のテイドが分かるってもんですよ。そうすればそのことによって、あなたの言ったことの正しさが証明出来るもん。言いなさい。言わないと相手の男には、自分のダメさが分かんないで今のまんまよ。

今の若い現代女性は一般的にそうなんですけど、一体あなた達何やってんのと私は言いたいね。自分の中でグルグル回りだけしてサ。そんなに今の自分が大事かね。あんた達は、百万円の金持ってて、百万円の洋服買うのをためらってるだけよ。その百万円の服がほしくないっていうなら話は別だけどサ。でも、あなた達は、その百万円の服がほしくってほしくってしょうがないのに、その百万円の金を出すのをしぶってる。あなた達が百万円の金を出ししぶってるのは、その洋服を買ったら百万円の金がなくなっちゃうっていう、ただそれだけの理由なんだよね。百万円の金がなくなったって、百万円の服が手に入ればおんなじじゃない。いや、その百万円の服によって、それを持ってるあなた自身の価値が一千万円になるかもしれないっていうのにサ。そんなに〝自分の今〟っていう貯金が大事？　そうやってて、巨額の貯金通帳握りしめて、身寄りもなくボロ家で死んでく老人になりたいの？　私にゃ、そこら辺がさっぱり分かんない。百万円の金握りしめたまま、それで百万円の服を手に入れる方法なんて、盗っ人になるだけサ。手は勿論後に回るけどね。

いい加減、大人におなり遊ばせ。

悩む者の語る（ぐだぐだといい加減にしろと言いたくなるような）物語も面白いし、与えられる「データ」が少ないから確答はできないが、幾つかの場合に分けられるようだから分けて、そのひとつひとつに答えてみるとこうなるという回答者のパターン化した応接を見ていると、こういうふうに幾つか図式化され抽象化された関係を具体的人物たちに負わせて動かしてみると、どんな展開になるのだろうという「小説する欲望」が生れてくる。実は近代の本格的社会小説の出発がこのことである。英文学最初の社会小説、『パミラ』『クラリッサ』はサミュエル・リチャードソンが、手紙ってどう書けば良い手紙と言ってもらえるかという指南テクストを売るうち、具体的な人物同士が手紙をやりとりする中で実体化していくという出来方になっていった。日本で言えば江戸の十返舎一九の小説づくりに手紙が同じ作用をしたことが知られている。

少し失礼な言いざまになっているが、厖大量の橋本治小説作品の骨格なり手際なり知りたくば、その「人生相談」の悩み手たちが語るどうしようもない出口なさに出口をつけるとどうなるか、細かくケース分けして「色々な」可能性を「ゴチャマゼに」書き続けてメモ書きする作家の「創作ノート」を目のあたりにできる一種のメタ小説というとてもポップなジャンルにこれら相談記事が見えてくる。ちいさな本がまんま橋本治小説全集の抜き書きに見えてくる。なに不自由ない暮しの中から（まさにその故にこそ）生じてくる一主婦の浮気の夢とそれに加えられる回答者のシビアな応接をじっくり眺めれば、もう大冊『ボヴァリー夫人』一冊読めた……も同じ（か？）。

3　キャラクターの劇場

「人生」が色々考えることのできる、色々考えねばならない「相談」の対象になったこと自体、たったひとつ押しつけられる全体的規範／羈絆（きはん）——典型が階級・身分制——の弛緩ないし撤廃であるなら、原理的に人生相談という思考や文芸のパターン、ジャンルはフランス革命のうんだものということになるという話をしてみたつもりだが、たとえばその具体的媒体となった手紙ひとつ考えても、また質問側、応答側がかつてのコミュニケーションが広場（アゴラ）的なものであったのとは対照的に徹底して「個（プライヴァシー）」や「私」で成り立つ個室から個室へという約束事のものである以上、部屋という装置が前提であるから、というその意味での部屋ひとつ考えても、ジャンル成立の色々な前提はフランス革命直前の文化の中で育まれていたものと考えねばならない。個室と手紙、手紙を読み書きするツールとしてのテーブルが十七世紀半ばを期して一挙に展開していく状況をモダーンなるものの核心に見る作業を続けてきたのが、世に言う（言わないか？）タカヤマ学だったとして——そこまで論じ切った所に橋本治追善をのっけないわけにもいくまいというので、フランス革命につながっていく「人生相談」文学史を少し別「観点」から述べてみる——とキーワードは「性格」である。いや、この場合、「性格」は正確ではない。もう少しゆるやかに問題含みにキャラクターと呼んでおく。もう一歩進めて「タイプ」と呼んでもよい。性格とかタイプとか言えば、これが人生相談ジャンル最大の頻用語であることなど誰にも一目瞭然だろう。あなたの性格からしてうんぬん、こういうタイプの相手とは合わないいかんぬん、この種の言い回しで人生相談の口振りは成り立っている。そういう言い回しそのものが十八世紀、一七五〇年代以後にタイプという思考法、タイポロジー即ち分類学が文・理を一貫して支配してきた、フランス革命前夜の知的展開の直接の産物であった。江戸にも「フランス革命」がという主旨で書いた僕の平賀源内論（『黒に染める』所収）の主人公を見て、橋本治を今源内と呼びたい衝動にかられたのを今思いだすが、それは本草分類の専門家が源内であり、たまたま日本に来たスウェーデン人分類学者ツンベリ（トゥンベルク）がかのカール・リネー（リンネ）の一番弟子であったという大きな脈絡が念頭にあるからの話だった。本草というか動植の細かい分類の術をタクソノミーと言う。主に十八世紀を広闊な文化史論の舞台に選んだミッシェル・フーコーが十八世紀表象文化を「タクシノミアの宇宙」と呼んだのを記憶している人も多かろう。クラシフィケーションと呼べば分類学もずっと身近になろう。動植分類で種・属・族・類といった細分化する分類枠のひとつが「クラス」であり、しかもすぐこのリンネ分類学が人間を対象にし、それも社会的動物としての人間まで「クラス」分けして、このレヴェルでは「階級」の別名へとこの同じ「クラス」が概念的に化けた、というか意味拡大を遂げたのは余りに面白い事情ではあるまいか。『SALE 2』とか、先述の『写真時代』とか、各号単発に読みとばせた人生相談が次の段階で本にまとまって行く時に、この分類学が時間遡行的に入り込んでくるのも十八世紀文化的で面白い。笑える。人気だということもあって、本になり、別の本になり、文庫本になる過程で、人生相談はリンネ分類学の俗化したパロディにならざるをえない。歴史的論理の必然と言うべきか。今、そういう究極に整理されたたとえば橋本治『青空人生相談所』（ちくま文庫）をのぞいてみるに、「十代の悩み」「二十代前半の悩み」……と続いて最後、「四十代・五十代の悩み」で終る。年代別という分類法にきちんと納まる。「色々」あって「ゴチャマゼ」な「人生」が「相談」の結果、分類学に納まり、つまりはあるべきと編著者がイメージしたライフ・スタイル、ライフ・デザインを示す処世のコード・ブックになる。二十世紀末・二十一世紀初頭に必要とされる「ニューフィジオロジー」がこうしてうまれる。

タイプという観念の十八世紀半ば起源は大体わかったが、そういう分類観念が必要とした、というかそこから派生した観念が「キャラクター」、性格という表象観念であることがわかってもらえれば、いっそ話は早い。元来は文字・記号という意味でしかないキャラクターが何故に何かを別の何かから区別するのに便利な「性格」というもっとずっとよく知られた意味に変性し、転義されたか、僕の『メデューサの知』や上田秋成論その他、さんざんそのことばかり書いてきたのだし、ここでは改めて繰り返さない。源内の『根南志具佐』や秋成の気質（かたぎ）ものを思いだそう。橋本治人生相談の源流はそこいら辺にあると考えるしかない。キャラクターにぴったりの訳語が「気質」。カタギと読んで元は「形木」とか「固木」とか書いたらしいのだ。彫る道具ののみで固い木に形を刻む。神が神工ののみで木石に刻んだのが即ちヒトのかたち、即ちそのヒトのカラクテールであると古ギリシア人は考えた。深いアナロジーにおける洋の東西の思念的融通は余りにも面白く、とめどなくはあるまいか。そうカラクテールはずばり神工ののみそのものの意味である。そのことを夢第六夜に、ミケランジェロのマニエリスム彫刻家論を引き合いに出しながら何ともボルヘス的に謳い上げたのが、たとえば漱石ではないか（拙著『夢十夜を十夜で』羽鳥文庫）。こうしてタカヤマ学のエッセンスを書き連ねた挙句、橋本治人生相談本を見るに、十八世紀フランス革命文化史の理解なくして、一九八〇年代ニュートーキョーに突発した極めて特殊歴史的な一アルス・マカロニカ、アルス・コンビナトリアの文学奇形ジャンルのことはわかるまい。江戸にフランス革命をと大呼した文化史家橋本治を追うてみるとは、たとえばこういうことなのだと思うが、如何。

　リンネ分類学が目を都市文明渦中の人間に向けた究極の結果が言わずと知れたカスパル・ラファーターの『フィジオノミー断片』（一八七五）というフランス革命直前夜の、万人のキャラクター（性格）を各人のキャラクター（外見）に読み取る術（アルス）の図解大百科であった（当時、「断片（フラグメンツ）」は今で言う百科事典のことを指した事意味シン）。しかしそれが今、書き手のキャラクターを示した（というか示しながら隠した）一方的な手紙の表面のキャラクター（文字面）をたどりながら読解しようとする人生相談回答者の超の付くテクスト行為として一ジャンル化されつつあるのだ。さんざん読み込んだ挙句、回答者の強烈なコメント——これ、ムッシウ・アシモトが質問者の足許をすくう何とも過激な反問——が放たれる。「一体あなたは何を隠してるんですか?」とか、「ホントは、そういうことを訊きたいんじゃないんでしょう?」とか。まるでアシモト版「盗まれた手紙」じゃないか。人生相談という、まさしく書くとは何か、そしてそれを読むとは何かをこそ問うテクスト行為。ジョン・バースの『レターズ』が「手紙」を問いながら実は「文学」を、「文」を、文字を、我々の文業のいかがわしさを問うたのと同じことを、この稀代のマインド・リーダーは区々（いろいろ）の手紙の書き手のキャラクターに問いかける。連載を一本にまとめる時につく一種の後書き（『青空人生相談所』で言うなら「回答者の悩み」）の絶妙な面白み、というか無くてはすまぬこみあげる笑いは、予想つくようにまさに強烈なテクスト行為に次々と身をゆだねてきた一書き手（エクリヴァン）による自照／自傷の告白にならざるを得ない。リフレクトする病の極北。相手を癒すことを口実に自からの出口ナシ（ユイ・クロ）を分析する結果にならざるを得ないテクスト行為者が、広場を喪ったキャラクターのありようをなめ回すしかない特異な時代の特異な一文芸ジャンル。「今」という「時代」、「今の世の中って」という頻出の言い回しが存外重いのは「時代というものは、人間の多くを決定します」という橋本治の決定的な、「時代精神（ツァイトガイスト）」の精神史家（ガイステスゲシヒテ）としての揺るがぬ認識と覚悟があるからだ。開けてはならぬほど、キャラクターの謎が輻輳し、重畳したキャラクターの劇場の幕を、ナニゲに浮き浮きとこの時代演出家は開けてしまった。なにかとフランス革命界隈の劇場（テアトロン）に似つかわしい心象風景にも思われて、改めて面白い。

4「ポップ・マニエリスム」

橋本治のジャンル、もしくは超ジャンルは雑文集の外観を帯びる。本人が「色々な人」を「ゴチャマゼに」してみせるという宣言をして始める「人生相談」はのっけから雑文であるしかない。江戸前の考証文や文字通りの気質（かたぎ）ものに精通した橋本さんの手馴れたジャンルであって、同様なことを、文章の巧拙、手だれぶりとかという評価基準を持たないアカデミーにあってやった同時代人にひとつ上の世代の人類学者山口昌男さんがいて、てきめんに「雑文」家と評されることになった。ジャンル論、スタイル論としてそれを擁護しようとして僕はアルス・マカロニカ（ars macaronica）というスタイルがルネサンス末期のヨーロッパにあったが、異修辞学で言うこの意図的なジャンル混淆の方法を橋本治の雑文集、『パンセ』について考えているネット投稿があるのにある日ブッと んだ。パスタ料理のマカロニとも関係あるらしいのが、碩学で今もっとも注目に値するルネサンス文化史家のミッシェル・ジャンヌレが十六世紀後半にかけてのフランス料理のつくり方、食し方の礼法（マニエール）の成立を、ラブレーやテオフィル・フォレンゴの「ゴチャマゼ」雑文スタイル――ジャンヌレはそれをはっきりマニエリスムと名指しした――の流行とパラレル、というか同じ表現衝動として論じきった。本来は潔癖ジャンルに拘わる作者・論者が一番嫌悪した雅俗混淆スタイルに対する蔑称であるが、とても卑俗な発言の中に典雅なラテン語が混るのが忌み嫌われたし、その延長線で散文の中に韻文が混じり込むのも、特に喜劇／悲劇の峻別にうるさい十八世紀半ばのいわゆる新古典修辞学では殊更に悪く言われた。やはり問題は十八世紀半ばなのである。そもそもジャンル（genre）という語が“generate”、“genus”、“general”（から“gender”や“gene”）にいたるまでの文化史の最重要キーワード群と同語根の語であるところに橋本治文学一八世紀起源説の出発点はあるのだと思う。

道というメタファーが人生相談に骨がらみというのは十八世紀中葉からオスマン男爵のパリ市改造に至る約一世紀の道路インフラの圧倒的整理と無関係でない。「人生」が「混乱」と感じられた瞬間、人生相談は道づくりの作業になり、その作業を方法（メトーデ）（「道のあとを（メタ・ホドス）」からの造語）と呼び、その修辞形式を「道に従う（ディスクール）」と名付けたのである（橋本人生相談中最も実効性あり、かつ楽しい一行を紹介――「普段歩いている通りとは違った通りも含めて（遠回りして）学校に行くようになさい」。そうか、朔太郎の『猫町』は実はセラピーだったんだ！）。実はきちんとした方法にこだわる論理のひと橋本治氏は人生相談においても徹底して「筋道」にこだわる。筋の通らぬ相談を論理的に整理してみせ、いかに根本的に悩めていないか示し、出直して来いというエピソードがいかに多いか。人々の情念に寄り添いながら論理的に甘いものには酷いくらい容赦ないムッシウ・アシモトはモンテーニュ、パスカルからラ・ロシュフーコーに入り込むフレンチ・モラリストの系譜にある。「観点」と「視野」、「相対的」、そして「目を広げなさい」をいつも変わらぬキーワードにする青空人生相談は下世話な艶笑譚集であると同時に、人の無（リアン）の上に晴れ晴れと広がる宇宙的虚無、カミュやバタイユの「青空（アジュール）」の系譜にある（のかも知れないなあ）。この守随門下の日本古典文学の優秀学徒が日本古典を相手に、これはまだ当代きっての現代流行語を翻訳としてぶつける「桃尻」現代語訳の呆然たらしめる「訳業」は途方もない文業の単なる一環などというたぐいのものでなく、訳している最中の翻訳家の脳細胞の中に修辞されたところの醇乎たるアルス・マカロニカであっただろう。はるはアケボノ、よっ！　ミッシェル・ジャンヌレ（もう一度言うが、この人の名作批評が訳されない限り、マニエリスム批評とバフチーン批評は永久に繋がらない。フランス語自由自在の鹿島さん、これ、大兄の仕事ですよ！）なら、橋本治は見事な口腹マニエリストだったんだ、幸福論なんて隠れミノでね、と言うような気がする。

「色々な」相手を「ゴチャマゼに」総覧しようと言い張るものを片端からマニエリスム呼ばわりしようという僕の批評眼からして、この仲々比較の手掛りの見つからない相手を簡単にマニエストとは呼びにくいなあと思ったら、どうということはない、橋本治自身の口から「マニエリスム」の語が跳びでてくる。僕が先に完璧に同時代人、同世代の早熟天才という話をした一番大きな問題は、ヴィジュアルにも滅法強い一九四八年生れが一番鋭敏な時期に折りしも話題だったグスタフ・ルネ・ホッケの美術史異書『迷宮としての世界』（一九五七。邦訳一九六六。種村季弘訳）を知らないはずはないという点であった。この重要な予感は少女画家の異才、大矢ちきを橋本さんが真向上段にマニエリストと呼んだ『花咲く乙女たちのキンピラゴボウ』（一九七九—八一、北宋社）中の「世界を変えた唇　大矢ちき論」で的中した。大矢ちきの『雪割草』狂いの愛人宅で奇怪なほど『迷宮としての世界』のあちこちに言及した名作「いまあじゅ」にほとんど震撼することで、少女漫画のとりこになった僕、いたる所でマニエリスト大矢ちきオマージュを語り、書いてきたが、「マンガ」（それに映画）についてマニエリスムを論じた最初の論者が橋本さんのこのエッセーだったように思う。最初の漫画評論をやった人と言われている米沢嘉博氏（一九五三—二〇〇六）の戦後少女漫画史研究で大矢ちきを漫画に「マニエリスム」と「化粧」をテーマとしてもちこんだ作家として評価しているのも、橋本さんの「世界を変えた唇」というエッセーあればこそである。いかにもというなじみの軽いレトリックで、当時若い美術史ファンのバイブルだったホッケやサイファーがマニエリスムとかいっていろいろ書いているからそちらを見て欲しい、自分にも詳しいことはわからないが、倒錯やら偏倚やらのアートが当今マニエリスムとか呼ばれているのに徴してみるに大矢ちきはマニエリスト漫画家と言ってよい。詳しくはわからない、「だって知らないから。私はメンドクサガリ屋なのだ。だからそれを、当の大矢ちき嬢御本人に説明していただく――〝ららら　ものすごい寝ぞう　みんながひっちゃかめっちゃかにもつれてるよ　マニエリスムね〟〝ぎゃっ　鍵が髪の中にまじゃこじゃになっている　マニエリスムだ！〟〝よいさ　よいさ　まるでちえの輪みたい　マニエリスム……ムス〟出典『ルージュはさいご』――要するにマニエリスムとは、ゴチャゴチャのことなのだ」。当時、現代アートを十六世紀の醇乎たるマニエリスムの現代ヴァージョンのように論じる若い批評家たちは、故種村季弘を除けば皆このレヴェルの大把極まる参照枠で論じ、書いていた。日向あき子女史などつい本気になって「ポップ・マニエリスム」を論じるかたわらで（『ポップ・マニエリスム』一九七七）、橋本治は大矢ちき世界を指してポップ・マニエリスムと断じてみせたが、「更にポップとは何かといえば、それは要するに〝何やってもいい〟ということだから（しかし極端）、マニエリスムの説明をいい加減にしてしまうというのも当然このポップという概念の内に含まれる」とか平気で言うので、いくら当時の流行だったとは言え、マニエリスムをめぐる熱い甲論乙駁に橋本治が本気で向っていたとは思えない。だけれども、そういういつもながらの万事軽いコミットメントに見せながら、「このポップ・マニエリスムを成立させているのは、ゴチャゴチャしたものを描き尽すテクニックであると同時に、それら細部（ディテール）を一々（いちいち）見極め峻別する、大矢ちきの目である」と、実に的確に、以後、元々それほど好きでもなかったらしいマンガからゆっくり、しかし大きく離れていく大矢ちきと、愛知県立芸術大学でホッケにはまり込んでいた女史の「その一瞬」を捉えている橋本の目には少しの狂いもない。

5　エニグマティック、または〈謎〉と謎〈とき〉

こうして橋本治にとって「色々な」ものを「ゴチャマゼに」呈示し展開するのがマニエリスムであるとするなら、人生相談という奇天烈文芸ジャンルこそこの作家にとって究極あり得べきマニエリスム表現だったという「筋道」になるはず、という話に展開する。「人生相談」などという随分軽はずみなジャンルがその淵源たるや結構、本格的な正格のマニエリスムとして深いかもしれないという話になるかも。

英訳をついに持たないままの『迷宮としての世界』の著者にとって、世界はつまり「迷宮」なわけだが、いわゆる現象学哲学者、現存在（ダーザイン）分析で、たとえばカール・ヤスパースなどの影響濃いG・R・ホッケにとって迷宮とは勿論、建築上の奇想であると同時に、世界が解けざる謎としてしか感受できなくなっている人間の心理ないし意識（の喩（メタフォリクス））である。マニエリスムの名をかぶせられたアート一般の最大テーマが錯綜と歪曲の建築（architecture）であるとほぼ同時に錯綜と歪曲の異修辞（architexture: G・ジュネット）で自からを表現するのは容易に想像つく。「色々な」と「ゴチャマゼ」をそっくり体現している現実そのものが即ち迷宮なのであり、究極そこに「筋道」が通されなければならない〈謎〉なのである。

マニエリスムを一度もマニエリスムの語を使わないで説明——というか体現——してみせた綺想の批評書に、知られざる名作のエレナー・クックの『文学のエニグマと謎々』（二〇〇六）があって、ダンテ、ルイス・キャロル、そしてウォラス・スティーヴンズの文業を手掛りに、世界が謎に感ぜられるとはどういうことかの問題化と、それに対応することで、上は処女が人の子を産んだことの深秘（ミステリウム）から下は「探偵」がアリアドネーの糸をたぐって犯人逮捕にいたる行程まで、世界文学の何分の一かはひょっとして、世界が大きな謎（エニグマ）（Enigmas）であるのを手を変え品を替えて「解く」、そして「説く」ことを得々としてやる言語営為ではなかろうかという思いにまで我々を駆る。そして聖なる解釈者を宗教とともに失い、探偵が完全に無力化し、あろうことか探偵が犯人であるような二十一世紀劈頭、我々自身の「迷宮としての世界」の謎〈とく〉人が人生相談者であろう、というのが橋本治先生のコード（礼法・暗号）ブックを飽かず読んで得る印象だ。スフィンクスがオイディプスに問う謎を祖型とする、『神曲』や『ヨハネの黙示録』から他愛ない幼児たちの謎々（なぞなぞ）遊びまで、多重多元に拡縮させられる謎文学の大系譜を考えるや否や、活字化された謎文学の一寸俗化し過ぎたヴァージョンとして「人生相談」は新しい脚光を浴びてよろしいのではないかと思うが、諸兄姉如何？

　マニエリスム文学としてもう少し細かい分析をしようとすれば、謎解き文学の中でも特に異色なのが人生相談の持つ「ディフィクルタ difficultà」のテーマということになる。おおよそ見当つくだろうが、わざわざディフィカルトな状況を設定し、可能な限り手間暇のかかる形式を選んで凝りあげ過ぎの作をつくりあげる。二重拘束（ダブルバインド）（あっち立てればこちら立たず）のパラドックス状況を次々に開発した異文学の系譜を「リテラチャー・オヴ・パラドックス」と呼んで生涯の大テーマに据えた故ロザリー・コリーが、十六、十七世紀以降も射程に入れていたら（ミスター・ハシモトの）「親子の世紀末人生相談」を耽読したかも知れないが（無理、無理！）、女史が扱ったマナー・ブック、コード・ブックはカスティリョーネの『廷臣論』とエマヌーエレ・テザゥロの『アリストテレスの望遠鏡』が限度。十七世紀半ばでそうやって途切れた重層的な「マナー（ズ）」（奇想アートから狡智（メティス）の処世術まで）への強い関心が再び蘇えるのが、最後にもう一度言うがフランス革命前後の「色々な」ものが急にせめぎ合って新規範が渇望された御時世だったということ。流行の観相術をテクストの表面／表情を読むのに利用した解く／説く（／溶く——錬金術！）技（アルス）がそこで生成されていった事情を、読者の皆さんは今や橋本治の特異な奇妙な一ジャンルに確認することができるのでなければならない。

「困難」と言えばジレンマ、あるいはダブルバインドの状況が典型。「死メッ！」と言いたくなるようなおバカな質問も少なくはないが（「人生色々」、それをそっくり反映することを標榜する以上、それらも遺漏なく拾う）二重拘束による螺旋状の展開にも節目節目で出会う時、厄介事に対応する常識の対応、法の対応を「ディフィクルタ（敢えて難事に対処）」として楽しみ弄ぶまあ腰のすわった良くできた相談のレヴェルからさらに突き抜けて時々、もうこれは完全にマニエリスム的世界認識というレヴェルに突き抜ける。青空人生相談がランボーやバタイユ（や三隅研次）の「青空（アジュール）」の一見爽快な人生相談－美学に突き抜ける、これあってこその橋本コンサルタント！という個所がある。爽快といってみたが、ゴリゴリの“difficultà”が“sprezzatura”に変る瞬間。本当は手に負えぬ錯綜事態をあれこれ汗かいて詮議しているうちに、でも、これが真相なんだねとして顔を出す矛盾（contrarities）を矛盾として受けいれ、ついには悠然として楽しみさえする態度（ex contradictione）を、十六世紀厄介極まった宮廷人たちの処世術で「スプレッツァトゥーラ」と呼んだのである。至るところにそういう深い「結論」が繰り返される。たとえば僕など一等気に入りの青空人生相談。こうだ。橋本さんはある悩める女性に「回答」する（「私は、今年大学を卒業して、今は小さな会社に勤めるOLですが、仕事がつまらなくて、すべてが虚しく感じられる毎日を送っています。転職も考えるのですが、これといって得意なものもありません。が、このままでは、私のプライドが許しません。私はこれからの将来何をしていけばいいのでしょうか!?」）。

■今年大学を卒業になった女性へのお答

あなたの悩みはコンテンポラリー（当代的）なお悩みですが、この悩みに関しては、多分まだ決定的な答を出した人はいないようです。そのことから始めてみたいと思います。これが分かれにくい（答えにくい）悩みだというのは、実に、二つのことがバランスよくせっているからです。あなたのご質問の中にある対立事項はこうです……。

即ち、〝あなたに与えられる仕事はつまらない、とあなたにはとりたててこれといった特技はない〟ということです。この二つがバランスを保っていることを、昔は〝身分相応〟と言いました。だから、これに関する答も、昔は決っておりました。「なんの取り柄もないくせに、グダグダ言うんじゃない！　人間辛抱が肝腎なのだ！」だったのです。これは、ある意味では半分正解です。半分正解ですが、半分しか正解ではないということは、それは勿論正解には値しないということです。それでは、何故「人間辛抱だ」だけでは正解に値しないのでしょうか？　勿論、そこではあなたの〈プライド（誇り）〉という側面が切り捨てられているからです。

何故、そのつまらない仕事をやるに当って、黙々と辛抱するという態度がとりにくいのか？　勿論、そこではあなたのプライドというものが作用します。

つまり、あなたは、「私だって、それが熱中するに値すると思えるような仕事だったら、ちゃんと辛抱するわよね」と思っている訳だということなのです。

ここで、あなたの質問は、実はこういうことであるというふうに様相が変わります。つまり、あなたの悩みの根本とは、〝私には何か出来る筈だが、今の私にはそれが一体なんなのか分からない〟と〝なんにも出来ない私に、私には何かが出来る筈だなどと思いこめるような資格があるのだろうか〃という二つの疑問が、互いに互いの尻ッ尾を呑みこんで、ジレンマという様相を呈しているのだ、ということなのです。

ジレンマを打開する方法は一つしかありません。即ち、ジレンマにはジレンマです。あなたの中には二つのことが渦巻いているのですから、あなたの打開策も二つのことを渦巻かせるということでしかない筈なのです。

つまり、〃何をしていいのか分からない〃というあなたには、「とりあえずなんでも黙ってしなさい」という答を、そして「そんなこと考えてもいいのだろうか？」と悩んでいるあなたには、「黙ってないで文句を言いなさい」という矛盾した二つがゴッチャになった形ということになるのです。

即ち、〃とりあえず辛抱してみて、我慢出来なかったらやめちまえ〃です。

勿論、こういう答は、世間にはあんまり歓迎されません。「若いのにフラフラして」とか、「そんななんでもやってたらアブハチとらずになっちまう」という非難が待ち受けている筈です。筈ですが、そういう非難は大体において、〃あなたの強固なる意志〃というファクターを無視して成立しているのです。要は〈プライド〉から発する問題ですから、当然〃意志〃というものは重要視されます。早い話が、しっかりしていれば大丈夫ということです。あなたが自分の意志というものを信頼することが出来るようになりさえすれば、すべての問題というのはどうでもよくなります。〃〈特技〉とか〈プライド〉という言葉を自虐的に使うトーカイ癖〃とか〃会社の大小〃

とかは。
あなた、自分の〝意志〟というものを、本当に信用したことってないでしょう？　そういうことを〝まだ〟付きで信用出来ないでいる時期のことを、〝若い〟というのですね。あなたはまだ若いのですから、自分のやることだけは信用してあげなさい。そうなると、ものを見る目も変わりますよ。若いんだから大丈夫。

「若いんだから大丈夫」!!　結局、これがモラリスト・アシモト（フランス語では最初のエイチ［英知］は読まないわけね）の一応軽作家としての特権だ。だけど言ってる内容は、シェイクスピアが三六篇だか猛烈に書きまくってやっと得たディスコルディア・コンコルス（discordia concors）だかコンコルディア・ディスコルスだか知らないが、西欧哲学の真諦、大根本原理だね。バラバラ不調和だが（漱石のかの悩みの元祖みたいな『道草』の幕切れを見よ。『こころ』なんざまだまだ甘いよ！）、この「新しい観点から」（橋本氏一番のお気に入りフレーズだ）見ると結局は止揚されて、それがそれ自体ひとつの「調和」であり、「人生」であり、つまり「青空」なんだ。「愛されたいんだったら愛してごらん」から始まる橋本センセの人生相談とは結局、処世術に「現代語訳」化された「大愚は大賢にまさる」という超古典・超モラリストの究極深い哲学書なので、僕などそれを少しずらして（観点をシチュエーションを変えて！）マニエリスムと呼んできただけのことである。生きざまとしてのマニエリスム、と僕が言って仲々わかってもらえない呼吸を、代りに見事に言ってもらえていて、もう拍手するしかないのである。

アルス・マカロニカ、アルス・コンビナトリア、なんと呼ぶも良い。バラバラな個に解かれ／ほどかれた人や思念をもう一度ひとつのデザインやパターンに織り上げる営為をこそ「テクスト」と呼ぶことは今や橋本治という（当人が思っていた以上に深い意味で）マニエリストだった御方の活動全般を理解し、愛し直そうとする者全員の共通の出発点でなければならない。一方に『青空人生相談所』、『橋本治のかけこみ人生相談』、『アストロモモンガ』がある江戸前サブカルチャーの天秤のもう一方に緻密・綺想なデザインで鳴る『男の編み物』があって、これは当然だったのだ。きっと今も天上の蓮華座にいて盈覺院翰昭治邦居士は、人生をほぐし、そして人生を編んでいるんだね、きっと。

最後にこの「揉め事の嵐」から一句。

坊主やめて、少しすさみなさいよ。

「古くさいぞ私は」で始まると、マニエリスムになる――坪内祐三氏追善

愛をつぐなえば別れになるけど

坪内祐三さんがなくなった。昨二〇一九年にオディロン・ルドン研究で有名な本江邦夫氏急逝の報に愕然接し、アアこれで由良君美先生との御縁も跡方なく消えたのだと感じたように、坪内他界を以て山口昌男先生との縁も断たれたのだと悄然たる思いでいる。享年六一だそうだ。いくらなんでも早すぎるよ、ツボちゃん。そう、おたがい「昭和にサヨウナラ」だ。平成なんてクソだ。

坪内祐三著『靖国』（一九九九）について、著者のマニエリスムに焦点を当てながら故人を偲んでもらえないかという注文である。いかにも目利きな編集者の注文とも思う。その昔、キョホーヘンが極端に分かれた『靖国』を一〇〇パーセント褒めた代表格が『週刊文春』誌（一九九九年三月）登

載の「見る目一変とはこのことだ」という一文だったことをちゃんと記憶してくれていたとは嬉しいね。それから古い文化遺産を出してきては当世軽薄時局を批判する諷刺家というイメージとは相反するものと考えられているマニエリスムという間尺でもって坪内祐三を捉えられるかということも、高山宏になら投げかけて然るべき問いか、と編集者は考えたのかもしれない。新しい時代に入って「古くさいぞ私は」と言い切り、自分の読むもの書くことみんな「シブい」と言い切る坪内氏は言葉の原義においてパラドキシストである。坪内氏が御自身のことをマニエリストと言ったダイレクトな表現を目にしたことはないが、「旋毛曲（つむじまが）り」に興味を持ち、「雑」なるモノやコト――「雑読系」「私の体を通り過ぎていった雑誌たち」――を主たるテーマや方法に選んだことに示されるパラドックス嗜好とはほぼ完全にマニエリスムの定義と重なり合うので、坪内マニエリスムを論ずることもかなりな程度可能だし（通俗への否（ベルラ・マニエラ）から倦怠せる衒奇性（マニリールハイト）への行き詰り、と『迷宮としての世界』の著者なら言うだろう）。右か左かということで坪内氏を考える狭い了見を憫笑しておくのも有意義でないかと思うので、この御注文なり問いかけに応じてみる。

1

でも、人が思い、人が言うようには坪内さんとの御縁は深くない。もう一度言うが、山口昌男先生との縁あっての縁。明治文壇の群像をめぐる些末事にも、いつだってあと引きの怨みに満ちた右か左かの水掛け論に終るしか芸のないイデオロギー論争の空漠にも何の興味もなかった一九九〇年代のぼく、間にどなたかが介在してないで、顔の相にも身振り素振りにもみるからに険のある坪内青年と御縁ができたとは思えない。ドン・キホーテに伴走してのサンチョ・パンサ！

　これぎり、思い出話をメモしておくが、初対面は西新宿の雑居ビル四Fにあった岩手県人、内城育子さんの伝説の文芸バー「火の子」。これは間違いない。いつのことだったのかが曖昧で困るし、最初交したのがどういう会話だったのかもまるで記憶がない。同じ頃、やはり火の子で山口氏を間に初対面した中沢新一さんの「高山さんの御本、いっぱい読んでますよ」という、らしくていかにもという最初のひとことは忘れてないのに、も少し気掛りでも良かった坪内氏とのそれ、なぜ全然思い出せないんだろう。瞬時に、目も心も血走った同族を感じ、両方があっという間に同族の危険を感じとって、ちらり目配せを交しながら、しかし互いに黙りこくっている計りの奇妙な出遭いだった印象がある。最後まで。

　そもそも、会ったということがはっきりしているのは三回。大体、人を沢山集めてにぎやかにやる山口先生の趣味からいって、火の子やいろいろなパーティの席で、そして山口先生葬儀の席で、いくらも会っているはずなのに、会話の記憶、ほとんどない。たしかに会えた三度のうち二度目は、「ある夜のマレビト」というそれなりに人気の出た一文に綴ったことがあるので、ここに詳しくは書かない。拙著『雷神の撥』に所収。新千年紀に入ったばかりの年末に、玉川べりにぼくが世間にそびらを向けひっそり愛人母娘と暮していた隠れ家を、山口、坪内両氏が、火の子帰りの深夜、急襲し、年越しが大いに盛り上った。大いに盛り上ったと言いながら、坪内氏の言ったこと、全然記憶にない。何かを照れているのか、何か警戒しているのか、大変な口舌の徒とか論客とか聞いていたのに、本当にふしぎな寡黙だった。侠客を感じた。

数少ない出遭いのもう一度は、当時氏のパートナーだった写真家、神藏美子さんの企画で、男性インテリの女装写真集をつくるという話があって、間に当然坪内氏が入ったはずの機会で、面白がれる場面だったのに、そこでも氏とのやりとりのことは憶えていない。仲間うちで「たまもの」と称されて随分と話題になった女装写真集のその一冊がマガジンハウスから出たのが一九九八年（『たまゆら』）。雑誌『週刊宝石』に連載された写真をまとめたものだったから、同誌バックナンバーをチェックしたら、一九九七年のこと。これが坪内氏と知り合った直後の成り行きだから、そうした前後関係からして、坪内氏の処女作『ストリートワイズ』の出た一九九七というその年に氏との御縁はできていたという計算になるだろうか。絶世「美女」の島田雅彦や宮台真司を、四方田犬彦を、各人望みの扮装で右女装写真集に加える算段を神藏女史とし続けたあいだ、たしか坪内氏の姿はなかった。楽しい思い出だ。宮台、高山両有名教授が大学紛争のさなかに女装の写真！というので首都大学東京でプチ混乱発生。石原暴虐文教官僚どもへのつら当てのつもり。ザマみろ。でき上った写真集をみると、神藏女史が二人のパートナー（だれとだれ？）と一緒に三人で写っている女装子（じょそこ）ちゃん写真に腰が抜けるほど大笑いした。そのうちの一人がたれあろうツボちゃんで、とんでもない魔窟に迷いこんだものだ、とトホホした。つくづくと、面白いこと一杯のバブル崩壊期だったのに、ツボちゃんとなんでもっともっと会って喋っておかなかったんだろう。

もうひとつ、坪内氏がらみの思い出に『ブック・カーニヴァル』寄稿者になぜ坪内祐三の名がないのかと、よく人に尋ねられたということがある。答は単純明快だ。一九九五年に腹部帯状疱疹の手当てに大失敗して死にかけたぼくはお茶目な疑似追悼文集『ブック・カーニヴァル』を出そうと、当時付合いのあった有名無名の友人一統一〇一名に高山宏追悼文の寄稿を依頼した。後、幾人もの人に、なぜ坪内祐三さんの文章が入ってないのかと尋ねられたものだが、一九九五年には名すら知らなかっただけのことなのだ。ちなみに坪内祐三という名が一部にはっきり知られるようになったのは『本の雑誌』に氏が特集されて、要注目の雑誌編集者という話題になった一九九六年のことだ。一九九七年、九八年は山口昌男がらみの内田魯庵本編集に参画協力している。魯庵周辺の細かいデータに通暁している三十九歳か――ううむ、シブイ奴！と感心してたら一九九八年、どストレートで坪内祐三著『シブい本』が出て、恵贈に与った。でもやっぱ古くさい奴、と思ってたら今度は直後の二〇〇〇年、『古くさいぞ私は』ときた。新千年紀(ミレニアム)への転回のタイミングを周到に選んだかのごときこの新と旧二元のコントラストの際(きわ)立ちこそ即ち愛すべきパラドキシスト、ツボウチ・ユージーのすべてであると思う。世界中に解決困難な紛争が勃発した「一九七二」年を指して「はじまりのおわり」「おわりのはじまり」という言い方をした坪内祐三である。道化という絶妙の道具を駆使した大師匠、山口昌男に倣って、彼なりに重奏するパラドックスを生きようとした。それが巧くいったか、それとも挫折したかを、この人の短か過ぎた（ようにみえる）人生が問うている。

2

問題は、自分は「シブい」「古くさいぞ私は」と言って出発した人間が強烈に「新しい」ことのパラドックスであり、それがどストライク、真芯に一九九九年――西暦年号そのものがフリップフラップしている、「はじまり」で「おわり」、している――に出た『靖国』であるのがいかにも象徴的ではないか。表向き、既にみたように坪内と高山に何かのつながりがあるとはだれも知らないはず。山口昌男先生にはこれ先生の差配ですかと尋ねてみたが、自分ではないと仰有る。文藝春秋が何をどう判断したものか今でもよくはわからないが、『靖国』書評を是非あなたにお願いしたい、と『週刊文春』から依頼があった。なにしろタイトルがタイトルだし、当然テーマがテーマだし、なにも右でも左でもない自分が下手を言って火中の栗を拾うことはないと思う半面、新しもの好きで通る山口氏があそこまで評価し可愛がっている若手 懐 刀がただひたすらに「シブい」わけでもあるまいという気分で、ぼくは書評を引き受けた。というより、最初期の『ストリートワイズ』(一九九七)から『慶応三年生まれ七人の旋毛曲り』(二〇〇一)までは律儀にも御本人からじきじきに献本が来ていたし、その気になれば手もとにあったから、即読み始めた。一読驚愕。そして感激のあまり即書評投函。「見る目一変とはこのことだ」としゃれたタイトルを振ったその書評であるが、ぼくが狂ったように出稿していた当時の各書評中では例外的にごく短い部類のものだし、実は今なお全く変らぬ感想でもあるので、御霊前に改めて引くことをお許し願いたい(『週刊文春』一九九九年三月)。『ブック・カーニヴァル』に続く第二弾鈍器本の『エクスタシー　高山宏椀飯振舞

Ⅰ』（松柏社、二〇〇二）に再録しておいた記憶はあるが、今や気の遠くなるほど入手困難な本のはずだし、改めてお目に掛けておくのに良い機会かと思う。こう、ある。

見る目一変とはこのことだ

高山宏

靖国神社と九段坂をめぐる文化史家ミッシェル・フーコーのいわゆる「知の考古学」がついに書かれた。「靖国をめぐるぶ厚いタブー感覚に埋もれてしまった靖国という空間そのものの「重層性」や「空間の豊かさ」を丹念に掘り起す文字通りのアルケオロジー、「起源」の考古学となり得ているのが坪内祐三『靖国』。

公文書から戯作台本まで精粗自在の意表衝くテクスト資料の駆使は、その点では今望みうる最高の人物の手になるものだし、資料はこの人物が一般に考えられている以上に、文字テクスト同様、絵や見世物文化誌のヴィジュアル資料も大好きであることを改めて知らしめる。尚古家の著者に叱られそうだが、あらゆる視覚資料に通じることで一文化の異貌を洗い出す木下直之『美術という見世物』や北澤憲昭『眼の神殿』など、ヴィジュアル・スタディーズの最近の動向の中に置いても、なに遜色ない傑出した出来ばえであるだろう。

そしてそうした全体を、山口昌男の懐刀といわれ知的参謀と噂される著者の、多様なものをつなげて、良く知られているはずの対象をアッと驚くものに「異化」して見せる山口イズムが貫いている。やがて山口流にいえば「歴史人類学」というべき、人間の往来を克明に追うことで一文化規模のネットワークをあぶりだす知的手法が、ものの見事な説得力をかちえた。

　現時点での人文学の方法の最も自在な成果というこうした面が、著者のジャーナリストとしての勘どころを押えた文章や章立ての巧さでつい忘れられそうになるが、たとえば視覚文化がいかに政治にとって重要なものかを西洋近代について追ってきたぼくなど、その理論がこれほど見事に自からの足もと、この東京の百五十年の視覚政治学にきれいに当てはまるのを目の当たりにして、心底驚かされてしまった次第だ。

　なかなか戦略的なもの書きとはいつも思ってきたが、いきなりズバリと敵本丸に切りこんだという感じ。全巻意表を衝こうという裂帛の気合がみなぎっている。

　表紙カヴァーには有名な木村伊兵衛先生撮影の終戦直後の靖国神社の写真があしらわれている。天皇の三人の「臣民」がモンペ姿で大鳥居に頭を垂れている一枚。黒と赤のデザインもなかなかに血なまぐさいまがごとの雰囲気を漂わせている。で、パラリとこのカヴァーがはずれると、こはいかに！　明治開化期の浮世絵師、三代広重の描いた実にカーニヴァレスクなサーカスの絵が著作本体の表紙を実に楽しげに飾っているのだ。

　憎いばかりのデザイニングで、あの靖国を論じるのだと思いピリピリしてこの本を手にしたぼくなど、一瞬何をどうすれば「表」の「粛」と「裏」の「愉」、相いれぬこの二つのイメージがつながるのかと、くらりと来た。政治と文化の表と裏が二元でなく、メビウスの輪のごとき片側空間なのだと言いたげな見事な仕掛けで、全巻こうした機知と配慮に満ちている。表紙に

YASUKUNIの外国文字が躍っているが、その笑いを誘う秘密も最後の最後になってやっと明かされる。

靖国が尊皇攘夷の流れから合祀（ごうし）の場とされる招魂社として出発するところから、上野か九段かという選択の中で大村益次郎の果たした決定的な役割り、西南の役をへてたれしもの知る靖国、宗教イデオロギーの魔界のような存在に化していくまでの時間的経過が、むろん客観的な年表を逐一追いながらたどられている。

たれしもが知ると言ったが、そこが空間としては元をただせば虚の場であるが故にこそ、為政者たちが自らの首都観、国家観を注ぎこんでいくのに好都合であった仔細が順次分析されていくに及んで、靖国をめぐっては自分がいかに無知であったか、愕然を通りこしてほとんど慄然とせざるをえない。

第一、靖国神社の核部分たるべき招魂斎庭がたれも知らぬ間に駐車場に変わっているなんて御存知でした？「進歩派」も「保守派」も、確実に聖なるものを蚕食するバブル日本の「街殺し」惨害の極致たるこの「衝撃」的事件をなぜ問題にしないのだろうかと、著者は開巻いきなり詰問する。明治時代流行の書物広告のクリシェを用いればいきなり「開巻驚奇」の読書作業が始まる。

著者は易きイデオロギーには一切即（つ）かない。大村益次郎銅像が左手に持つ双眼鏡の記号論的分析を通して、九段坂という「境界」性と高さ（上から目線）を持つ地勢に政治が何を見ようとしたか、支配者たちのパノラマ的視を浮き彫りにし、他方意外なほど靖国境内で栄えた民衆的見世物の快楽的視をそれに対峙させる。視覚的「驚異」をだれがどう利用したかをめぐる分析として何とも圧倒的である。監視する視と参加没入する視、対峙するはずの視の二つ対立すべきヴェクトルがこうして共存する靖国、それは視覚文化史の、ほとんど奇跡ではないか。

靖国の神官さんの娘がいるとも知らず近所にある大妻女子大学でこの本をネタに全学共通科目の授業をしたところが、なかなかに激しい応酬になったことを、余談として報告しておく。ホットな本なのだ。

どういう激しい応酬だったか随分前のことなのでよく覚えていないのだが、大妻女子大学の緑濃い多摩キャンパスの「近所」の東京都立大学（別名首都大学東京。この四月からまた東京都立大学にと改名。政治のおもちゃ！）に奉職していた時分の書評なので、改めていろいろ感慨を催したことだ。大学統廃合の歴史的「迷走」の只中、文学関係各学科の解体案に対処すべくぼくは表象学科なる部局を制度設計し、首切られるはずのスタッフを、よその大学からの人間まで含めてそこに吸収した。それは良いが、「表象」って文系学界の流行語大賞だったが、さて何をどう研究し、どう教えれば良いか、綱領文を書いたものの、もうひとつピンとこない。丁度一息入って飽きがきていた英文科教授を辞めて、その過程で関心をそちらに移しかけていたヴィジュアル・スタディ、ヴィジュアル・カルチャーという新分野を「視覚文化論」という名で発足させ、それを核に据えて表象学科を回し始めた。いろいろな素材が集まったが、一方の核がミッシェル・フーコーの『監獄の誕生』の一望看視懲治監獄パノプティコンであり、それを派生させたエンタメ巨大装置たるパノラマであった。パノラマを娯楽見世物革命の主流と位置付けた社会学の巨人リチャード・オールティックの『ロンドンの見世物』を全訳して日本語の財産にしたのも小池滋先生を中心に右旧都立大の英文科の面々による大掛りな共訳作業であった。一九八〇年代、国際的にそういうモノやマチを相手にした視覚文化論が一挙開花し、日本でも啓蒙的には海野弘氏が、学術的には多木浩二氏、その中間あたりで伊藤俊治氏が旺盛に本を出し、コトというか抽象的な視覚‐哲学、視覚‐心理学の流行と雁行して全体として大きな「アイコニック・ターン」を目の当りにし始めていた。「視覚への着目・転回」とでも訳すか。そういうアプローチで都市と文学というテーマを扱った名作が前田愛先生の『都市空間のなかの文学』だし、ひょっとしたら拙著『目の中の劇場』であるかもしれない。多木氏も前田氏も山口昌男差配の新雑誌『へるめす』の同人だし、前田氏の本はどれも山口昌男の深甚影響を一切隠そうとさえしない。ハーバート・リードや澁澤龍彦がもの書きを「イデア派」か「イコン派」かに分けたのは有名な話で、ぼくとか田中純氏とか、イコン派たらざるをえないイデア派を理想とするイコノロジスト、図像派分子などなかなか理解してもらいにくい。ここの面倒に、世評通り純イデア派（イデオロギー）に殉じる族に徹していればそういうことにならなかったはずの坪内裕三氏も巻きこまれて、大した目利きのはずの浅田彰氏にまで、高山宏風情のイコノロジーを「アリバイ」に使ってイデオロギー的徹底の面倒から逃げた「図像ごっこ」の『靖国』という、正解だがそう言われたところで、さてだからと言ってどうしようもない酷評を浴びた。モダーンとポストモダーンの違いだから、私見では別段酷評にもならない。ぼくはこの経緯とこの位置付けは、むしろ『靖国』の燦然たる勲章ではないかと思っている。

以前は（以後も）基本、坪内氏は時局に密着しながらイデオロギーを語る人間だと思っていたぼくは、折角天然のイコノロジストたる山口氏（ぼくもこの同族）のそばにいるのに勿体ないことだと時々周辺にもらしたものだが、ある時、学生が詩誌『鳩よ！』（一九九九年十二月号）を持ってきて、先生、先生が喜びそうな記事みっけましたと言った。有名になった「坪内祐三の学生時代に滋養となった一〇〇冊の本」というリスト記事で、海野弘も四方田犬彦も、前田愛もあり、そしてびっくり高山宏『目の中の劇場』も挙げられている。リスト第一冊目は言うまでもなく山口昌男『本の神話学』。山口、高山とあってウィリアム・ウィルフォード『道化と笏杖』があるの当然だけど、ツボちゃん、きっとユングはだめだろなとか思ったら、これもちゃんと入ってた！　このリストの精度は凄いと思って、ぼくが苦手な「古くさいぞ私」の好きな「シブい本」も何もかも含めて、そこに名の挙げられた本一〇〇冊は（二年くらい掛ったが）一冊残らず読んだ。中沢新一氏が高山宏の本を「いっぱい読んだ」、とは実はぼくは思っていない。

学生坪内祐三の「滋養」本一〇〇冊リストは松岡正剛『千夜千冊』の総目次が今与える以上の超絶ショックを高山宏に与え続ける。これだけ本格的な視覚文化論を滋養にした一冊が付け焼刃な「アリバイ」なんかの筈、ない！　學魔に「全読み」（石岡良治）を強いたそれだけで、ツボちゃん、もって瞑すべし、だよ。実は実は、ぼくが皆にいぶかられながら、パラダイスたる明治大学国際日本学部から九段の大妻女子大学へ移籍したのも少しはこの本のせいなんだし。

坪内視覚文化論がよしんば逃げのための「アリバイ」であったにもせよ、フーコーがどうしたラカンがどうしたのと、マーティン・ジェイがい、ディディ＝ユベルマンもの真似の抽象的視覚文化論で決してなく、明治〜昭和初年という特定時代・東京という特定空間に全力凝集した日本固有の都市視覚文化論ということで、前田愛は当然として『百貨店の誕生』（一九九三）の初田亨から『浅草十二階　塔の眺めと〈近代〉のまなざし』（二〇〇一）の細馬宏通まで、世界の視覚文化論最先端のモノとマチ密着アプローチの代表作と目（もく）さるべきゲリラ書一冊を、とんでもなく「シブい」男が書きあげ、読者市場に放ったことの意味は絶対に消えない。苦労してその道を切り拓き、その世界的水準をたれよりも早く見据えたと自負する男がそう言い切るのだから、間違いないのだ。『靖国』は松山巖『乱歩と東京』に匹敵する視覚文化論の名作だよ、と。そのテンタティヴな実験場の、こわごわ感がまたいとしくてたまらない、と。

3

余人に想像できない「珍聞」の圧倒的な量を武器にした坪内祐三氏の仕事は当然のことながら、人的交流の激しい時代の余り知られぬ人甲と人乙の交渉を描き出す局面に特異な威力を発揮した。その最高傑作は、言うまでもなく『慶応三年生まれ七人の旋毛曲り（つむじまがり）』で、副題というか帯文には

「漱石・外骨・熊楠・露伴・子規・紅葉・緑雨とその時代」と謳う。出版史上に名高い師匠の山口昌男氏が道化論を、さらに日本近代史上の人物群像の驚くばかりの交錯ぶりを描く氏のいわゆる歴史人類学に展開する——その両横綱的傑作が『「挫折」の昭和史』（一九九五）と続篇『「敗者」の精神史』（一九九五）——のと雁行、というか師弟交響した魔法使いの弟子の名品である。講談社エッセイ賞は当然で、江戸最後の一年（一八六七）の文化的二極のめまぐるしい価値の混在、せめぎ合いがページ繰る毎に説得的に顕わになるのは読者まさしく「開巻驚奇」だった。よくできた人物群像の評伝ものというのが皆その種のできばえをしているものだが、この『旋毛曲り（つむじまがり）』はまた別格だった。ぼくは人的交流史で一番愛読していたウィリアム・マガイアーの『ボーリンゲン』という、一九五〇年代の心理学者C・G・ユングを取り巻くトランスアトランティックな「出会いのアルケミア」たる人的交流史の名作を思いだしていた。結局最近『ボーリンゲン』を自ら日本語にしてみせる流れになったのも、きっかけは山口師弟の歴史人類学の巨著三冊だったのだと思う。耳あたらしい人物たちをめぐる聞いたこともない事実（ファクト）で圧倒するのだが、道化に精通し、なによりも自らが道化術をパフォームできた大師匠とは文章の躍動と発想の突飛でかなうはずもないわけだが、ぼくのような細かいデータ、多量なファクツというものに鈍い、というかズサン極まる人間をいつだって自己嫌悪に陥しいれることでは坪内はぼくにとっては見事に「山口組」そのものの驚異・脅威だったのだ。ぼくは「ファクト」という奴に弱い。

『ボーリンゲン』を思いだす一方でもう一冊、これもずっと夢中で読んできていたロザリー・コリーの『パラドクシア・エピデミカ』(一九六六)もぼくは思いだしていた。ルネサンス、殊にその後半、「マニエリスム」と呼ばれる時代、やはり激しい価値観の雑多な衝突と混淆がいかにパラドックスとしか呼べない感性と様式をうむ他なかったかを縷説した奇跡的名作(三〇年に一冊の人文書)であるが、『旋毛曲り』は日本のルネサンスと言ってよい「慶応三年」からの約半世紀に舞台を借りて日本版『パラドクシア・エピデミカ』を著してのけたのだというのが、坪内他界の衝撃訃報のめまいの中で今ぼくが改めて抱いた感慨だ。E・A・ポーの有名な自己規定(imp of perverse)は大体が「つむじまがり(の子鬼)」と訳されるわけだが、坪内書はそこを衝いて見事にこの語を標題に掲げた。

そういう矛盾価値のこすれ合いを坪内氏はほとんど「皮肉」という語ですましている気配だが、まるごと「逆説」狂いに走らざるをえなかった歴史時空の一面が描きだされていることは間違いない。「旋毛曲り」七人組の一人、南方熊楠は近代日本黎明史に初めて、「アイロニー」と並べて「パラドックス」なる西洋語あるを教え、日本人の不得要領な思考様態ならんと面白い議論をしているし、同じく漱石も名なし猫に「パラドクス」の語を披露させ、短篇「趣味の遺伝」でこれに「諷語」の訳語を当てたりしているわけで、こういう細かい点を以てしても坪内『旋毛曲り』を日本版『パラドクシア・エピデミカ』というふうに呼ぶことに意味ありと今でも感じている。やがて天下の「天声人語」を『人声天語』に顚倒せずにはおかぬのが、この人の宿痾なのだ、と。

これがぼくが勝手に進める連想なり議論であるならもう少し慎重に考えるべきことであろうが、

こういう坪内イメージには個人的に言ってかなり頼りがいのある根拠がある。坪内氏がほぼ同格の批評家、四方田犬彦氏と交したキレッキレの対談「雑文家渡世」中の坪内発言で、今回と同じ詩誌『ユリイカ』二〇〇五年八月の「雑誌の黄金時代」号になにげに登場する坪内発言がそれ。同じ二〇〇五年に『私の体を通り過ぎていった雑誌たち』という一寸エロチックで笑える巧い標題の名作を出すほど雑誌好きの坪内氏が、あたかもぼくなどが勉強らしい勉強にめざめ、無我夢中で万巻渉猟の奇行に走り、処女作の勢いのままドカドカと『アリス狩り』シリーズを出し始めた「クレイジー・ホット・サマー」知的シーズンを「マガジニズム」の流行ということでまとめた見事な一文で、ぼく個人にとってはたった二〇行ほどの坪内発言がまるごと一冊のロザリー・コリー書にも相当する有難い世中押しのひとこととなった。いま問題の特集号は捜したが手もとにない。しかるにいかにも坪内、やっぱり四方田というそのなめらかなやりとり部分は今でもそっくり暗誦できる。細部に間違いあったら御免。

坪内　最近の『ユリイカ』は一時期に比べて、また批評精神を取り戻してますね、「煙草異論」だとか「翻訳作法」だとか。

四方田　本来「詩と批評」の雑誌ですものね。［…］私も七八年に『ユリイカ』でデビューして、もう二八年になるんですが……その間、原稿料が微動だにしていない！（爆笑）そこがまたすごい。［…］やっぱり嬉しかったたな、自分がずっと読んでいた雑誌にやっと載ったというのは。

坪内　七〇年代半ばから八二、三年くらいまで、『ユリイカ』とか『現代思想』（一九七三―）って格好いい雑誌でしたよね。その後、ニューアカのブームによって通俗化されたところがありますけど、その直前はすごく格好よかった。僕は高校、大学のころですが、新しい書き手の名前を見つけるとマークしてましたよ、この人はこれから抜きん出る人だろうなとか。そのひとつの頂点が、高山宏さんが企画した『ユリイカ』の「〈知〉のパラドックス」特集号（一九八三年九月号）。高山さんをはじめ、富山太佳夫、佐藤良明、加藤幹郎、松浦寿輝、土屋恵一郎さんといった人たちが目次に顔を並べ、壮観でした。しかも四方田さんはその特集には参加せずに、「ルイス・ブニュエルを追悼する」という一文を寄稿していたのがシブかったですよ。

ロザリー・コリーの本格紹介の前興行ということをめざして、本当に二、三年掛けて一冊出すという内容を月刊誌通常のペースで集稿・編集する、その後十何回かやった目次案高山宏のもの狂おしい特集雑誌の第一号がこの「〈知〉のパラドックス」号で、雑誌の概念、月刊というイメージを破壊した。いつもぼくの仕事を褒めてくれる当時の『東京新聞』以外、どこにも取りあげる評はなかったけれど、ぼくは日本雑誌文化史に自分のブランドをしっかり刻印したという誇らしい気分に酔った。時代はデリダし、そしてドゥルーズ／ガタリしていた。ぼくだって元々は仏文をめざし、東大仏文で有名になる気でいたこともあって、『意味の論理学』なんてフランス語で読了していた。でも、デリダがどうした、ドゥルーズがどうしたと、ほとんど一行も書かなかった。『パラドクシア・エピデミカ』に惑溺した人間にはドゥルーズごときが何？という気分だった。坪内氏が言うように、「ニューアカ」以前、オレの方が「格好良かった」という自負、今もちゃんとあるのだ。「雑誌の黄金時代」の気分そのままに或るチャンネルからの誘いにのって、ニューアカの砦『GS』誌の創刊号にたしか四〇〇枚以上出稿したが、たちまち距離ができてしまったのが今でも可笑しくてたまらない。「古くさいぞ私は」というツボちゃんそのものの感覚を、ぼくもしっかり持ったのだと思う。

あからさまに明治大正の文壇事情フェチの坪内氏がいくら英米文学畑の出自とはいえ、ぼくとか富山太佳夫とかに関心を持って高評価してくれているなどとはさすがに知らなかったから、あのツボちゃんがと、本当に心の底から感謝感激したのが、右『ユリイカ』の坪内×四方田対談だった（対談を丸ごとひとつ、そっくり暗誦できるなんて、英文学者由良君美が哲学専門の丸山静を哲学のテーマで論破したある年の『中央公論』新年号、とこれのみ）。もうひとつ加えると、ぼく自身で推理小説ジャンル論では史上最強と自負しながら（案の定）世に言う推理小説評論家一統のヒンシュクを買った拙著『殺す・集める・読む』（二〇〇二）に、これを推理小説論として読んではいけない、タカヤマ文化史の大スケールな大著として読めと、つき抜けた評をしてくれたのも坪内氏だった（『ジャーロ』二〇〇二年春号）。仲間うちではツボは探偵小説自体大嫌い人間ということで通っていたので、ぼくは狂喜した。ここで詳しくは書く紙幅はないが、ぼくにとってG・K・チェスタトンが大はまりにはまっていった推理小説ジャンルそのものがとてもパラドキシカルな表現行為なので、その辺も坪内氏のパラドックス趣味と肌合いがあったのかも（ちなみに同じ二〇〇二年の坪内本は『後ろ向きで前に進む』！　タイトルからして、マジ、パラドックス本でなくて何だ！）。パラドックス。長い歴史の中で実に複雑な意味を抱えこんでしまった概念（そしてついにはひと一人の生きざま）。これを表現様態として間然ないまでに自己の批評装置として取りこみ、互いに重なり合ったのがマニエリスムだということができる。実感もってこの重大事をわかってもらいたい一心で、ぼくは最新刊『トランスレーティッド　高山宏の解題新書』（二〇一九）を出したのである。なんと、その刊行直後の永遠のお別れ（アデュー）だ。おそまきながら、これも機縁、この戦後洋学史の極北に達した一巻を（陰ながら）最強の同志（カマラード）たりし坪内祐一君御霊前にささげる。

雑誌好き、雑読系、雑学狂い。氏が命がけで愛したミセレーニャスネス、「雑」の精神こそ、マニエリスムの真諦と思う。そうか、『ユリイカ』で山口昌男氏追悼号を出してもらった時、中沢新一氏と対談したキーワードもたしか「雑」の観念と方法だった。マガジン、マガザンは雑誌という紙上の存在になる前はずっと倉庫の意味だったが（今でもフランス語は百貨店をグラン・マガザンの語で呼んでいるはずだが、マニエリスムそのものの「驚異の部屋」を紙上に仮想したものが即ち「雑誌」の正体というか真諦である）、坪内氏の所業はマガジニズムの観念全域の体を張った吟味だったと思うと痛快だ（靖国通りで右翼ヤクザに無茶苦茶にボコられて死に瀕したのまでが「体を張った」パラドックスの実験的テクストであったのかも、そうだったなら、すごい！）。

ちゃんといわれあってパラドキシストであり（通説である、オーソドックスたることにとにかくひとまず「否」と言ってみることが即ちパラドックスの原義なのだ）、故に歴たるマニエリストであった一人の人間が体を張り、命を張って追求した「雑」誌とは何なのか。ポーが火を点し、坪内祐三の死を以てひとつ確かにかたがついたこの通俗マニエリスムについての考察が始まらなければならない。

終り、から、始まる。そう、その人は言ったのだ。

ひろしは　あなを　——和田誠画伯追悼

自由な線自由な色

「チェリーブラッサム」（一九八一）

1

忘れがたい絵本が何冊かある。最近キャロルの『アリス』物語を訳した時（亜紀書房）、挿画をお願いすることができた佐々木マキ氏の絵本『やっぱりおおかみ』が、たとえばその一冊。他者との共感・共働を是（ぜ）としない永遠の青春孤独道賛歌、他者との共感を「ケ」と言って拒絶していく一匹の狼の見上げた矜持を『異邦人（エトランゼ）』の主人公ムルソーの哲学になぞらえて実存主義絵本と名付けることにすると、同じくらいな（甚だしく「深い」）衝撃と長い影響を、そして終りない解釈の快楽をもたらした絵本、谷川俊太郎作・和田誠絵の『あな』(福音館書店。一九七六)は一体何哲学と呼べばいいのだろう(瞬時にしてそれが「哲学」書であると思わない人間、おそらく絶対にいない。それくらい「哲学」そのものを表現している「深い」相手だ)。

僕が『超人 高山宏のつくりかた』その他に書き、また機会をみてはいろいろな所で喋りもした一九七〇年代半ばの東大外国語研究所助手室の二年の司書まがいの自己流な、とてもはた迷惑な検索カードつくりのエピソードをここでまた詳しく繰り返そうとは思わない。検索カードで閉架図書五万冊強がその気になれば存分に機能発揮できるシステムの必要を痛感して何宣言することもなく、いきなり自前工夫のカードをカードボックスに厖大枚数投入し始めた僕は、僕でない人間がやった方がずっと早く効率よく渉るいわゆる「雑務」は「お断り」という広告をドア表に貼りだして、以降昼夜兼業の作業に没頭した。面白がってくれる教官もいたが、当然不審がり不愉快がる人たちもいた。たしかに「ひろし」は「あな」掘りを始めたのだ。

あと三ヵ月ほどでこの身勝手な重労働も終るという頃、当時ノ(ナ)ンセンス文芸研究をと宣べたてて、東大でもシェイクスピアから『不思議の国のアリス』まで集中的にノンセンス英文学を講じ始めていた高橋康也氏が『あな』って絵本のぞいたら、もうまるできみそっくりと思っておかしかったと仰有るので、早速歩いて二〇分、渋谷大盛堂に行って、買って帰った。一読笑うしかなかった。ホント、これ俺だわ、って。『やっぱりおおかみ』よりずっと身近な哲学あり。因みに『あな』、一九七六年、『やっぱりおおかみ』が翌七七年。そして高橋先生の『ノンセンス大全』と『道化の文学』もともに七七年。高橋先生が訳されたエドワード・リアの『ナンセンスの絵本』が前年の七六年。多分メディアに多才ぶりを発揮した和田誠のノンセンス詩人としての大傑作『ことばのこばこ』が出た一九八一年に僕の処女評論集『アリス狩り』というこれ結構接近戦のヤバいからみ合いなのである。一九六六年、ロザリー・コリーの『パラドクシア・エピデミカ』、そして六九年には満を持してのジル・ドゥルーズ『意味の論理学』刊行。はっきりノンセンス論でもスーザン・スチュワート『ノンセンス』が一九七九年、ノンセンス・アートの画文共鳴論（とはつまり和田誠論）たるウェンディ・スタイナーの『修辞に色付け』が八一年。海のあちら、こちらを峻別しなくても面白い大きな話ができそうな流れ。その中で和田誠アートのノンセンシカルな位置付けを考え直してみようと思う。というか、当時直観していたが、発表の好機を逸していたことを、今書いておこうということだ。

2

『あな』は本当に僕のことを書いてる！　と今でも思うのだ。まず出だしの一行から、そう。

にちようびのあさ、なにも　することがなかったので、　ひろしは　あなをほりはじめた。

倦怠と驚異。『不思議の国のアリス』そのものだ。それから四人の登場人物。まず母親。

おかあさんが　きた。「なに　やってるの？」
ひろしは　こたえた。「あな　ほってるのさ」　そうして　あなを　ほりつづけた。

いもうとの　ゆきこが　きた。「あたしにも　ほらせて」
ひろしは　こたえた。「だめ」　そうして　あなを　ほりつづけた。

となりの　しゅうじくんが　きた。「なにに　するんだい　このあな」
ひろしは　こたえた。「さあね」　そうして　あなを　ほりつづけた。

おとうさんが　きた。「あせるなよ、あせっちゃ　だめだ」
ひろしは　こたえた。「まあね」　そうして　あなを　ほりつづけた。

他者とのコミュニケーションはこれでワン・サイクル。中核的なエピソードが次に三場面。

てのひらの　まめが　いたい。あせが　みみのうしろを　ながれおちる。
「もっと　ほるんだ。もっと　ふかく」と、　ひろしは　おもった。

そのとき　おおきな　いもむしが　あなのそこから　はいだしてきた。
「こんにちは」と、　ひろしは　いった。　いもむしは、　だまって　また　つちのなかへ　かえっていった。
ふっと　かたから　ちからが　ぬけた。　ひろしは　ほるのやめて　すわりこんだ。
あなのなかは　しずかだった。　つちは　いいにおいがした。
ひろしは　あなのかべの　しゃべるのあとにさわってみた。
「これは　ぼくのあなだ」　ひろしは　おもった。

そして再び他者四人とのやりとりが、シンメトリーとなって出番。

おかあさんが　きた。「なに　やってるの？」
ひろしは　こたえた。「あなのなかに　すわっているのさ」　そうして　あなにすわりつづけた。
いもうとの　ゆきこが　きた。「おいけに　しようよ」
ひろしは　こたえた。「だめ」　そうして　あなに　すわりつづけた。

となりの　しゅんじくんが　きた。「おとしあなに　するのかい」
ひろしは　こたえた。「さあね」　そうして　あなに　すわりつづけた。

おとうさんが　きた。「なかなか　いい　あなが　できたな」
ひろしは　こたえた。「まあね」　そうして　あなに　すわりつづけた。
ひろしは　うえをみあげた。
あなのなかから　みる　そらはいつもより　もっと　あおく　もっと　たかく　おもえた。

その　そらを　いっぴきの　ちょうちょうが　ひらひらと　よこぎっていった。

ひろしは　たちあがり、はずみをつけて　あなから　あがった。
そして　あなを　のぞきこんだ。
あなは　ふかくて　くらかった……

そして最後は何もない、誰もいない空間。
物語はいろいろな“sense”を問う。センス、感覚、そして意味。ドゥルーズを読むまでもなく、フランス語なら「サンス」と呼んで「方向」という意味も加わるだろう。穴の中に凝然と動かないことを選んだ主人公の空間は「ひろし」なる名に反して、狭い。「にちようびのあさ」という時間が穴の外（というか上）には流れている。他者は皆その中で生きている。その時間からの逃げ口が上や横でなく、下に向ってあいている所がこの傑作哲学史絵本のポイントだ。*vertiefen*（掘る／深く思う）の深いシャレがドイツ語 tief、則ち英語の deep、*Abgrund*（穴／深淵。文字通りには地べた‐無し）の無底の言葉遊びが活かされていると感じる他ないだろう。

ノンセンス文学の偉大な穴と言えばだれしもが二つの『アリス』物語、直截には『不思議の国のアリス』のウサギ穴を想起するだろう。十九世紀末のアリス落下のウサギ穴のことばかり論じていて、アメリカ文学者巽孝之氏に、SF作家ルーディ・ラッカー（落下‐、っ）に入り込んだ地球‐

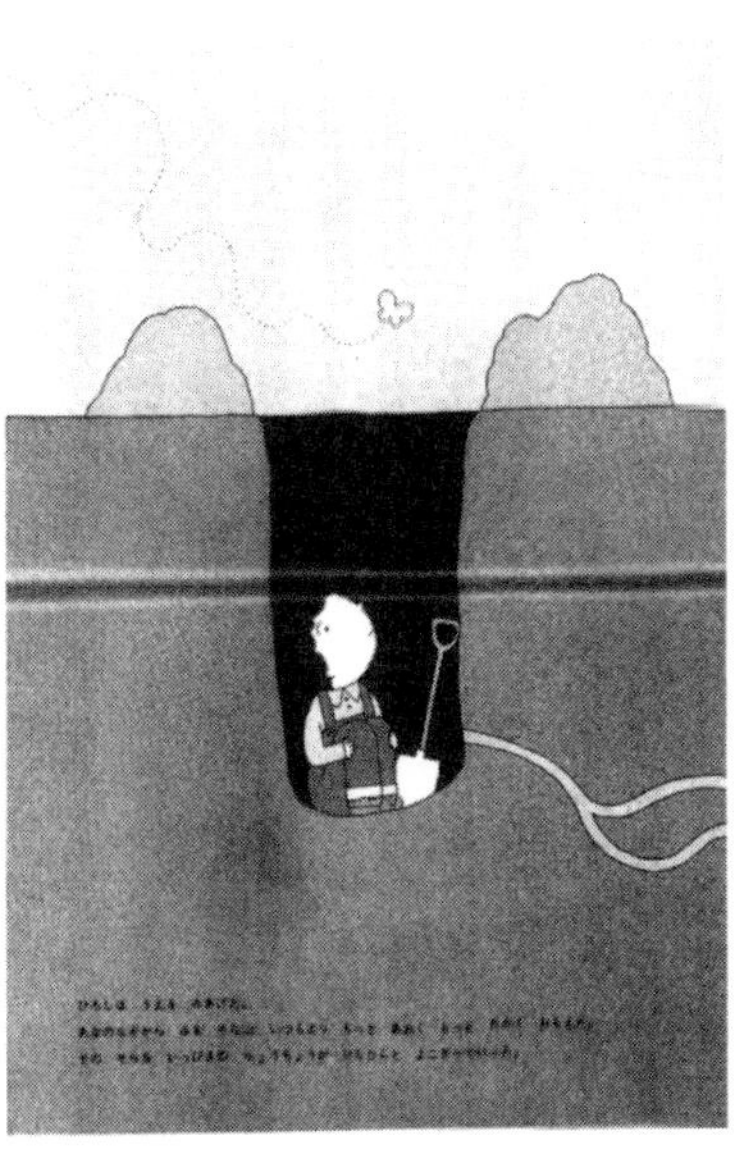

谷川俊太郎作・和田誠絵
『あな』福音館書店、1983 年

穴文学の奇作『空洞地球』のことも知らないでと言われて畏れ入ったことがある。二つの『アリス』物語に自からも有名な挿絵を提供したイラストレーター、ピーター・ニューエルの『穴』を訳している最中に和田誠作品の穴の絵のこと、すっかり失念していた。地上の他者が皆、立っているのにひろし一人、まず穴の中で立っているのが、核心部のエピソードの所で坐り始め、すると感覚が土着的（chthonic）というか臓器的（visceral）になるし、非視覚的になる（「つちは　いいにおいが」し、ひろしは「しゃべるのあとにさわって……「これは　ぼくの　あなだ」ひろしは　おもった」）。このくだりから絵に際立った大変化が起る。

紙という物質でできた本のその物理的条件（具体的にはページをまたぐ「のど」の存在）を利用した絶妙な工夫を少し吟味してみよう。本を縦にしたその見開きページの上四分の一が地上、そしてつまりは下四分の三弱が地下という見立てだから、地下でも浅い部分は上ページに属し、深い部分は下ページに属す。従ってひろしは上から下へ掘り進み、とは即ち穴の上ページ部分から徐々に穴の下ページ部分に文字通り下っていくことになり、最後に坐ってしまう段になると、完全に同じ穴が浅い部分（上ページ）、深い部分（下ページ）に二分し、ひろしはその底部分（つまり丸々下ページ）に坐っていることになる。他者とのコミュニケーションにしても前半の四人一サイクル部分では色々な位置にあるさまざまな姿勢のひろしが、この底でのサイクルではいつも寸分変わらぬ姿形で、上からのぞきこむ家族隣人と対し合う。どうやら世界「内」存在としての「ひろし」として定位できたのだ。一寸ばかり陳腐な比喩に頼って言うなら、同じ人間無意識を示す存在の「あな」にも二段階の深浅があり、ひろしはその小我（エゴ）の部分からなお一層深くの大我（イド）（井戸?!）の部分に掘り進んで、今そこに自分の居場所を見つけたが故に、どっしりと坐っているのである。ここまでユング派ふう、というかトランスパーソナル心理学に近いアナロジーを使わせてもらうならば、問題は徐々に自から細い穴を掘り続けてエピソード核心部分でひろしの掘った大きい穴に合流する「おおきな　いもむし」とは、同じ穴掘り役としてもでは一体何だろうという話に尽きるのである（穴への感入、そして芋虫という流れは絶対和田画伯脳裡の『不思議の国のアリス』回路を想わせる）。この相手にだけ、ひろしの方から話しかけるが、相手は「だまって　またつちのなかへ　かえっていった」。ここでひろしの「かたからちからが　ぬけた」。十中八九、こういうことなのである。ファミリーというか、文字通りファミリアーになり過ぎてそこから生存の意味を汲みとれなくなった間主体的な相手たちと全然異質なオブジェ（もの／客観）とひろしはやっと遭遇したのである。和田誠（一九三六年生れ）の青春時代、西欧アートシーンを席捲したシュルレアリスムに就て、『独身者機械』（一九五四）のミッシェル・カルージュがユング流を利用して述べたオブジェクティーフ（objectif）なもの、個別的人間の念慮を越えたところで全人類的に働く合目的‐的な神通の力を、この「いもむし」は意味した。だからひろしは個の意志、個の決断、個の努力が大事と思ってつっぱらかっていた「かたから　ちからが　ぬけた」し、もう「ほるのを　やめて　すわりこんだ」のである。むろん芋虫には芋虫なりに「目的」あっての掘り進みだったのにちがいないが、救済さるべきひろしの側からこの「いもむし」の行為をみるに、ユンギァンとしてはそう考えるより他ない。
尻（ボトム）を底（ボトム）にしっかりくっつけて土着的・臓器的な主客一如状態になったひろしの頭上に飛来する一匹の蝶々とは何か。ギリシャ語で蝶々のことでしかない「プシュケー」の謂（いい）であろう。魂のこと。汲みとれる寓意はいろいろ。冥府で身体にめざめて初めて諒解できる天翔ける精神の青空（アジュール）の爽快とか（「あなのなかから　みる　そらは、いつもより　もっとあおく　もっと　たかくおもえた」）。オルフェウス冥府降下譚の定式として、穴が「ふかくて　くらかった」ことを、戻ってきた視覚で認識したひろしは然る後、ゆっくり穴を埋める。通過儀礼を終えただれしものように、実は深淵を秘めた自分のこころ（サイキー）を、ひろしは今はしっかりと「これはぼくのあなだ」と言い切ることができる。

要するに心理（プシケー）（psyche）誕生の、心理学（サイコロジー）（psychology）誕生の物語である。「にちようびのあさ」に煮詰まった時空の方向（センス）、人々が目的（と用途）ばかり、つまり意味（センス）ばかり問う世界に、無方向という点を除いては迷宮とは一見みえない「迷宮としての世界」（G・R・ホッケ。ホッケによればノンセンス文学も「精神・洞穴学」たるマニエリスムに属すものだ）が対置された。文学上の「形式的マニエリスム」としての定型ノンセンス（谷川俊太郎の名でも記憶さるべき音響先行の言葉遊び）などどこにもないこの名作『あな』だが、あらゆる意味での“sense”を同時に吟味しようとする驚くばかり手の凝んだ実験作と言っておきたい。

ことほど左様に凝り上げた作品だから、さらに一点、仲々な自意識を孕むと感心させる仕掛けをひとつ付け加えておきたい。つまりこれを絵本、絵の本たらしめている和田誠なればこその超絶技巧。目に見えぬ筈の地下でのひろしの振舞いがどうして我々に見えるか――「いもむし」の掘り進む穴でそのことがわかるのだが、この絵本は断面図で構成されている。アリたちの巣づくりを少年少女がガラス越しに観察するあのおなじみの仕掛けだ。

不可視の相手、冥(くら)くて判然しない対象を理解させようとして光(ルスト)をさし入れることこそをずばり啓蒙（enlightenment）と言うのだが、絵にそういう明確化の役目を負わせた時、その絵をイラストレーション（illustration）、その巧緻に走る者をイラストレーターと言った。これも光(ルスト)をさし入れる行為なのである。光の世界である以上、これは本来が地上の世界を動かす力である。光の介入を許さぬ意識化の世界に光(ルスト)を術とする画工が挑んだ偉大なパラドックスの一作なのではなかろうか。イラストレーションとは「深い」意味では何をどうすることなのか。身勝手に遊びまくる言葉たちの単なる解説者／同時通訳者に堕した絵とは（挿絵とは）何かを、言葉の生彩ばかり讃えられがちな、たとえば『ことばのこばこ』にも画伯は引きずっている。

『これはのみのぴこ』（一九七九）、『ことばのこばこ』（一九八二）とか、一九七六年の『あな』以来、一〇年ほどの和田誠の仕事にはどれも“sense”の狂おしい多義性を無碍(むげ)にからめまくるマニエリスム／パラドックスの謎かけと謎解きがあって、どの作品も飽かせない。研究者として、翻訳家として、感覚（五官）と理性（意味）という真反対の内容を同じ一語に孕む“sense”の観念史ほど厄介なものはない。前に同じ『ユリイカ』の絵本特集号誌上に「こうして　くるんと　ひとまわり　絵本表象論・覚え」（二〇〇二）という長文自信作エッセーを発表した時、同じ「穴」でも、ルース・クラウス文、モーリス・センダック絵『あなはほるもの　おっこちるとこ』（一九五二。邦訳岩波書店）を中心に論じる余り、和田誠絵『あな』にまで手を伸ばせなかった大「穴」を同氏の追悼号で埋めなければならぬ遅滞、不明を、心から詫びたい。

キャッツアイ――美猫「海ちゃん」追善

母よ、あなたの中に海……

ほんとうに辛いとき、明日が面倒臭くみえる時、じっと眺める一枚の写真がある。海の横顔肖像（図1）。海は動物写真家・岩合光昭氏の愛猫。海を愛したことでは寧ろ岩合氏の奥さんの方が全然上だったと知って尚この写真が好きになった。海が主人公の写真集『海ちゃん　ある猫の物語』（新潮社、一九九六）も買って舐めるように見入ったが、この一枚を上回る、いつまでも見飽きない瞬間の魅惑力を持つ作は他に見なかった。海は雌猫で、母猫としても見事な立居振舞いを見せる。その優しさも十分伝わってくるこの一枚、しかし飽かず見入るたびに僕の頭に浮かび、僕の口をついて出る言葉はいつもまず、必ず「ノーブル！」である。いくら考えてもそれ以外の言葉が浮かんでこない。実に凜（りん）たる風情ではあるまいか。

イグノーブルというその反対語の方ばかりがもてはやされる現代日本の流行語大賞もそれはそれで面白くなくもないがハムレットが人間精神の高貴を言うにまず使ったこの「ノーブル」、凜然、貴族（的）という言葉を海の横顔肖像に献げておきたい。『ガリヴァー旅行記』の主人公が全世界旅行をした挙句、家から一歩も外に出ず、飼育馬の顔かたちのみ眺め暮らして人生を終っていく幕切れを御存知ない人が多いのは、『吾輩ハ猫デアル』の活発至極の猫が最後に唐突に悲劇的死を迎えてしまう呆然たる幕切れを知らない人が多いのと同じくらいびっくりさせられるのだが、東北で愛馬を屋内に飼う曲り屋で馬の顔、姿形を見暮した僕など、可成り共感できる話の展開である。とにかくあの目、あの顔の知性、優しさ、そして愁いの絶好の融合を見知った後では、世間で言う人間の美女の姿形の説明などまことにわけ分からぬものではないか。「海ちゃん」の横顔写真を見ることで、僕は「かたち」、そして「精神」について考えを巡らせることに、やっと再びの勇気と意義を見出すことができ

図1　岩合光昭・岩合日出子『海ちゃん　ある猫の物語』新潮社、1998年

る。
ちなみに心のピンチを救ってくれる二番目の写真も、考えてみると、岩合さんの写真集『ふるさとのねこ』の「津軽の猫」シリーズ中の一枚。緑色のリンゴの山の上で気持ちよさげに仰向けに転がる津軽猫一匹の手脚の愛嬌ぶりに微笑しながら厄介な会議を司会しつつ「次の議題！」とか言ってなんだか上機嫌な僕を見て参会者一統、それぞれにほっこりしている気配なので、手帳に挿んで持ち歩いている岩合猫写真の隠れた御利益（ごりやく）は大変なものなのだ。

海ちゃんのこの横顔肖像も、色々な大きさのカラーコピーにしてあちこちに貼ったり、持ち歩いたりして、そしていつも変らぬ「シーイズノーブル」という感想である。生涯一番の一枚かもしれない。

勿論、貴族（的）なることを指してノーブルと言う。ノブレス・オブレージ、高貴な階級であれば自から負う責任ある行為。我々の時代、日々の政治・文化のニュースから剝げ落ち続けていっている価値観。要するに、格差社会の原点とか言われて今日、まともな社会的議論の相手にされることも許されないクラ（ー）ス（class）文化の頽壊（おわり）の中で動植物たちの物語も語られなければならない。「階級」？　またしても話はフランス革命か、と高山文化史マニア諸兄姉は勘良く思うだろう。若い僕がそういう観点でハウスキャット（Felisdomesticus 飼い猫）の文化史をやろうとしていた時、社会学の俊秀と言うべきハリエット・リトヴォ女史の『アニマル・エステート』という大著が出て、大いに膝打つ情報を手にすることができた（ハーヴァード大学出版、一九八七、図2、図3）。「ヴィクトリア朝時代の英国その他の動物」と副題に謳う内容で、『階級としての動物』という題で邦訳された。エステートが階級と訳されて、この名著の社会政治学的意味に即した訳であるわけだが、もし同書原題が同じ階級の意味でも「クラ(ー)ス」を用いていたなら、博物学・生物学で言う「分類(学)」「種」・「類」の意味とも被さり合って絶妙のタイトルになったものを、と邦訳を拝読しながら思ったことだった(まったく同様に、使われる"family"という語が「うち(家庭)」「家族」と同時に分類学で言う「科」(ネコ科)の意味ともかぶる面白みが、猫をテーマに論ずる時には生じてくるだろう)。動物に分類学的に対処するヴィクトリア朝の面白い側面については実にはっきりそれとは識らぬ間に僕自身、博識ジャーナリストのリン・バーバー女史の『博物学の黄金時代』(国書刊行会、一九九五)で知った。さらに全体を大枠に摑み、しかもポピュラーな見世物文化の中に整理したリチャード・オールティックの歴史的名作『ロンドンの見世物』(同、一九九〇)に邦訳として了ってもいた。これらを議論の背景に据えて、美猫「海ちゃん」の一枚のスナップショットがたたえた「ノブレス」に、ただもう好きだ気に入りだと言う以上に、少し文化史の側から追善のコメンタリーを呈したく思うが、如何?

1

変り目はおそらく一八七一年であった。後にナショナル・キャット・クラブ会長職に就く、一五〇年前の岩合光昭とでも言うべき猫画家、ハリエット・ウィア(H.Weir)が、少し前の第一回ロンドン万博で有名だった水晶宮（クリスタル・パレス）博覧会場で第一回のキャット・ショーを開催した。少し前に流行していたドッグ・ファンシー・ショーを見よう見真似でなぞった概念的に曖昧模糊たる催事だったが、ハウスキャットの類別／格付け（クラス）化が緒についた。分類もまずは超大まかに色で分けた。黒か白か。そうそう、母猫と別に白と黒の仔猫が一匹ずつ戯れるルイス・キャロルの『鏡の国のアリス』冒頭の「鏡のお家」の一章を丸ごとここに引用しても良い。この作がまさにその問題の一八七一年、ハリエット・ウィアのキャット・ファンシー・ショーの発表という偶然は飼い猫の観念史、飼い猫の文化史というものに目を向けてみるなら、いきなり単なる偶然事ではない様子である。面白い。仲々得がたい機会ではあり、何匹かの猫を物語成立のためのトーテム動物に仕立てる気配の二つの『アリス』物語（この何度目かの拙訳も近々、青土社より近刊のタイミングだ。挿画建石修志）を大きな手掛りにして美猫「海」の表情が「ノーブル」である秘密を解くことにしてみ

図2　1871年、世界最初の美猫ショーがロンドンで。ジョン・バージャー「人はなぜ動物を見るのか」（『見るということ』）とともに動物-視覚文化論の名作、ハリエット・リトヴォの『階級としての動物』はそういう。

よう。話はきっと写真のことに拡がる。キャロルが写真という表現メディアの出発点とするなら、動物という媒介者を介してミスター・イワゴーが写真の、さらに未来に開けた（暫定）到達点でもあるからで、ノーブル・キャット「海」を間に置く一大視覚文化論——マクルーハン、ワイリー・サイファー師弟の——に、きゃっと驚く展開になる他ない。この猫の視覚文化論、「キャッツ」「アイ」と号する所以である。

猫大好きアンソロジーとか特集雑誌とか言えば忽ち三〇や四〇の企画は立つ筈だが、そこまで構造として猫を考えた作品と言うと、やはりルイス・キャロル（一八三二—九八）の二つの『アリス』作品（一八六五、七一）が海彼でのチャンピオン、我が国では漱石（一八六七—一九一六）の『吾輩ハ猫デアル』（一九〇五）に指を屈する他ないだろう。猫に限らずペットやら剝製やら、動物園やら動物ショーやらの歴史がひとつの一大画期としてまとまりがついているのがこの二人の作家の生没年や問題の猫文学作発表の時と巧く符節が合っている。ロンドン動物園、いわゆる「ズー」の成立が一八二八年。いよいよヴィクトリア朝起動のタイミングというわけだが、文芸思潮で言えば、真中にフランス革命をはさむロマン派時代の終熄期とそっくり言い換えることができる。斯界の碩学・長老たちが一大思想史として崇め続けた本邦ロマン派研究にも、時代の波と言うのか「黒いロマン派」というか今日のゴス・ブームの元祖ということでゴシシズム文芸に再評価の目が向けられるようになって、すると広い意味でのロマンティシズムが「うち」の発見の文化として見通しが立つようになって、すると広い意味でのロマンティシズムが^(インテリア)うちの発見の文化として見通しが立つようになったのだと思う。大思想研究の方で言えば焦点が人間内面に生じた意識とか想像力を指すインテリア（内部（うち））になり、ゴシック・ホラー文芸で言えばずばり家や部屋、少し後にははっきりインテリア・デザインといおう言葉をうむもの、場としてのインテリア（家（うち））が時代を象徴するキーワードになった。『吾輩ハ猫デアル』を一世紀先取りしたモデルとされているE・T・A・ホフマンの『牡猫ムルの人生観』では物語構成の視点がぶれ過ぎて唯一猫視点に徹した漱石に一歩を譲るが、猫のロマンティークがロマン派からほぼ一世紀の間に文明を集中的に語り出る大テーマになったことがよく分かるし、そしてその同じホフマンの歴史的奇作『砂男』をまさしく「うち／家（ハイム）」という観念で、いかにも時代というロジックで解明したフロイトの論文「不気味なもの（ウンハイムリヒ）に就て」が今からぴったり一〇〇年前の一九一九年に公刊という驚くべき奇縁がそこにはある。どういう話なのか、割と人口に膾炙（かいしゃ）している作、ルイス・キャロルの猫小説を例に、わかり易く議論してみる。

"PREVENTION BETTER THAN CURE."
(Poor Pussy's Scratch is as bad as her Bite.)

図3　「治療する前に予防」（『パンチ』紙、1889年）。動を静に変える「ドメスティケーション」の実態。ハリエット・リトヴォによる。

猫は嫌いでないが、ペットショップに足を運んでまでというわけではない僕のような人種にとっては「拾ってくる」か、迷い込んで居ついたものをそのまま置いておくということで今まで何十匹深いおつき合いになったかわからぬ猫族とは、ほとんどが外の「ノラ」がいかに「うち」にドメスティケートされていったかの物語の主人公であって、全てのっけから外とうちの繋ぎ目、接合と変容の時空そのものを、もふもふの柔毛（にこげ）の下に抱え込んだ存在がまずは猫というものである。「ポケットの中の野生」（中沢新一）の、これ以上ぴったりの例もない。繋ぎ目、というか境界もしくは相対という観念そのものなのだ。「移動のメタ詩学」（メアリー・アン・コーズ）の体現者なのだ。内と外、静と動、そして多分、視と触を優美自在に交接させるパラドックスの体現者、というかそもそもこれでもあればあれでもあるというパラドキシカリティ観念そのものの体現者なのである。「不幸せという名の猫がいる」（浅川マキ）のだ。

2

キャロルの猫文学をなに偏見なく読むと、ポイントは『鏡の国のアリス』である。ロマン派がつくりだしてヴィクトリア朝に相続していった「インテリア崇拝（カルト）」（ピーター・コンラッド）の見事な完成態を我々はこの名作の第一章に見る。外は厳冬の吹雪（ふぶき）、内は赤々と燃える暖炉が温めてくれる少年少女時代の安寧と浄福という「序詩」からいきなりこの作品の基幹モチーフが内なるものと外なるものの関係、というか対比であることが示されている。

そこにアリスと三匹の母仔猫が登場する。母猫ダイナが白の仔猫スノードロップの毛繕いをしている傍で、アリスが巻いている毛糸玉を黒い仔猫がちょっかいを出してほどいてしまう（図4）。お説教しながらまた巻き戻すアリス、嬉しそうにまたほどいてしまう仔猫。語りという線／行の錯綜をこそ即ち迷路・迷宮の構造とする「アリアドネーの糸」としての文学的原-身振りをこれ以上簡潔に情景化してみせる文章も珍しい。『鏡の国のアリス』公刊の一八七一年くらいから、英国人のインテリア好き、暖炉好きが病膏肓の域に入っていくその経緯は、改めて名を出すが英文学研究を変えた一代の秀才、ピーター・コンラッドの『ヴィクトリア朝の宝部屋』（加藤光也訳、国書刊行会、一九九七）一著に鮮烈に描かれている筈だ。

黒のほうはもう、昼すぎにはすませてもらっていた。だからアリスが大きな肘かけ椅子のすみに丸くなってすわって、ぶつぶつひとりごとをいったりうとうととしたりしていると、黒猫はアリスの巻きかけていた毛糸玉にじゃれついてきて、あっちへころころ、こっちへころころするんで、玉はとうとうすっかりほどけちゃってね。毛糸はもつれ、こんぐらかって、暖炉のまえの絨毯いちめんにひろがって、そのまんなかで子猫は自分のしっぽと追っかけっこしているありさまだ。

（故矢川澄子氏訳）

内側にぬくぬくと自閉していく精神を幾重にも守ってくれる壁がそもそもその自閉をうむ原因で

図 4　Through the Looking-glass

もあることを主張しようとして丸く自己再帰する円、円環のモティーフを飽きることなく集積していく『アリス』物語中でもそれが一番圧倒的に描かれた部分だ。巨大な円となった大型肘掛け椅子にそっと包被されるようにちいさなアリスと仔猫が描かれるテニエル卿の挿絵を見て、ここではウロボロス蛇のごとくに自分の尻尾を追って限りなく丸く運動する一匹の猫が、自閉性にしろ相対性にしろ『アリス』物語に横溢する円のモティーフが即ちこの作品における「ねこ」のかたち（フィギュア）であることを否定しうる者はいないに違いない。アリスの物語を赤の王様が夢みているかもしれないという「夢みてるのはどっち」ということが最後に問われるのだが、そういうの全部が猫に見られた夢なのだというニャンともふしぎな珍説がある。出てくるパロディ詩がひとつ残らず（猫が見そうな）魚をめぐる夢であるからだそうで、面白いのだが、ここまでくると物語にとって猫は内容としての猫であるばかりか、円環することをめざす物語の形式そのものをいわば猫‐性として引きうけるメタ存在ということにもなる。内容と形式を貫く「猫」抜きに何も語り得ぬ『アリス』物語！　あるちいさな時空の中にひとつ世界を掌握（コントロール）でき、はやりの言葉で言えば私領化（アプロプリエート）できる。世界も猫も、スティーヴン・グリーンブラット流に言えば「驚異」として占有されるのだ。ヴィクトリア朝文学最頻用の語が「ちいさい（little）」であるとなんとも見事に言い切ったピーター・コンラッドはヴィクトリア朝に小ペットブームが、猫鍾愛の現象が生じた真の集合心理学的な理由を述べていたことになるだろう。汎世界へと拡大一途のワクワクさせる一方、大なる不安と不安定をもたらすインテリオリティを「ちいさく」見える形態と抱ける大きさに投映してくれる猫はそこにそうして居るだけでヴィクトリア朝求心的文化のトーテム神であったものと思われる。

深いテーマとして父殺しを抱えたことが知られているキャロル（本名チャールズ・ラトウィッジ・ダッドソン。ルイス・キャロルという筆名をつくるに当って、父方の名ダッドソンをまず抹消！）にとって、一般にも母性の象徴たる優しい雌猫と仔猫のつくるこの温和な居間は安住のインテリア、聖母子の睦（むつ）みから父性が締め出された薔薇園（ロザリオ）以外の何であるか。女性にインテリア細部の管理をまかせ、但し鍵は自分が専有するという十九世紀末にかけての美的な「女子供部屋（ダーメンツィマー）」の如何なりしかを『鏡の国のアリス』冒頭で我々はじっくりと読みとることになる。そこで物語はすべて迷宮としての世界で物語の糸を紡ぎ続けるしかない貞女ペネロペの刺繍（プチポワン）の営みである他ない。テクストという言葉の持つ十九世紀末的ジェンダー状況を僕はかつて『テクスト世紀末』（ポーラ文化研究所、一九九二）に描き切ったつもりでいる。同書の手の籠んだ批評的工夫をまともに論じられているのは今のところ、名書評家鹿島茂ただひとりである。

猫と母権？『高野聖』の鏡花も、『草枕』と『明暗』における漱石も、猫めくキャロルと同じムッターレヒトの「ねことばあちゃん」の世界の住人だ。美猫「海」の曖昧ながら微動もしない威厳は、スイス人ヨーハン・バハオーフェンの『母権』（一八六一）と同じ時代の空気を吸っている。牡猫どもの入りこむ余地など、ない。『吾輩ハ猫デアル』と同じ時代、同じ環境から大妻女子大学の教育綱領をつくりあげていった大妻コタカ女史の猫好きは神話的だ。日本女子高等教育の理念を貴重なことにまったくの草の根から鍛え上げていった「学祖」・学母が愛猫と頬をすり合わせている名写真一枚、「海ちゃん」のポートレートとともにいつも小生の尻ポケット手帖におさまっている！（図5）猫をトーテムにする女子大学なんて、このかりかりと世知辛い世の中に、それだけですばらしい　みんなおいでよ！（図6）

さて、外で生きていた動物が内／家（うち）化されて何がどうなったのかを『鏡の国のアリス』について眺めたが、『アリス』物語の構造としての「猫」を語るもうひとつの側面に関してふれない限り、十全の論とはならない。全巻これ内容的に（そして前述のように語りの形式の面にも）「猫」が隅々にまで横溢している『鏡の国のアリス』に比べると猫のウェートの小さい『不思議の国のアリス』の猫テーマも仲々鋭い扱い方をされており、しかも（他の色々な点でそう指摘されるように）二つの『アリス』がそれぞれ互いに際立った意味合いを付与されているらしいので、そのことにもふれよう。

図5　大妻コタカ先生（1884-1970年）愛猫写真。2人で（いや、1人と1匹で）大妻女子大学の将来展開を構想中？　大妻多摩キャンパス入口に先生愛猫像あり。是非ごらんください！

『不思議の国のアリス』は第六章でチェシャー・キャットが奇妙な立居振舞に出るまで、あちこち片言隻句に猫が登場しているくらいで、『鏡の国のアリス』のように、ひょっとして夢の全体が登場する三匹の猫たちが分担してみた夢かもしれないといったよく知られた面白い――バロック的な――仕掛けは、ない。兎穴墜落中のアリスが猫がコウモリを食べるか、コウモリが猫を食べるか、別にどっちだって良いという面白い相対論は印象的で、先に述べた価値の反転・価値の相対性を示す円環モティーフのひとつということになるのかもしれない。

しかし『鏡の国のアリス』の猫（たち）と十分に拮抗できる猫には第六章になって初めてお目に掛る。口が裂けるほどにったりと笑うチェシャー猫である。何故この奇妙な猫がチェシャー州の名と結びつくのか、本が一冊書けるほど諸説紛々なのだが、今我々にとってはむしろこの猫が身体性を欠いた存在だという点が重要である。

中世全体に亘る魔女裁判からT・S・エリオットの秀什「不死の囁き」まで猫と言えばその猥雑な身体性、というか官能性なわけで、この線をまともに引き受けて論じるなら、主にミハイール・バフチーンの身体的反文化論になりそうで今更だし、面倒臭いと思う一方、いきなり気付くわけだが、チェシャー猫が登場して来る章は「豚と胡椒（こしょう）」というタイトルの下、食と喧嘩がテーマの、いきなりの「肉体的下層文化」（バフチーン）の異相にある。人間の赤児が豚に変態する話が猛烈な胡椒混りの空気の中で進行し、イメージ的に中核にあるのはぐつぐつ煮えたぎる大釜である。ブリューゲル俚諺文化的というか、要するにずばり広義の地獄文学の典型的レパートリー。その地べたに横になってにたにた笑っている大猫の大口たるや間違いなく「地獄の口（ヘル・マウス）」なのだろう。そしてヒトにしても結局はブタに終る。このチェシャー猫はこの発狂的厨房の女主人たる女公爵（公爵夫人?）の飼い猫とされる。女公爵を、ウンベルト・エーコの醜の文化史にも取りあげられた可哀想に世界史上最も同情さるべき醜女（しこめ）某姫を、ジョン・テニエルはモデルにして描いたそうなのだが、この厨房はキャロルが目撃していた「醜悪博覧会」たるエジプシャン・ホールをそっくり児童文学のネタにした代物であろう。全ての発言に古風な「教訓」を見出していく彼女の俚諺好きは単なるノンセンス趣味と切って捨てるには深い伝統のようなものを感じる。女公爵は民衆的文化を宰領する歴たる魔女（ウィッチ）であり、すると彼女を処刑しようとばかりする赤の女王とは何かという、別乾坤の面白い論になる。女公爵の言語万般が分析に値する。「おのれを他人の目にうつるであろうものと別のように思うな、というのはかつてのおのれ、もしくはそうであったであろうおのれとは、すなわちかつて他人の目にはべつのように映っていたかもしれないものにほかならぬのだから……」とか。「字で書いていただければ、もっとわかりやすいと存じますけど、口でおっしゃられたんでは、とてもついていけませんもの」とアリスは答えるのが精一杯だ（矢川澄子訳。巧い訳。しかし敢えてゴチゴチ直訳した方が味わいが）。マニエリスム的グロテスクリとでも言うか、口誦文化から書字文化への転換と言うか。女公爵が魔女であるならチェシャー猫は達者な使い魔猫（ファミリア）である。濃厚な前近代身体文化の担い手なのだ。

……なのだが、今やその猫が十全な身体性を欠いている。いつもどこか身体の一部が消滅しているか欠損している。この猫は高い所に昇る宿命だと思ってみていると成程、木の枝の上に坐って、地上のアリスを、自分の狂気は封印しながらお前は狂気だと断じる。狂気論‐逆転（*αδύνατα*）論としても実に面白いのだが、ここでは猫の文化が身体の文化からはっきり「精神」の文化に一変したという事態を頭に入れておくことの方が大事だろう。人間を動かす内的衝迫を「スピリトゥス」、「(ア)イデア」、「エーテル」から終にキャロル同時代オカルト文化の「オド」だの「エクトプラズマ」だの時継列的に網羅してみせたマリーナ・ウォーナーの歴史的名著、『ファンタスマゴリア』(二〇〇六)という「精神」の観念史の良くできた一ページに一八六五年英国の一匹の変った猫がきちんと所属することになったというお話だ。この視覚文化の中での猫という話には後にもう一度帰ってみよう。

二つ『アリス』物語は十二章の物語が、しかも夢見、夢落ち円環という形で互いにそっくり似ながら、分量的にも、そして多分意味論的にも重なる、というか鏡像関係ないし異性体の構造になっているが何故かという議論が昔からさかんだ。そのこと自体にここで深入りする必要はないが、二篇に結構有意味なパラレリズムがあるらしいという議論。一番面白く思われるのが『不思議の国のアリス』のチェシャー猫の登場と『鏡の国のアリス』のハンプティ・ダンプティがそれぞれの第六章に登場することであるが、夢と現（うつつ）と、そしてチェスの駒の配置・運動の三者の、ちょうどキャロル晩年の奇作『シルヴィとブルーノ』の有名な三つの時空間の交錯（キアズム）を先取りする工夫でもあるかのように、アリス自身の口からハンプティ・ダンプティという卵キャラが現実の世界ではダイナと呼ばれている一匹の母猫が夢の中で纏った姿ではなかったのかということがアリスその人から示唆されるに至って、この玄妙至極のパラレリズムに思わず膝を打つしかないのである。

地上的・身体的存在だった筈の猫が木の上に上って「精神（イデア）」化されたのがチェシャー猫の真諦であるのなら、生命循環の基本そのものたる卵がもの凄い高さ（そう、ギリシア語ではこの高さを「ヒュブリス」と言ったのだ）に上ってバランスに苦労する、まんま「精神」の危うさ（このレヴェルでヒュブリスは傲漫という比喩次元を獲得する）の物語ないし寓話なのに違いない。地上的、いっそ地下＝地獄的（chthonic（サニック））なものが高みを簒奪してはいけないというメッセージ（「猫」の分際（クラース）で「王を見てはならない」のだ）は神話として汎世界的に流通している。欽定訳聖書（AV）がギリシア語「ヒュリブス」の英訳語として「プライド」を採用した時、二世紀半してハンプティ・ダンプティというすっかり文化化されてしまった猫の愛用語が「プライド」・「プラウド」であることは既に決っていた。

またタカヤマ一流の目眩ましか、博識ちらつかせの屁理屈かという声が聞こえてくるから、強引批評ついでに書き足すなら、そもそも一二章というキャロル流の数秘術エクリチュールから言うなら、いたる所に出てくる一二時式の時計円盤では一番底に当る部分が第六章に当る（太陽を欠く地下世界はそもそもルナティック・カレンダー、大陰暦時間で動いている筈という、作品全体に多大の影響を及ぼしそうな〔たとえば『詳注アリス』の故マーティン・ガードナー氏流の〕奇説が、僕はとても好みなのである）。

4

要するに二つの『アリス』ともに、本来低みにあるものだった猫目線が上に、空裡に上った結果生じる顛末を、物語の文字通りの底(ボトム)で見事比喩的(フィギュラティヴ)に語ったまことに猫の目のように展開めまぐるしき神話批評の総力戦と思えてくるのだが、読者諸君、如何？

「彼女（アリス）は……と言いました」という言い方が多過ぎて、何度翻訳してもそのたびに鬱陶しい。「彼女（アリス）は……を見ました」も多い。アリスが目を向け、言葉にしない限り始まることない物語世界だ。その点をキャロルはチェシャー猫の身体部分消滅の特徴に仮託して——擬人法（化）こそが、実は以上の論旨のキーワードである——語る。アリスは相手の耳が姿を現わすまでは話しかけても仕方ないことを知る。世界のことを考えようにもチェシャー猫の目が現に存在していないうちは仕様がないと悟る。これは実に巧妙なテーマ表示の仕方である。見るから在(あ)る。

結局、見ること（チェシャー猫の仕事）と語ること（こちらはハンプティ・ダンプティの分担だ）の問題性を猫という内容、猫という形式を通じて理解することが、こういう猫テーマの追跡を通じて知られる『アリス』物語である。そこで猫はもはや"figure of thought"になり切って、見事と言うしかない。

視覚文化が今日的盛行を先取りし始めたのはまさしくロマン派の頃、ということを僕は『目の中の劇場　アリス狩りII』（青土社、一九八五）で追ってみせた。それが幻燈やパノラマを通して発展し、ついに一八五一年ロンドン万博に至り、そしてまさしく同じ頃合の写真ブームに至り、博覧文化にも写真撮映にも御存知キャロルははまりにはまっていった。博覧文化が面白いのはただ単に目を見開いて何かを凝視することだけが視覚文化ではないことを誇示している点だ。物を一見それと似た物から分け、そして分かるための具としての分析的言語また、理念的には目と同じ分析・分断の文化相のものだと教えているわけで、狂気とは何か定義する（定義になっていない）裁定者たるチェシャー猫がロンドン王立協会の普遍言語論、0／1バイナリー言語論そのものを「児童」文学の丸々一章を用いて教育喧伝しようと構えているハンプティ・ダンプティが間然なく近代の「問題的人間（プロブレマチカー）」（G・R・ホッケ）としてパラレル、ないし一体化しているというこのエッセーの一見細かい論旨は、十九世紀一杯を使って英国文化を同時代視覚文化の中枢に据えていくとても大きな流れを捉えようとする議論にすぐ接合していく体（てい）のものである。

　狂気を論じるチェシャー猫自身の狂気を「野生」と呼ぶなら、次にハンプティ・ダンプティという形をとった「彼」に会う時、精密でエゴセントリックな言語観はむしろ野生の調伏の具であろう。こうして「ポケットの中の野生」が生じた。それが「ペット」大流行の御時世であり、つまりはインテリア崇拝（カルト）の文化である、という話をしてみた。全てが家庭内（ドメスティケート）にされる。ありふれた当り前の世界のように見えるが歴史的にはやはり相当特異な時代。それがキャロル存命の時代から漱石の『猫』に至り、猫を見やる視線の錯乱に興味を移した『猫町』や『猫と庄造と二人のをんな』の一九三〇年代になり、『ノラや』、『クルやお前か』の内田百閒になる。もう一度確認される「野生」が馴致と危うくバランスする。「ひとりでに湧いてくる」と作家自身びっくりしていた『不思議の国のアリス』がチェス規則に緊縛された人工世界、「うち」に泥み切った世界の自己言及・自己遡及に自閉されたのが『鏡の国のアリス』。写真に行きつき、それが「見る」文化の閉塞を「触れる」文化（tactile culture）へと――「撃つ」から（写真撮映を「ショット」と呼んだヴィクトリア朝狩猟文化マチスモ）「参加する」（W・サイファー）へと、大転換するのを勉強していた或る日、海の一枚の肖像写真をたまたま目にした僕は母性的優美と紛う方なき野生と決然たる明日を見据えるこの猫の一瞬の過激な静謐に、息が止まる思いがした。キャメラマンに神がおりた。それは間違いなくそう。静と動の無碍な往復という猫‐性が映画に手を出す（写真家を使嗾）、鼓舞したとしか言いようがない。凛然たる優美。マニエリスムの精髄。「どっちが夢みたのでしょう」はどうやら夢落ちのバロックではない。「私が猫と遊んでいるのか、猫が私と遊んでくれているのか」（モンテーニュ）という相対円環、無限後退のマニエリスムである。

秘密めいた扉がどこかで開くよ
愛を映すミラーがどこかで割れるよ

――三浦徳子

エピローグ

ヴンダーシュランクに書店の未来

縁あって旧知といえる友人に荒俣宏さんと鹿島茂先生を数えるようなことになった人生だから、僕などに書店、古書店の現状とか未来とか、書物のオークションとか、語る資格も、そして多分資質もありはしない。

誰とも異なる妙な本とのお付き合いのことを、実は全部実話なんだけど、冗談とか法螺とかを装って書くしかなかった『高山宏のブック・カーニヴァル』とか『超人高山宏のつくり方』とかいった自伝兼本読みガイドブックの類が意外に売れたというか、結構息の長いコア読者を得たということだけに背中を押されて、この機会に逆説だらけで多分ひどく場違いな書店論を書き遺しておく気になった。一番の逆説、それは本読みとしてなら少しは人の口の端(は)にのぼる人種であり続けながら本屋さんに全然行かない族(うから)でもあるということだ。東京に来て、そして神田神保町に歩いて三〇分という大学に学んだり、勤めたりしながら、もう、半世紀になんなんとするのに、深いなじみの書店も古書店もない。昨二〇一八年夏虚血性心不全に倒れ、生来の弱視と併せ、読み書きの書きは続けられそうだが読みは年貢のおさめ時と覚悟して古書店に売っ払おうとしてハテどこがあるかと思案したら、どこも気心の知れた付き合いのある古本屋さんがひとつもないことに改めて驚き呆れた。結局、蔵書の一部を差し上げたのは、有名なストリッパー嬢がうす暗い店内で好艶してくれる横でブルーライトを浴びて難しい講演を併行してやるという奇趣満点の店内企画に誘ってくれた古書ほうろうの宮地店主だった。バンドを入れて仲間うちの音楽空間を演出というのが本領のお店と判って、差し上げて良かったと思った。差し上げた、というのはむろん、査定なしということ。いかに古書マーケットに素人かということ、これだけでもおわかりいただけるでしょうかね。

人類学者の故山口昌男先生にはずっと古書の探索趣味の無さをはっきり叱られ通しだったが、趣味も、第一必要もないのだから仕方がない。

しかし新本となればさすがに本屋さんへの出入りはあるでしょうと問われるだろうが、うーん、これも絶無、みごとに、ない。

七十路に入った今、樋口なじみ書店、片桐書店、北沢書店、そして借金苦に泣かされた「大」丸善、そして、いきなりの池袋リブロ、そしてやっぱりかの松丸本舗……「書店」と聞いて御縁が思いだせる相手は十指に満たない。渋谷の大盛堂（創業者船坂（ふなさか）弘氏に対する、熱烈関心。アンガウルの戦いを一人熾烈に戦い抜いた伝説的軍神が何故書店を開いたか。絶妙に面白い）、神田神保町の東京堂書店……僕の本を熱心に売っていただく本屋さん。それぞれに厚さ六センチを目標に出した『風神の袋』、『雷神の撥（ばち）』は「鈍器本」にあり得ぬ早さで売れたが、新宿紀伊國屋、池袋ジュンク堂、静岡戸田書店［閉店］等のフェア企画の賜物である。そういう感心なお店にはトークイヴェントの類のお誘いあると必ず出た。

とかとか書いて、それ以上出てこない。新本さがしに本屋さんを巡る歩数は信じ難く無い。汎欧的文化史家タカヤマ・ヒロシの留学経験ゼロというのに匹敵する、これはこれで伝説になるだろう。永遠の謎に。呵々。

右に名を挙げた書店で、樋口なじみ書店という一番最初の本屋だけ、皆さんになじみがない筈だ。僕が二十歳近くまで育った高知市内に下地（しもじ）と呼ばれる要するに下町の庶民の暮らす地域があり、市中央部との接点に菜園場（さえんば）という大きな商店街があった。大体が日々の食料青果を商う店で、その中にぽつんと一軒、町の本屋さんがあった。月に一度、父親に建築雑誌『朗（ほがらか）』を、母親に主婦雑誌『主婦の友』を届けてくれるような、本当に町の小さな本屋だったが、地方国立大学でヨーロッパ哲学史を教えていた父親が乏しい研究費で岩波文庫をやりくりしていた日常の中、ハイデルベルクの大学出版局刊の総革大判のカント全集を発注したものだから、ついでに頼まれた大根や海鮮やらの荷の中にこのカントの黒光りする革装本を出る毎に一冊、二冊と自転車で運んでくる色黒で痩せた店主の、驚きと尊敬とに満ちた顔は今でもありありと思いだせる。懐旧だけがリアルという言葉の真の意味におけるリアル書店、シネマ・パラダイスならぬぼくの遠いブック・パラダイス。幼い肉感に支えられたこの「リアル」と結び付いた僕の本は電子のプラトニズムとは相容れない。総菜の臭いがする。本に関して悉く真反対と言われた吉本隆明先生の、実は同族かも。

その父親がよく高知の町のことを文化果つる地と呼んでいた。むろん昭和二十年代のこと。市内ど真ん中にある一番有名なK書店はそのすじの方の経営とかで、本の横にはなふだの山があったりした。あと思いだせる新本屋、古書店併せても十軒。松本亨の国民的人気英語会話テキストなども、手に入れるのに毎月難儀し、これもやがて樋口さんの頼りなげなママチャリが運んでくるようになった。

学校で使う本、受験参考書くらいが読む本で、あとは級友に一人、貸本屋の息子がいたものだから十人並みに月刊少年誌や漫画はよく読んでいた。昭和少年文化の典型的残党。

天下の「本読み堂」（荒俣宏）タカヤマヒロシの少年時代なんてそんなものでしかない。何が理由で何を盗んだのか記憶にないが、本の盗癖があって時々母親が小銭を持って本屋に詫びに行ってたのを覚えている。本なんて、まずは盗むものとしてあった！　文化と盗み。ヘルメス神の大活躍ぶりを解く鍵である。ミッシェル・レリスとかジャン・ジュネとか、盗み手本人にもよくわからぬ「クレプトマニア（衝動的盗癖）」とか、解く鍵だ。本の万引きテーマ。そこから、しかしひとつの文化世界が開けていくのは玉川重機の『草子ブックガイド』シリーズが見事に描いた。ジョージ・マクドナルドの『ファンタステス』より、ミヒャエル・エンデ『ネヴァエンディングストーリー』より、三上延の「ビブリア古書堂」シリーズより好き（「栞子」より「草子」が！　そういえば玉川重機も高知の人間だ)。大妻女子大での僕の授業では毎年必読。

東大英文科の一年先輩に富山太佳夫氏がいて、神田神保町の北沢書店を紹介してくれた。ここには名は失念したが、えらく物知りの店員が一人いて、具体的に棚から本を引っぱりだし引っぱりだし、エリアーデならこれから入って、次にはこれ……という感じで講釈をしてくれるのが紛争明けでダレた大学の講義なんかより余程面白かった。由良君美氏が推していた類の本が見事な「良き隣人関係」(山口昌男)で並んでいて、どんな安っぽいペーパーバックもハトロン紙(令和の今なら何と呼ぶんだろ)に包まれたそれらの本を「棚の思想」(小川道明)とばかりどんどんとまとめ買いした。メルヴィル『白鯨』のボブ・メリル社詳注版とジョン・シーリーのメルヴィル論『アイロニーの構図』を北沢で買ったのが三万冊強というその後の洋書購入キャリアのとば口になった。洋書を読むことに開眼したのはだから富山太佳夫氏のお陰とも、店主自ら某女子大の英文学教授でもあった北沢書店のお陰とも言える。學魔今日あるは俊才富山太佳夫の案内あればこそ、と改めて深甚なる感謝の意、最適な場得て、初めて表しておきたい。

以上、ここまでがステージ・ワン。

事態は一変する。既に数回書いたことだが、その富山氏が本郷に、僕が駒場に、キャンパスを分って助手となった。僕は今はなき第一研究棟の英語科助手室に籠って、どうも「棚の思想」などかけらも持ち合わせないふうな英文科書庫五万五千冊と対峙した(英語学関連三万冊は別置)。何か工夫があれば良いが、差し当り面倒だからというのか、全ての本が著者編者人名のアルファベット順に延々と並べられているだけ。著編者の名がわかっていて、しかもその本が入庫済みとわかっている人間にとってのみ意味のある、というか、彼、彼女にしか意味ない、ただ字が載っかったかび臭い紙の死堆積庫。そこを起点に、そこにある何かを切っかけに何か大きなものに広がっていくなどということはまるで無縁の五万という本の為に、僕は自分のつとめ場所の中で夜毎、ベンヤミンのように泣いた。そしてボルヘスのように読み、「ヴェンゲーロフやチジェフスキーもかくやと」(沼野充義氏の高山宏評!)、カードをつくった。

助手契約は二年で、その後のことは決めてなかった。僕はある決心をした。愚かな餌食を身ひそめて待っていた魔にいきなり魅了された。憑依されたとどこかに書いた気がするが、要するに何かがおりてきて、自分でもそれを自覚した。「待っていたぞ!」という野太い声を、闇に聞いた。此処を僕の世界とする。というか自分の宰領する一世界を此処につくりあげる。ただ便利な倉庫くらいにしか思っていなさそうな(大体が世間で名の通った)教授たちがたまに一人、二人と入りこんで、そしてすぐ出て行って了うすぐらい書庫に僕は二年間、当てがわれた時間と、実は東京オリンピックの代々木施設から東大が引きとった鍛錬道具で鍛えて、直後、「一部暴力学生」として機動隊や他集団の暴力学生とのやり合いでそれなりの威力を発揮した不眠不休に悠々耐えられる体力のすべてを封入した。封入したなどと何だか錬金術のレトルト工程みたいな言いざまだが、本当に幼い頭がそこでの白の過程、黒の過程を経て、ユングの言う個人化、個性化を経験していけた奇跡の時空である。そういう所にまたぴったりこれ以上ない冥府魔道の先達、由良君美が、助手の存在などお茶汲みくらいにしか考えない教授から公私にわたって守ってくれたし、今どき若い研究者たちから時間と体力ついには気力まで無惨に奪っていく書類書きや事務仕事の方は、研究施設という大奥を取り仕切ることを公認されたおつぼね様が全部引き受けてくれた。実の姉の何倍も僕の姉だった人。まさに「姉の力」そのままな御方だった。

ただの親切ではない。五万冊という要するに資料として十全に機能していない書庫を、今度来た謎の若者がいつも棚から棚へ本を移したり、本のまとめ方を変えたりしているらしいが、そして教授たちの中には助手がいつも書庫で電動タイプを打っていて、雑用を言いつけにくくて仕方がないと怒る人が出てきたが、あれは一体何？　というので注目していたところ、一方ではこの頃、図書カード中に上辺を色で塗分けたふしぎなカードが急に増え始めた、あれはあの新米助手のやり始めたことにちがいないが……という噂が立って、おつぼね様が関心を持ってくれた。彼女が信頼していた何人かの教師がたまたま僕の擁護者たちだったらしく、すぐ雑務が僕の所に回ってこなくなった。事情は全く後日に初めて知ったのだが、僕はあり余る時間すべてを、書庫の五万冊が夢の巨大索引一個で自在に引きまくれるそれこそ巨大な一冊の書物として機能する、マラルメやボルヘスの夢見た「世界そのものたる本（ル・リーブル）」に変えようとした。当時、そうはっきり意識していたわけではなかっただろうが、未聞の有効なシステムを自分一人で工夫して造りあげるのがいかに大変だけど、いかに面白いか、周囲に味方が七できても必ず敵も三はできるという世の毀誉褒貶など、気に病むこともないと知ったのだ。学生時代に耽読したグスタフ・ルネ・ホッケの何冊かのマニエリスム論が

「世界そのものたる本」をめぐる論だったことに毎日夜、身にしみるように思い当たるようにもなり、脳と手の関係、アーティストとアーティザン（職人）の関係を追うマニエリスムの論の根幹を、「棚の思想」として指先で本の物質に触れ、頭の中で本のメッセージに同時に触れる日々たゆまぬ作業の中で孤高に体感していったように思う。マヌス（手）を巡ってホッケのマニエリスム論とマルクーハンのメディア論が僕の中で直結したのが僕の知の半世紀の全てであるように思うが、脳の中ででき上る区分けを本の形にした対象を、手が棚の上に実現し、両者の間の修正や微調整が繰り返された結果を、最終的に指が電動タイプのABCのキーボードの上に形として配列する、もう僕の夢の時間（ドリームタイム）でなくて、これは何か。一九七〇年代、夜陰に乗じて僕は頭でロックしてた。指はパンクしていた。レミントンの電動タイプの騒音をバックバンドにして！

作業として洗練されてくると、こういう具合だ。手にした本のフラップ（袖）に簡略な紹介文がある。カヴァーがないとか取りはずされているという場合には、序文を読む。結論を併読ということもある。勿論、目次はたかが目次ではすまない。何度も目を通す。大四方田犬彦はそれを先生の由良君美から叩き込まれたと、どこかに書いていたなあ。目次でキーワードをたてる。広く、キーコンセプトを頭に入れる。そしてリファランス・カード造りが始まる。色分けと先に書いたが、上辺を黄のマジックインクで黄に塗ったものが人名リファランスになる。始めて一年くらいでクロス・リファランスのシステムがさらに重要かつ必須であることに気付いて、こちらは上辺を赤のマジックで塗った。言っていることの意味がおわかりでしょうかね。頭の中でこういうことができている助手が、司書が、そして書店員が必要だ。彼、彼女がいないリブレールに未来なんか、あるか！

図書事務からは、本を事務対象とする公式の図書カードが一冊につき二枚、同じものが来る。既にぎっしりのカードボックスのことを考えると、ボックスに入れるのは一枚。著、編者の名を見出しにして入れる。入庫済みの確認という以外に何の役にも立たないのは、死んだ棚の上にどんどん並べられていく本体（そうか、「体」ってニンベンに本なんだ！）の本と同じ。参考資料としての機能、精度、そして手にする可能性の倍化というものの理想を追求するのは、その時の僕にとってはカードしかないように思われた。カードメーカーだけが世界を革命するという山口昌男の『本の神語学』のひと言がその日夜、僕を支えた。大もとでそう言ったのはウジェーニ・イオネスコであるらしい。

文房具商から届く新品図書カードは百枚入って一箱。この一箱が基本一週に一箱消える勘定で、事務方からすれば要注意、要警告のたぐいだろうし、洞察力ないT・S教授などという、機会をみてはこの頃、英文科のカードボックスのあのぎちぎちの引きにくさは一体何だという文句を言ってくる阿呆もいたようだ。おつぼね様は勿論適当にあしらって、すぐ僕の所に茶菓子をもってそのことを楽しく報告しにみえた次第。もの狂おしき族（うから）って存外、無駄なき処世の術にも恵まれるもの、ともその時知った。世の中、捨てたものでもない。処世のマニエリスムも僕はまたジュゼッペ・カスティリオーネの『廷臣論』から学んだ。その書庫で。マニエリスムは応用自在、どこにも活きている。

コンピュータが図書館事務に入る以前のことなので、今なら何もそんな愚かな自己犠牲的作業をと必ず言われてそれでおしまいという話なのだが、一人の読書人のその後を決定付けることになる顚末であって、意義ないことではない。書店つながりで付言しておくとすれば、東大外国語科という場所でもあって基本洋書。和書としては、公予算のほんの一部を教授の一存で何でも買えるという費目に当ててあったが、それで時々買った程度。だから本読みにめざめた場所が此処でというのは僕には決定的だった。教授たちは自分充ての研究費で買ったら、共有になる筈の本の購入になど配慮する人は少なく、校費分が一千万程度「余る」。助手がそれをそれなりの本を買って埋めるのだが、これが中々神経とエネルギーを使う。細かい話は今回は抜きだが、僕の書店との付合いは従って洋書店との付合いから始まり、洋書店の出すカタログからの発注が中心だった。私費でも買い始めたし、公私併せて三十歳前に年間千二、三百万は好きな本を買った。公的機関で監査が入るから、どこかの書店から一極集中的に買っているとイエローカードが出る。商売熱心ということもあって、語学は三省堂、文学・文化は丸善が圧倒的に多かった。間に業者が入ると、自分でやりとりするよりその分割高になるが、トラブル発生時に業者がやってくれる手間省きなどもあって、段々自分の買って読むのは洋書、そして書店は丸善一本槍。借家は次々と本棚がたたみをへこませるの、ゆかそのものがべこべこになるの、ある日風もないのに襖（ふすま）がはらっと倒れてくるの、という有様。常時四、五百万、丸善に借金を抱えていた。離婚もそれが原因（かな?）。

なに気どってやがんでえと言われても反論はできない。言うほどの読書体験は三十間近、丸善を介して商売柄の洋書探本からやっと始まった。和書に通じてないというよくある批判は当たってている。不自由な英・独・仏語相手だから字引きを傍にゆっくりじっくり読むしかないので、日本語でという場合のようになんとなくわかったら、どんどん飛ばし読みというのが利かない。本格的な大物をじっくり読む習慣は外国語が相手だから身についたということがはっきりある。毎日引きまくることを通して一寸無類の辞書マニアにもなったし、専門のひとつにレキシコグラフィー、辞書学を挙げられるのもこのことの功徳なのである。この一点をもって書の未来を今一番雄弁に語る山本貴光氏との接点もできた。

丸善という書店つながりでひとつ落としてならないのは、一時英文学からはなれて美術美学の勉強に身を入れ始めた頃、丸善月イチ発行の新入荷洋書アナウンスメントの有名カタログの分野別立項のやり方に不満というか意見を述べていたところ、アートブックのみ独立したカタログを出すという提言が容れられ、満足いくまでやってみよという企画をいただいた。それが一部に今なお復刊を熱望される方が多い美術書新刊案内カタログマガジン『EYES』で一二号まで出そうと言っていながら、担当の小森高朗氏の退任で一一号で終了した。稀代の読書人で美術に通じた山口昌男に、種村季弘、四方田犬彦、谷川渥、中野美代子に田中優子。荒俣に鹿島、バーバラ・スタフォードにタイモン・スクリーチといった豪華の上に超の付く面子から各十枚内外の愛好テーマ、愛読書推輓のエッセーを連ねた上に、美術書をサブ・カテゴリーに分け、並べる新刊書にいちいち内容紹介の記事を入れ挙句は思わずニヤリとして了う惹句までひねりだして、毎号新刊一千点を目途に紹介していった。中野美代子先生からの発注が一番多かったそうだし、これからのサブカル批評を中心的に担う筈の石岡良治さんからは専ら『EYES』での勉強でしたと、東京堂書店で氏の新刊刊行を祝うトークショーをやった時にいきなり言われ喫驚した（初対面のごあいさつをしたら、首都大学東京で先生の授業に出てましたと言われて冷汗をかいた。ちなみに僕の各大学での教え子がTSUTAYAはじめ、全国の書店で働き、「高山コーナー」を確保してくれているという噂が、一教師としては実は一番嬉しいのです！）。

　映画好きにとっては関係者一統のシネフィルぶりが、今もたまらない旬刊『キネマ旬報』の大ファンだという編集者で、当時は松岡正剛さんの所で働いていた市田炎子（あきこ）氏が記してくれた次の一文を引いて、この話は一切り区切りをつけよう。企画首謀者、丸善の小森氏の事情説明と一緒に『ブック・カーニヴァル』に収録されている。

　丸善の美術カタログ『EYES』をはじめて見たとき真っ先に頭に浮かんだのは、あろうことか「キネマ旬報」創刊号表紙の巻頭言だった。といってもご存知の方は少ないだろうから、ちょっと長くなるがサワリだけご紹介したい。

「御あいさつ／私共は活動寫眞が並外れて好きなのであります。私共は椅子に座つて活動寫眞を見て面白いと思つたり、家へ帰つて雑誌を購つて讀んで見たりするだけでは氣が濟まなくなつてしまひました。そこで十日に一度といふすばらしく出来さうもない豫定を立て、こんなものを發刊し、そして天下の映画愛好家諸君と提携してお互いにうんとメートルを上げやうと言うのであります。

損をしたつて構ひません。好い紙を使つて寫眞版をうんと入れて、むづかしい理屈を並べてわかりきつた無駄口も少しは敲いて、讀者諸君と教へあつたりいがみあつたり笑ひあつたりしやうと思つて居ります。

…要するに今の私共は活動寫眞を誘導する所ではない、ひつぱられて居るのだとおもつて居ります。いつかは此方でひつぱる様に成りたいとも思つて居ります。

いろいろと不經濟なことを述べました。到つて無慾の様に聞えますが成らう事ならやつぱり此の「キネマ旬報」が澤山賣れる様になればよいと祈つて居ります。」（キネマ旬報一九一九年七月十一日）

往年のハリウッド独特の女優ポートレートの下に、なつかしい活字で行儀よく印刷された文章には野暮ったい理屈も美辞麗句もないが、これはなんともうらやましいほどお茶目で幸福なマニフェストであった。続く7ページの誌面には、「流石人気吸収のニーラン氏」や「コンプス嬢演じる美しき姫ジョセリン」の胸踊る冒険ロマンスの粗筋に添えて、「やりもやつたり、出かしたりロイド氏。笑劇を此程度迄にした氏の手柄や偉大」といった美しい「批評」が躍っている。今を去ること八〇余年、映画の青春期のキラメキ・息づかいをナマに感じながら、今の映画雑誌の面白くなさは一体なんだろう、と考えていた。

前置きが長くなったが、それから数ヵ月後、はじめて『EYES』を見たとき「これだ」と思った。ちなみに『EYES』創刊号巻頭の「カタログ・マニフェスト（1）」の見だしはこうである。「絵というかヴィジュアルなもの全体の見方を面白くしよう。商業カタログの枠の中での冒険だからどこまでうまくいくか分からない。確立したノウハウは何もない。1回ごとが実験である。」

キネ旬にくらべると少しぶっきらぼうで気負っているが、しかし高山先生本来のノリが、実は十分「キネ旬的」であることを私たちは知っている。その本領が発揮されるのはやはり何といっても本体の膨大なカタログ部分だ。「画期！ 世紀末思春期文化論」「E・J・マレーの運動写真これでもかの335図版！」「珍奇有価証券の美術史」「惨 美術作品に見る拷問史」「インクレディブル！ アメリカ世紀末にだまし絵の華」「脱帽 近代文化史を帽子の図像で読み換え」などなど、妙に時代がかって大仰な惹句（コピーというよりは、やはり惹句）にワクワクしながら気まぐれにページを繰り、ときどき目についた概要を読んでみると、これがたいがい面白い。

たった一人で、毎回千数百点に上る「めぼしい本」をセレクト、リストアップし（母集合は何千冊になるだろう）細かいジャンルに分類して、扱う大きさを決め、あげくに凝った見だしまでつけてしまう高山氏の「手柄や偉大」で、思えば、これはゆうに一つのインスティテューションの1年分の仕事に相当する。一体どうやって作るのかと気になって、一緒に暮らしている由起さんに一度探りを入れてみたところ、「丸善からダンボールに何箱もカタログが送られてきて、首っぴきで全部見てるみたいよ」とのこと。その先のノウハウはいまだ謎のままである。以前どこかで（EYES 誌上だったか）、ご自身を「一カタログ編者が云々」と一見謙遜気味に定義しておられたが、そこにはなみならぬ自信とプライドが感じられて爽快だった。この自負の正当性は、かつて或る大学図書館の目録全体を、これもたった一人で完成させたという伝説を持ち出すまでもなくあきらかだろう。

ところがさらに幸福なことに、高山先生の天才はそれだけではなかった。もとより博覧強記の著述家、世紀末思想家等々としての評価は不動のものだったが、ここでぜひ強調したいのは、魅力的な教育者あるいはナレッジ・ナビゲーターとしての高山宏の功績である。もう一つ、「エンターティナー」とつけ加えるべきかもしれない。

そもそも、かくも錚々たる執筆陣が稿を寄せる本書に、なぜ私ごときがまぎれこんだかといえば、それはひとえに私が先生の知る数少ない「若い『ＥＹＥＳ』読者」の一人だったためだ。当年とって二八歳がどれほど「若い」かはまあ微妙な問題だが、比較的若い人間が『ＥＹＥＳ』を見て喜ぶという現象が大先生にはよほどショックだったらしい、という話を聞いて私もショックだった。巨匠の孤独な素顔を垣間見た気がしたと同時に、先生の語り口のわかりやすさ・面白さは、このあたりの謙虚（不幸？）な疑心暗鬼――若者にはわからない――に起因する部分もあるかと一人合点した。

高山先生の文章が「わかりやすい」というと語弊があるかもしれないが、「エフェメラ」「サブライム」「瀰漫するピクチャレスク」といった基本タームにさえ慣れてしまえば、論理展開は明快で、丁寧な解説に跳びや捻りはない。しかも無味乾燥な学術的解説ではなく、常に思い入れたっぷりに「なんてすごいんだ、どうだすごいだろう」とばかりに、アカデミックな世界のいちばん美味しい果実だけを大盤振る舞いしてもらえるのだ。そのストーリーテリングには一種独特の愛嬌があって、ときに講談調とも香具師の口上とも見える名調子に導かれて開いてみた扉はこれまで数知れない。『EYES』はいわば、未知への扉が半開きのまま見渡す限り並んだ巨大迷路で、うろうろするうちに好奇心で体温が上がる。「キネ旬的」と言ったのはこのあたりの感覚だ。やはりヴィジュアルなものを愛する態度には、どこかで共通する直接的・開放的なサービス精神というべきものがあるのだろうか。少なくともこの部分は、私たち無知で軟弱な今の若者にも大いにアピールするはずだ。

最後になってしまったが、メディア作りに関わる者の端くれとして、『EYES』で出会う本たちの豪華さや、編集の緻密さ、テーマの新鮮さと堅実さにはいつも溜息が出る。やはり出版物をはじめ文化のソフトウェアに対する考え方もコスト意識も根本的に違うのだろう。いつかはこんなのを作ろうと思うことも多いし、発想のヒントもたくさんもらった。今後もますます贅沢なカタログで私たちを魅了し、勇気づけ、またひっぱたき続けていただきたい。（「カタログ・マニフェストの冒険」）

出版部を持つ丸善の話で、書店一般の話にはならないかもしれないが、ひとつには僕自身の書店業への一購買者としてのオマージュというのとは違う関わり方の一例として、また『ブック・カーニヴァル』に今や仲々触れられぬ皆さんも多かろうと案じて、有難い全文を引かせてもらった。いやあ、學魔などと威張りながら結構、皆さんのお役に立つことに腐心してきたのだなあと久々に自分で自分をほめてあげたい！　好きだ嫌いだというエピソード話を越えて書店構造の結構革命と呼べる瞬間に立ちあったこのレヴェルの話なら、その松岡正剛さんが丸善の「本丸」に切り込んだ大企画「松丸本舗」との交流、「ニューアカ」ブーム全盛シーンを書店側から支えた池袋リブロ、今泉正光氏の伝説の「今泉棚」の成立に深く関わらせてもらったこと、電通が文化教育路線に傾いた時の社外向け月刊誌『アドヴァタイジング』の編集顧問をつとめた時のおもしろ話など、「リアル」書店と言って居直るにしても、ではそもそもプラトニズムの病を癒すはずのリアルたあ、何だ、とか、話題はもっともっとあるが、長くなる。いずれまた。今回は丸善に「檸檬」を仕掛けたインテリ・テロリストがちゃんといたんだよというエピソードを、ひとつだけ。

最近、大妻女子大学の役職になったら、若い女性の就職に責任をもたされる立場になり、ＩＴ、ＡＩの急速普及によってとりわけ女性一般職の口が激減するという予測が立って界隈色めきたっているが、いわゆるリアル書店がデジタルな情報と通販書店に駆逐されるのではないかというもうもう耳タコの予測と同様、却って知恵あるアナログの展開が早められる筈というのが皮肉屋、逆説好きの僕などの見立てである。但しカテゴリーのこわし方、つくり方、並べ方の狡智とエロティック感の演出など工夫が必要なことは言うまでもない。工夫。インヴェンションでも良い。ひとひねりし「メティス（狡智）」でも良い。マネージはマヌス（手）から、デジタルはデジット（指）から。頭を使うのと同時に手と指とを使う。マニエリスムとマネージメントが実は同じものと広言できる最たる知の統合分野が書店の未来、書店の書棚であるまいか。キーボードを叩きながら「棚（シュランク）」がマニエリストたちの驚異の棚（ヴンダーシュランク）、書店の書棚に見えてきた男が言うんだから、これ、間違いない！本人が書店の未来である男が一文草したら、こんな具合になりました！

跋　高山宏を誤［護］読（misreading）する

後藤　護

「はじまりのスタート」　長島茂雄

「終わりなき終り」　高橋康也『ウロボロス』

學魔本の「あとがき」という大仕事を任されたからには過去の著作も丹念に読み直し、弟子として書くべきこと・書かなくてよいことを四方田犬彦『先生とわたし』風にしっかり選別し、エピグラフと最後のパンチラインも最高のものをあらかじめ用意して万全の準備をして、後はえーと、えーと……といろいろ忖度していたら、諸般の事情で〆切が前倒しになって正味五日程度（！）で書くタイトなスケジュールになった。それゆえ半ば即興の出たとこ勝負。初の書下ろし単著『ゴシック・カルチャー入門』（Pヴァイン）を僅か五か月で書いた（書かされた？）達成感から、そっちのあとがきに「批評はインスピレーションであるからして時間をかけたからといって良質なものが書けるとは限らない」と偉そうに宣言してしまった傲慢さ（ヒュブリス）への天罰なのか、あるいは神＝高山宏から課された試練なのか。とはいえこのあとがき、計り知れない学恩を返せるまたとないチャンス。やるしかあるまいし、やってやれないことはない。

學魔の原点といえるアリスものに回帰する幻の論攷「アリスに驚け」に始まり、四つの追悼記事（オビチュアリーズ）が終盤に手向けられた構成からも分かるように、「けじめ」と「おわり」がテーマの本ということで（ご本人からもそう伺っている）、高山大人（うし）の「孫世代」（これに関しては後述する）である僕は、「おわり」を突き付けられて必然何を「はじめる」のかを問われていることになる。とはいえ「ノンけじめ人間」（『高山宏椀飯振舞I　エクスタシー』あとがき）を宣言した學魔が「けじめ」と「おわり」をつけることへの、一ファンとしての（一ファンゆえの）僕なりの「ノン」というかアンビギュアスな態度が文章に滲み出てしまうかもしれない。とまれ結論を急ぐ前に、まずは僕と高山先生の「特殊な」結びつきからお話しせねばなるまい。導入だと思って、しばし極私的な師弟関係の思い出におつきあいください（ときに敬称略になること、文士流儀でお許しください）。

出会いのアルケミア

明治大学国際日本学研究科ではじまった師弟関係、となる。明治大学の講義録といえば『夢十夜を十夜で』（はとり文庫）だろう。人によく「これ後藤くんも出てたんだよね？」と言われるが、これは学部生の授業なので、大学院からお世話になった僕はじつは全く関与していない。僕が受けた授業はより変則的な、活字化されない類の「親密な」ものだった。「親密な」と書いたのはこれが二人っきりのマン・ツー・マン授業だったからで、一年目は先輩院生のYさんがいたが、二年目になると學魔の院生は僕だけということでそうなった。中野キャンパスは教室の壁がガラス張りで、廊下から中が丸見えというたいへん変わった造りで、ジェレミー・ベンサム研究で名高い学長・土屋恵一郎氏による一望監視システム「パノプティコン」の具現化ではないか、と一部で陰謀論（？）が囁かれていたのが懐かしい。そのガラス張りの教室の前を偶然通りかかったムシュー・鹿島茂先生が學魔と二人っきりで何やら怪しげに喋っているのを目撃し、いつかのフランス語の授業で「君、あれよく耐えられるね」と言われたりしたのも、今では良い想い出だ（その鹿島先生からロブ゠グリエを教材にフランス語を習っていたのだ）。「よく耐えられるね」とはおっしゃる通りで、マン・ツー・マン授業の（たしか）最初の回に學魔に言われたのが、「僕は百人以下の人数の前では喋らないけど」という、こちらを試すようなキツイ一言だったのだから、教養も何もない山形県の田吾作はよく持ちこたえたものです（學魔の名科白を借りるならば、僕が唯一誇れる「ＩＱより愛嬌」で乗り越えた？）。

「授業」の例を以下に示そう。夜の七時四十分開始のその日最後の授業に——前の授業が盛り上がった場合は稀に二時間遅れ（！）——でやってきた高山先生が、「はい夜食」とポッケから粉々に砕けたビスケット（たまにぬるくなった午後の紅茶）を魔的ドラえもんのごとく差し出し、むしゃむしゃ食べたり飲んだりしながら、修論の進捗の話をしていたはずが〈脱線〉して「今日はこんなことあってさ」と學魔の近況をいろいろ聞くというオチで、授業というかおしゃべり（conversation）に近いもの。だからお堅く何かを学んだというよりかは、高山宏という人間の「人となり」を親密に経験した院生生活だったと言える（その延長で？藤本由香里先生と二人で調布時代の學魔邸に伺ったエピソードも忘れ難い）。

誤［護］読（misreading）のはじまり――侵入角度は平岡正明

というわけで授業ならざる授業、「オン」ではなく「オフ」の學魔をむしろ傍から見ていた経験ゆえであろうか、ぼくの高山像、及び高山学の理解はやや畸形遠近法（アナモルフォーズ）的に歪んでいる。自分なりの批評の両輪は高山宏と平岡正明だと思っていて、ここでなぜ一見前者と似ても似つかぬ（ハーポ・）マルクス主義の後者が出たかというと、これは「ロック・ミュージックと畸形見世物（フリークショー）」という茶目っ気ある異形テーマで研究してた院生時代、「これぐらい読んどけ」と平岡を当の學魔から推奨されたからだ。

まず百冊越えでジャンルレスな著作の多さに魅了されたし、じっさい読んですぐにハマった。そして「この平岡というのはどうも高山さんにそっくりだ」というのが僕の偽らざる感想で、高山宏の僕なりの誤［護］読（misreading）の始まりだった。六〇年代風〈突破〉文体、しっかりした手ざわりのある領域横断的な「文化史」（『アリスに驚け』巻頭論攷のキーワードでもある）、自分の仲間を立体的に浮き立たせる「生きた」人的交流史の記述のうまさ等々。高山さんの方が遥かにヨーロッパ志向だし諸外国語に通じているわけだが、その即興的文体の肉性や脱線ぶり、言文行一致のリアルな迫力など、じつのところシュルレアリスムとマニエリスムくらいの誤差だったのではないか、と書くと顰蹙を買うだろうか？

というか飲み会で学生にびた一文払わせない漢気など、そういう高山先生の「粋」な部分を平岡という江戸前シュルレアリスムな書き手に重ねてしまうのかもしれないし、二人とも歌謡曲的情念を称賛するから重なるのかもしれない（學魔はポー学会で藤圭子について熱弁した！）。とまれ、普遍言語計画や独身者機械をやる系列の〈クールな高山学〉がある一方、学生時代の僕は見世物やラブレー式グロテスクをやる〈ホットな高山学〉の方にむしろ傾いていたので、そちら方面で平岡とダブらせていた（四方田犬彦・松田修・荻野アンナ・田中優子など、二人が懇意にした人々の重なりが示唆的だ）。學魔が坪内祐三『靖国』書評で使った「裂帛の気合」なるアツアツな表現は、高山宏その人にも当てはまるバサラ感覚だと思う。

ところで高山先生による珍しい平岡評が僕宛の手紙のなかに残っている。學魔インタヴューが掲載された『機関精神史』創刊号（僕が編集主幹をやっている同人誌。後述）が文学フリマで行列ができるほど異例の売れ行きで、結果かなりイキがった発言をしてしまった僕を叱り飛ばす文面で今読み返すと背筋が凍るが、書き手を志す者全般への警句にもなっていて、また自分なりに何度も反芻してきた鬼気迫る言葉なので引用させていただく。

カッコよく呪詛しながら、明日食うものの心配もしなきゃならない。「俺」が平岡正明にこだわり、究極由良君美に殉じられなかったのも、その緊迫感、そのきりきり痛む平衡感覚の有り無しなんだよ。イキがる前に、こっそり血へど吐け！

「きりきり痛む平衡感覚」という言葉から、マニエリストが「綱渡り師(フュナンビュリスト)」（ジョルジオ・メルキオーリ）と形容されたことが思い出される。批評感覚と渡世感覚を両立／拮抗させつつ、見せつけつつも控えめに言論の場を確保していく戦略(マヌーヴァー)の巧みさを、學魔は由良大人よりも平岡に見たということか。いつも舌禍が絶えない僕などは、こうした処世術の大切さ（何なら切実さ）を學魔から多く学んだ。三〇を超えて愈々(いよいよ)身に染みる。

　この流れで言ってしまうと、「アリスに驚け」ゲラを僕は二〇一九年段階でじつは読んでいて、そのとき平岡の名前が真っ先に頭に浮かんだ。どういう経緯で読むことになったかといえば、學魔が若き頃に写経したという塚本邦雄短歌ノートを訳あって探していて、その作業のさなかに書きかけの「アリスに驚け」ゲラ（本書の巻頭論攷にあたる部分）が偶然発掘され、プレゼントとしてお送りいただいたのだ（他に替えがなかったため、その後本書刊行のため回収された）。そのとき一晩で読んだ自分の感想ツイートが以下のもの。

> 高山宏『アリスに驚け』ゲラを一晩で読んだが、最初に思い浮かんだのは平岡正明が二〇世紀の締め括りとして書き下ろした『チャーリー・パーカーの芸術』。どちらも自身のテーマ＝強迫観念とさえなっている問題的人物を扱っており、いままでの知的迂回がすべて強烈に叩きこまれている「総括」的位置づけ。ちなみに平岡は大病が治った直後に、取りつかれたように最高傑作『チャーリー・パーカーの芸術』を書き上げたという（「からっぽになった」とさえ言っているが、その後「落語」という次のステージに向かった）。だからカテーテル手術に成功した學魔には是

非その勢いで『アリスに驚け』を書き上げてほしい。（二〇一九年四月一五日）

今回再読した身としてもう一点付け足せば、『アリス狩り』と『アリスに驚け』の関係は、「メルヴィルの白い渦巻」と「パラドクシア・アメリカーナ」（『アレハンドリア』所収）の関係と相似形をなす。両者とも同一テーマの「はじまり」と「おわり」である。全編書き下ろし、とはならなかったものの、こうして「永遠の近刊」である『アリスに驚け』が世に出ることになったことはファンとして悦ばしい限り。僕がゲラを読んだ去年の段階では、ちょうど高山先生が心不全の手術を終えて（何度目かの）九死に一生を得た後であったこと、アリスを自ら「総括」したこと、そして時代は「令和」にいよいよ突入したこともあって、なにかこの『アリスに驚け』刊行後には——平岡が今まで論じてこなかった「落語」に向かったように——學魔のネクスト・ステージが見られるのではと、希望に胸高鳴っていたのは確かだ。その当時の気持ちは今でも変わらない。だから先生から最近「目、完全におさらばです、見えなくなりました」と書かれた手紙（ではどうやって書いたのかというパラドクスのマニエリスム！）をいただいた正にその日に、ダライ・ラマ14世が『内なる世界（インナー・ワールド）』と題したアルバムをリリースして八五歳でミュージシャン・デビューした（！）偶然もあって、學魔がスピリチュアルなかくれた次元に向かうとどうなるかなど、「おわり」のあとの「はじまり」を愈々夢見てしまう。

閑話休題。ひとまず跋のタイトルにも冠した誤［護］読（misreading）なる表現に関して、このあたりで説明したい。「師匠の本のあとがきタイトルに自分の名を滑り込ませるたあ何事だ」と思われる向きもあろうが、じつはこれ、ハロルド・ブルームが『影響の不安』で提起した“misreading”という概念に學魔が与えた訳語で、ジャンカルロ・マイオリーノ『アルチンボルド』（ありな書房）にしっかりと出てくる。「創造的誤読」とそれによる「テクストの救済」（ジェフリー・ハートマン）を［護］という字で意図しているのだろう。「正しい読み」などない、自由な「解釈」だけがあるのだ。というわけで誤［護］読を続けてみよう。

「努力なき努力」のマニエリスム――高山宏と長嶋茂雄

明大高山ゼミOB・OGには有名な話なのだが、「高山三原則」とでも呼ぶべき秘密結社の掟めいたものがあり、かなりエニグマティックゆえ高度な誤「護」読が求められる。具体的には「努力はするな、小市民にはなるな、自殺はするな」という三ヶ条で、よくよく考えると迷宮入りすることに気づく。小市民になりたくなければ人一倍努力しなければならないわけだが、努力は禁じられている。じゃあ小市民生活に絶望して死ぬしかないのか、と思うと自殺も禁じられていて、じつはロジック的にいくと「天才」でなければ守れない三原則と知れる。

でも俺、天才じゃねえしなあ……とこの「迷宮としての世界」の突破口に悩んでいたら、先述したマイオリーノ『アルチンボルド』第一部第一章の註七に答えがあった。宮廷におけるマニエリスム社交術のキモたる「さりげなさ（スプレッツァトゥーラ）」がいかに計算された人工的「さりげなさ」だったかという話で、この註に「努力なき努力」というフレーズが出てくるのだ。なるほど、高山宏は「これ見よがしの」努力はするなと言っていたのかもしれない。王貞治は「天才は1％の才能と、99％の努力」という立派だがやや鼻白む（？）格言で知られるが、高山宏の門を潜るということはこの比率を変換することである。いわば試験前に「全然勉強してない」と言ってさりげなく高得点をたたき出すのがスプレッツァトゥーラであり、マニエリスト魂である、と気づけるか気づけないか。

さて、「王貞治か長嶋茂雄かでいったら、俺完ぺきに長嶋派ね」という大学院の授業で放った學魔の名言が思い出された（先生はおそらく覚えていない）。「さかなへんにブルーで鯖」を筆頭とする横文字を駆使した分かるようで分からない／分からないようで分かる（？）天才的言語（ノン）センスや打撃フォームを「フォームメカニック」と言うマニエリスム的造語症（ネオロキスム）も似ていれば、過去映像を見るにむしろ見送るべきボール球をホームランにしてしまう打撃（ノン）センスなども學魔に似ている。僕自身、何をしても「絵」になるピクチャレスク男＝長嶋茂雄が高山宏なのではないかと確信したのは、爆笑問題が司会のスポーツ特番に野村克也が出演したときだった。ノムさんはミスター長嶋を評して「簡単なゴロを難しそうに捕って観衆を沸かせる天才」と絶妙な発言をした。直線より曲線、平易より韜晦を選ぶ、長嶋茂雄の華麗なるグラブ／マヌスさばきの道化的アクロバットにマニエリストの原‐身ぶりを感じる。だから巨人軍が永遠に不久であるように、マニエリスムも永久に不滅の歴史的常数なのかもしれない。とにかく「努力は（さもしいからこれ見よがしに）するな」という逆説を教わったことの意義は深く、これを前にしては「天才」立川談志の名言「努力は馬鹿に与えられた夢だ」も、何だか胡散臭く思えてしまうほど。

「孫世代」で始めたヒップホップ系批評同人誌『機関精神史』

冒頭触れた「孫世代」なる呼称については、一九四七年生まれの高山宏、一九八八年生まれの後藤護という、およそ「四〇」という大きな年齢の開きを考えてもらえれば分かりが早かろう。さらに敷衍すれば、子世代＝都立大の教え子たち、孫世代＝明治大学（及び大妻女子大）の教え子たち、という区分けもある気がしていて、『トランスレーティッド』（青土社）あとがきの藤原義也氏なんかは都立大時代のお弟子さんの代表格で、正に「子世代」というのが僕の認識。

ところで「父〜子〜孫」という三世代は、ブラック・ミュージックでいうと「ジャズ〜ファンク〜ヒップホップ」に対応する、とはジャズ・ミュージシャン菊地成孔の至言である。僕は由良君美と高山宏の師弟関係はチャーリー・パーカーとマイルス・デイヴィスのそれに相当する、とジャズ＝人文学的アナロジー（？）で結んで理解している。その心は？「任侠＋美少年」のコンビが革命を煽動するという松田修理論の実践、および師匠が破天荒な天才だった場合弟子はどうするかのモデルケースたりうる、という二点が答えとなる。それこそ僕は、學魔の二十歳当時のグループ・サウンズ風イケメン写真をツイッターにバラまいた張本人なのだが、それは正に「美少年と松田修」を論じる朝日カルチャーセンターの授業の打ち上げの場で見せてもらったものだった（「美少年を論じるものは美少年でなくてはならない」という学魔理論のもと、持参された一葉であった）。その美少年タカヤマが任侠「修羅」君美に助手として仕えていたのだから脱領域革命は必定だった。その写真を見て、由良大人と高山大人は、艶っぽくも破滅的な織田信長と森蘭丸のような関係だったと妄想した。そしてチャーリー・パーカーの天才的ビバップジャズからの影響を隠さないものの酒と女に狂った私生活面にはやや引いていた美男マイルスの姿が、高山宏の由良君美観にピタリと重なる（詳しくは『機関精神史』創刊号のインタヴューを）。

こうしたジャズ＝人文学的アナロジー（？）が行くところまで行くと、新しもの好きのマイルスが遺作『ドゥー・バップ』（九二）で孫くらいの世代のヒップホップ連中（イージー・モー・ビー）とつるんでアルバムを作っていたことが思い出され、高山宏インタヴューが掲載された『機関精神史』（山口昌男と林達夫の「精神史」にインスパイアされて始めた僕主宰の批評同人誌）の面々はまさにそのヒップホップ世代だろうと直感されてくる。弊誌刊行の際、山口昌男との超貴重2ショット写真を「マイルス高山」から送って頂いたのだが、添えられた手紙を読み返すと、とても沁みる。「ひとつの世代ともう一つの世代とのタンジェンス、微妙な接線、交点の一瞬と感ぜられるので君等の雑誌への消えた、消えつつある世代からの熱い思い入れの表明と御挨拶迄に」。こうしてジャズとヒップホップは一つの精神史の中に合流したのだ。

「アフロ・マニエリスム」の覚醒

さて、ジャズだヒップホップだ、ブラック・ミュージックの話を延々したことは実は布石であった。僕なりの學魔との出会い、そして僕なりの學魔観の導入くらいはここまで述べたので、最初に掲げたテーゼ「ではその弟子は何を始めるのか？」にここらで回帰しよう。いわば学魔の「終わりの意識」（F・カーモード）に対して、僕なりの「始まりの現象」（E・サイード）でお答えする、と言えばよいだろうか。ヨーロッパ近代合理主義の「合理」が行くところまで行って「反合理」に裏返る極点（例えばルイス・キャロル）というのがあって、その点を結んだ線がマニエリスム精神史である、というのが僕なりの雑駁な（あまりに雑駁な！）高山宏の仕事の一言要約だが、ヨーロッパの臨界点を見極めるという意味で、そもそもからしてマニエリスムにはヨーロッパを内破するような性質があった気がしている。たとえばマニエリスムの混淆原理（フュージョン）は、早すぎた「クレオール主義」（今福龍太）の予兆ではないか、ということで僕がいま夢中で追いかけているのが「アフロ・マニエリスム」で、この啓示を与えてくれたのが他ならぬヒップホップであった（G・R・ホッケ『文学におけるマニエリスム』付録の「ヨーロッパ綺想体」はすべて黒人ラッパーの歌詞で置き換えて問題ない）。

「タカヤマ・マニエリスム」が打ち立てた地平から僕たち令和のマニエリストは始めなければならないとしたら、必然ヨーロッパを超出することでしかありえない。「シャモワゾー『カリブ海偽典』が小説の名に値する最後の小説だろうね」という、高山大人がマン・ツー・マン授業中ぼそっと漏らした一言をこちらは忘れていない。先生が『不思議の国のアリス（アリス・イン・ワンダーランド）』なら、俺は「不思議の国の黒人（アフロ・イン・ワンダーランド）」で攻めるぜと、黒い炎をラディカルに燃やしている。他にも東アジア・マニエリスムを標榜する畏友・平井敏晴氏であるとか、古茨塔夫（グスタフ）・勒内（ルネ）・豪克（ホッケ）（中国語表記）の『絶望と確信』を訳した「中国の高山宏」こと牛「宏」宝であるとか、非ヨーロッパのマニエリスム勢力は世界各地で蜂起を「始めて」いる。

マネびマナぶマモル——コピーの精神史

このようにマニエリスムの継承・発展に努める身ゆえ、我が高山先生の猿真似（サンジュリ）を頑張る理由についてもお話しせねば片手落ちに思えてきた。これに関しては川村二郎が言い放った「なんだ、タネのコピーっての、おまえか？」で始まる、學魔の種村季弘追悼文「終りのはじまり」が良き導きとなる

(『雷神の撥』所収)。高橋康也が『ハムレット』を講じた授業で十枚のレポートを課し、それに學魔が百枚越えのものを出したところ「二十歳と思えぬ博識とくせの強い文体」と評されたというエピソードで、オチはこうだ。

なぜそう「博識」に見えたかと言えば「タネのコピー」だったからであり、なんで「くせの強い文体」かと申せば、種村氏の最初期作、『怪物のユートピア』、『アナクロニズム』を文字通り葦編三絶した必然の、我と彼の境界のあざとい消滅の所産だった。戻ってこないレポートゆえ確かめようがないけれど、当時のノート類をみると「八宗兼学」だの「綺想異風」だのといった語が一杯書きつらねられている。言うまでもない。グスタフ・ルネ・ホッケの『迷宮としての世界』の種村季弘・矢川澄子訳に繰り返された絢爛の綺語だった。

よって僕が恐れ多くも童貞作『ゴシック・カルチャー入門』に「博覧強記」だの「文体が強烈」だの身に余るご感想を賜ったのは、それは「ヒロのコピー」であることに忠実であったからと思う。この文章内で僕が多用している「大人(うし)」からしてそもそも「ヒロのコピー」で、「由良大人(うし)」という學魔ファンにはお馴染みの尊称をサンプリングしている。ところがこれじつは學魔による「ユラのコピー」(由良由来(ユラ・ユライ)? ヒロ・ヒライ?)だったかも知れず、由良君美『風狂虎の巻』あとがきで青土社の前社主を「清水康雄大人(うし)」と呼んでいて、さらなる元ネタの所在を突き止めた。他にも僕が「ヒロのコピー」としてよく使う「汗牛充棟(かんぎゅうじゅうとう)」という四字熟語も、早い段階で「タネのコピー」表現であると気付いた。となるときっとタネもユラもきっと誰かのコピーから始めたのだろうから、まずは憧れの対象を完コピすることがスタイルの「はじまり」である気がする。とはいえ必ずコピーしえない部分というか、自分とはやっぱり違うなと思える部分が如実に見えてくるのも完コピの逆説で、そうやって咀嚼・嘔吐しながら「オリジナル」なものが嫌でもにじみ出てくる。オリジナルな存在になるために、繰り返されるコピーの精神史がある（やがては「マモのコピー」も?）。

高山先生が学生時代「葦編三絶」した『迷宮としての世界』（美術出版社、一九六九年第四版）を早過ぎる「形見分け」として僕に送って下さったことがあり、じつは手元にある。尊敬するオルタナ編集者・郡淳一郎氏が編纂した名著『日本オルタナ文学誌 1945-1969 戦後・活字・韻律』（誠文堂新光社）で『迷宮としての世界』に丸々一ページ割かれているが、その書影が「第四版」であるのは高山大人が大学二年のときに購ったものだからとのことで、僕はその郡さんの出版人としての「純粋精神」（橋本一明）の美しさに涙した。この第四版、やがて催されるだろう「高山宏展」などで提供せねばならぬほどの超貴重資料ゆえ、ビニール袋に入れて本棚の奥にしまって、大事な時（例えばこの跋文を書くときなど）にだけ取り出すようにしている。背の綴じに使われた糊が剝がれ、ページ部分がハードカバーから分離してしまっていてほぼ半壊状態になるまで読み込まれていることからもホッケへの入れあげ方が半端じゃないことが伝わる。かつて『機関精神史』でインタヴューした際、このホッケ書には完全否定か完全肯定しかありえないから林達夫のような中途半端な態度はありえないとおっしゃていて、なるほどこうしたハマりかたは高山宏を読むことにも言えるよなと思った。以前「ルネサンス的なものやメタ様式的なもののポテンシャルを高山宏イズム?に極限してしまうことには強い警戒心を抱いてもいる」と書いた小賢しい批評キッズの猿がいたが、分かったじゃあ坊や、マニエリスム回りでもう二、三周してきてごらん、釈迦の手のひらの上だった、と気づくよ。二〇一九年末、丸善「知を燈す十一のまなび」という連続講演イヴェントに學魔もクリスマスの夜に見参し、登壇早々「私は神です」と瀆神発言でかるく物議をかもしたが（?・）、この日「影響を受けた私の三冊」なる選書リストも配られ、それに有難いことに拙著『ゴシック・カルチャー入門』も入っていた（むしろ學魔が影響を「与えた」本なのだが）。そこにはこうコメントしてあった。「人文ほぼ全分野が扱いに困っている高山宏マニエリスム文芸論・オルタナティヴ文化史を使い、さらにその先を灰望しようとすれば、高山の通ったほぼ全領域を一度総力戦でなぞり切る他ない」。そうなのだ。完コピしえない限り、高山宏のオルタナティヴも糞もない。「高山学」に対してシニカルな態度や「強い警戒心」を取った人間で、高山宏より大きく見えた人間がいない。理論がどうのじゃなく経験則で言っている。先述したように高山宏＝長嶋茂雄であれば、まずはモノマネ芸人プリティ長嶋になる道化段階を経てしか憧れの一流エンターテイナーには咫尺しえないと思っている。だって「神」に一番近い存在は「道化」でしょう?

さて、長くなったが學魔の種村追悼文にはもう一つ重要な部分があって、これも引用してみる。

恥ずかしいけれど、由良［君美］、高橋［康也］を盾にして、異端ごっこをやってこられたにすぎない。種村［季弘］、山口［昌男］にお仲間扱いしてもらうことで、他人様に少しは耳を傾けてもらえただけの自分。そういうシールドが次々とぶっとんでいく果てで、今度は自分がシールドになって誰か若い人間を守っていく任が、たとえば自分に務まっていくのだろうか。

異端を「護」る「盾の会」！　実際、高山先生には何度も僕の盾になっていただいた筈。こんな実力不相応の自分にこうやって跋文を書かせてみたり、「貴乃花に負けた千代の富士の気分！」と言ってこちらの書いた雑文にエールを送ってくれたりと、この高山シールドによって幾分僕の「異端ごっこ」も誹謗中傷を免れてきた気がする（批判もあるにはあるけど、取るに足らん連中ばかり）。しかし「暗黒批評」黄金時代の神々の系譜（高山〜由良〜澁澤？〜種村エトセトラ）と比して、自分がいかに小さいか。謙遜抜きにこれ日々悩みのタネである。そんなときに『ラ・ラ・ランド』に出会って号泣し、覚醒した。『ラ・ラ・ランド』は教えてくれた。失われたハリウッド黄金時代の豊饒や「円」満具足を夢見てしまった素寒貧のロマン派アーティストが、神なき時代――「楕円」の焦点に引き裂かれた時代――にどうすべきかを。届かない、足りない、あらかじめ欠けている「断片」であるからこそ至高を目指す、とはジョン・ノイバウアー『アルス・コンビナトリア』（ありな書房）中もっともエモい逆説的一文だが真理である。フレッド・アステアの超絶技巧ダンスはコピーできなくたって、カメラワークや色彩設計によって「寄せる」、場合によっては「超える」こともできる。あらゆるミュージカル映画を引用し、バラバラになった「夢のドリーム」（長島茂雄）を弥縫することで「失われた世界の復権」（山口昌男）は可能なのだと、このネオプラトニックなメタミュージカル映画は言っている（僕と同い年のエマ・ストーンちゃんによるオーディション・シーンの絶唱、あれが僕にとって「オルフェウスの声」だ！）。この映画に自己同一化することで自分の批評的方針が決定されたた気がするし、だから僕の書いた「楕円幻想としての『ラ・ラ・ランド』」と『『ラ・ラ・ランド』と青の神話学」という姉妹論攷（ともに『エクリヲ』WEB掲載）を高山大人が称賛してくれたことは、本当に多大な意味を持った。この論攷きっかけで大人から「地上波放送で『ラ・ラ・ランド』観ました」と手紙が届いたこと、ようやく逆影響を与えたのかも、と生涯自慢です。

「まだ始まっちゃいねーよ」

ここまで「構成の原理」（E・A・ポー）を嗤う蛇行に次ぐ蛇行、即興に次ぐ即興だったが、最後の最後に、「はじまる」どころか実は始まってすらいないかも、という逆説で締めくくろう。「おわり」と「はじまり」と聞いてウロボロスとかメビウスの輪をイメージする「正しい」高山学派と違って、僕のような旋毛曲りは學魔と同じ一九四七年生まれで、僕の大学の大・大・大先輩でもあるビートたけし（北野武）の青春映画の金字塔『キッズ・リターン』のほうを真っ先に思い出してしまうのであった。ヤクザ業界とボクシング業界からそれぞれドロップアウトしてしまったマサルとシンジ、かつて親友だった不良二人組が偶然再会し、学生時代の夢や蹉跌を思い出しつつ、母校のグラウンドを自転車で二人乗りしながら、以下のような会話をする。

「まあちゃん……俺たちもう、終わっちゃったのかな?」
「バカヤロウ、まだ始まっちゃいねーよ」

ここでエンド・クレジット、久石譲の傑作テーマ音楽。『機関精神史』を一緒に始めた高山えい子と僕の一番のお気に入りのシーンがこれだった。何回猿真似（サンジュリ）したか分からない科白だ。出版業界で一度「挫折」を味わった僕ら（多くは語るまい）にとって、これほど「絶望と確信」（ホッケ）の弁証法運動を要約（エピトマイズ）したかのごとき、身に染みる希望の原理はなかった。だからこの映画を思い出すとき、高山先生が一度「おわらせた」ものをオープンエンドにこじ開けて、「まだ始まっちゃいねーよ」とまあちゃんのようにフレッシュに啖呵を切ることが、僕のやるべきレヴォリューション（「再び（re）」過去を「巻き込む（volve）」が原義、と中沢新一氏は言う）ではあるまいかと思う。詩人にして映像作家パゾリーニが「私は過去の力である」と言ったように、肉体は滅びても、精神は継承（リレー）できる。そしてきっと、僕の後ろにだって、まだまだ続く——

世界と**精神**のことを
詩人また詩人が言ったこと
ただ死にゆくものなどない、と
関係を持たぬものなど、ないと。

エリザベス・シューエル
「創世記（ジェネシス）」
（高山宏訳）

『アリスに驚け』 初出一覧

第1部

アリスに驚け　　　書き下ろし

第2部

＊

メルヴィル・メルヴェイユ　　　「れにくさ」（東京大学現代文芸論研究室論集）第5号、2014年

意外にして偉大な学恩　　　「れにくさ」第10－2号、2020年

ボルヘスと私、と野谷先生　　　「れにくさ」第4号、2013年

＊＊

一九二六年のトランク　　　「ユリイカ」2016年12月号

「このわたしは人間の内部に」　　　『ブラウン神父の秘密』（創元推理文庫）解説、2017年

ExtraEditorial　　　『照応と総合　土岐恒二　個人著作集』（小鳥遊書房）2020年

平賀張り、英訳すればSwiftly　　　スウィフト『ガリヴァー旅行記』（高山宏訳、研究社）解説、2020年

遊行する機械　　　やなぎみわ展『神話機械』（羽鳥書店）解説、2019年

＊＊＊

マニエリスム、または「揉め事の嵐」　　　「ユリイカ」2019年5月増刊号

「古くさいぞ私は」で始まると、マニエリスムになる　　　「ユリイカ」2020年5月増刊号

ひろしは　あなを　　　「ユリイカ」2020年1月号

キャッツアイ　　　「ユリイカ」2019年3月号

エピローグ

ヴンダーシュランクに書店の未来　　　「ユリイカ」2019年6月増刊号

アリスに驚け

アリス狩り Ⅵ

2020年10月10日　第1刷印刷

2020年10月15日　第1刷発行

著者――高山 宏

発行人――清水一人

発行所――青土社

東京都千代田区神田神保町1-29　市瀬ビル　〒101-0051

電話　03-3291-9831（編集）、03-3294-7829（営業）

振替　00190-7-192955

印刷・製本――ディグ

装幀――コバヤシタケシ

ISBN978-4-7917-7254-4　　Printed in Japan

高山 宏の本

トランスレーティッド ——高山 宏の解題新書

未知・無名の「書物」を、一躍「古典」にさせる快楽！
定評あるものには見向きもせず、〈知〉の原石探しに徹すべし。
タカヤマ教授の〈人文知〉復権を期す
気宇壮大な構想の、華麗かつ壮絶なドキュメント——。
ノンセンス、パラドクス、道化、マニエリスム、ピクチュアレスク等々、
紹介された奇異綺想は数限りなし。
百学連還をめざす教授によって翻訳された（トランスレーティッド）、
絢爛たる書物の宇宙を一挙大公開。

青土社　四六版上製 九二〇ページ